Exploring America's Past

1850 to the Present

A MULTIMEDIA CURRICULUM

SPANISH STUDY GUIDES
with Answer Key

HOLT, RINEHART AND WINSTON
Harcourt Brace & Company

Austin • New York • Orlando • Atlanta • San Francisco • Boston • Dallas • Toronto • London

ISBN 0-03-051978-0

1 2 3 4 5 6 7 8 9   085   00 99 98 97

Table of Contents

Europa en las Américas

¿Quiénes fueron los habitantes originales de las Américas?

Los nativos americanos fueron los primeros habitantes en las Américas. En 1492, cuando Colón llegó a Norteamérica y a las islas del Caribe, aproximadamente 1 a 2 millones de americanos nativos vivían en lo que hoy son los Estados Unidos y Canadá.

- Cada grupo de americanos nativos tenía su propia sociedad, o comunidad. Cada grupo también tenía su propia cultura o su conjunto de características similares, como lengua y creencias religiosas.

- Los americanos nativos vivían en regiones distintas y compartían características culturales semejantes con otros grupos en su región geográfica. Estos grupos interactuaban al viajar, comerciar, o hacer la guerra.

- Los americanos nativos vivían de la caza y la pesca o en sociedades agrícolas establecidas. Algunos de los más sofisticados que se establecieron en sociedades agrícolas incluían a los mayas, los aztecas y los incas.

¿Por qué querían establecer colonias en el nuevo mundo los europeos?

- Las experiencias de los europeos con las especias y los productos del Oriente durante las Cruzadas crearon un deseo y un mercado en aumento para estas mercaderías. Como los viajes por tierra de Europa a Arabia y a China eran difíciles y costosos, muchos comerciantes europeos comenzaron a buscar una ruta por el océano a los mercados asiáticos. Tenían la esperanza de que una ruta oceánica sería más rápida y más fácil.

- Después de los primeros viajes de Cristóbal Colón al Nuevo Mundo, muchas naciones europeas se interesaron en las posibles riquezas que estaban disponibles en las Américas.

- Los españoles exploraron y establecieron colonias en muchas partes de las Américas, incluyendo México donde vivían los aztecas, y Perú, donde vivían los incas. Los españoles estaban impresionados con la riqueza y la complejidad de estas civilizaciones. Los españoles comenzaron a trasladar muchas ideas, plantas, animales y enfermedades entre el mundo "viejo" y el mundo "nuevo". Este traslado a través del Atlántico se conoce como el Intercambio Colombino. Muchos americanos nativos murieron después de tener contacto con los españoles por las nuevas enfermedades contra las que no tenían inmunidad.

- La Corona Inglesa también esperaba que su gente se estableciera en las Américas para expandir su imperio. Emitieron cartas de cesión, o acuerdos, que permitían que diferentes grupos se establecieran. Jamestown, la primera colonia inglesa que tuvo éxito, fue fundada en 1607 y financiada por la Compañía de Londres. Los fundadores de Jamestown esperaban que los colonos encontrarían oro, pieles y otros objetos de valor para mandar a Inglaterra. Pero en vez de esto, Jamestown y las áreas a su alrededor en Virginia tuvieron éxito con el cultivo del tabaco para exportar a Inglaterra.

¿Qué colonias establecieron los ingleses en Norteamérica?

Muchos grupos emigraron de Inglaterra para establecer colonias en Norteamérica. Los colonos vinieron por una variedad de razones, y las primeras colonias eran muy diferentes una de otra.

- En 1620 los peregrinos, y más tarde en la década de 1630, en números mucho más grandes, los puritanos, emigraron a un área al norte de Jamestown, conocida como Nueva Inglaterra. Los puritanos eran miembros de la Iglesia de Inglaterra, y frecuentemente eran perseguidos porque querían reformar la iglesia.

- En 1635, Roger Williams fundó Rhode Island. Williams había sido exiliado de la colonia puritana de Massachusetts por ser disidente, no estaba de acuerdo con las opiniones religiosas y políticas de los líderes de la colonia.

- Maryland se fundó unos pocos años más tarde para dar a los católicos que eran perseguidos en Inglaterra un lugar donde establecerse.

- Carolina fue establecida por plantadores de arroz y de algodón (y luego se dividió en Carolina del Norte y Carolina del Sur).

- En 1664 el rey inglés dio la tierra que se convertiría en las colonias de Nueva York y Nueva Jersey a su hermano, el duque de York. Este territorio incluía la colonia holandesa de Nueva Holanda, que el duque tomó por la fuerza y le puso por nombre Nueva York.

- En 1681, el rey de Inglaterra también dio una gran cesión de tierra a William Penn, que estableció la colonia de Pennsylvania para los cuáqueros. Al igual que los puritanos, los cuáqueros querían escapar de la persecución religiosa en Inglaterra.

- Un año después, en 1682, Penn recibió otra cesión de tierra que se convirtió en Delaware.

- Georgia fue fundada en 1733 como un lugar para que los deudores y otra gente pobre pudieran comenzar otra vida.

PREGUNTAS DE REPASO

Instrucciones: Escribe una "V" o una "F" en el espacio a la izquierda de la pregunta, y corrige la palabra o la frase subrayada si es falsa.

____**1.** Cuando Colón llegó a Norteamérica y las islas del Caribe, aproximadamente entre <u>mil y dos mil</u> americanos nativos vivían en lo que hoy son los Estados Unidos y Canadá.

_____

____**2.** Algunas de las sociedades más avanzadas incluían a <u>los mayas, los aztecas y los incas</u>.

_____

____**3.** Como los viajes de Europa a <u>Africa y Australia</u> eran difíciles y peligrosos, muchos comerciantes europeos comenzaron a buscar una ruta a los mercados orientales por el océano.

_____

____**4.** Los españoles exploraron y establecieron colonias en muchas partes de las Américas, incluyendo el Perú, donde vivían los aztecas, y México, donde vivían <u>los incas</u>.

_____

____**5.** <u>Jamestown</u>, la primera colonia inglesa que tuvo éxito, fue fundada en 1607.

_____

El nacimiento de una nueva nación

¿Por qué declararon los colonos ingleses su independencia de Gran Bretaña?

A mediados de los 1700, Gran Bretaña luchó y ganó la guerra Franco-India en Norteamérica. Aunque Gran Bretaña ganó muchas nuevas tierras con esta guerra, defenderlas era costoso. Los líderes británicos decidieron que era razonable exigir que los colonos norteamericanos pagaran algunos de los gastos, y les pusieron varios impuestos para juntar los fondos necesarios. Pero los colonos se opusieron a todos los impuestos que no fueran aprobados por sus legislaturas. La oposición a las nuevas políticas británicas dio a los colonos una causa común y los ayudó a unirse en buscar la independencia contra los británicos.

- La Proclama del Parlamento de 1763, que prohibía establecerse al oeste de los Montes Apalaches, fue emitida con la esperanza de evitar encuentros con los indios, pero los colonos resintieron esta Proclama porque querían tomar posesión de tierras en este territorio del oeste.
- El Acta de los Sellos de 1765 le puso un impuesto a todos los productos impresos. Esta Acta indignó a los colonos porque muchos de ellos leían periódicos y usaban documentos impresos.
- Las Actas de Townshend incluían varios impuestos junto con órdenes de registro especiales que permitían que los británicos hicieran cumplir las actas. Los colonos respondieron a las Actas de Townshend organizando protestas públicas y boicoteos, o acuerdos de no comprar ninguna mercadería británica. Cinco colonos murieron en la Masacre de Boston, cuando unos soldados británicos hicieron fuego contra una multitud furiosa que protestaba.
- El Acta del Té de 1773 forzaba a los colonos a comprar té directamente a la Compañía Británica de las Indias Orientales. En la Fiesta del Té de Boston los colonos protestaron tirando cajas de té al agua en el Puerto de Boston.
- Las Actas Coercitivas, o Actas Intolerables, castigaron a Massachusetts quitándole gran parte de su independencia política, bloqueando sus puertos, y exigiendo que los habitantes de Boston pagaran por el té arruinado. Los colonos hicieron un llamado al Primer Congreso Continental para que condenara las acciones de Gran Bretaña.
- La respuesta británica en 1775-76 a la resistencia colonial fue enviar más soldados para terminar con la rebelión por la fuerza. El rey George III también dio la orden de hacer un bloqueo naval de los puertos americanos. El bloqueo prohibía la entrada o la salida de los productos a las colonias.

¿Qué clase de nuevo gobierno crearon los colonos británicos en Norteamérica?

Después de que los colonos ganaron su guerra de independencia en 1781, necesitaban establecer un método de gobernarse.

- Cada estado escribió nuevas constituciones o hizo revisiones a sus cartas de cesión coloniales.
- El primer intento de escribir una constitución nacional fueron los Artículos de Confederación, escritos en 1777. Los Artículos limitaban tanto los poderes del gobierno nacional que éste no podía poner impuestos o defender los estados contra ataques del extranjero o una rebelión interna. Cada uno de los estados hacía su propio dinero y regulaba el comercio entre los estados, lo que quería decir que cada uno tenía clases de dinero diferentes y diferentes reglas para el comercio a través de los límites del estado. Estos arreglos llevaron a la inestabilidad económica y política.

La Constitución de 1787 fue escrita por delegados que se reunieron en la Convención Constitucional en Filadelfia. Creó un nuevo sistema de gobierno llamado federalismo, que dividía el poder entre los estados y el gobierno nacional. El gobierno nacional fue creado con tres divisiones que compartían los poderes, así que ninguna de ellas podía tener demasiado poder. Las divisiones eran el poder legislativo (el Congreso), el poder ejecutivo (el Presidente), y el poder judicial (el sistema federal de cortes). El Congreso estaba dividido en el Senado, con dos senadores por cada estado, y la Cámara de Representantes, con un número de representantes de cada estado basado en la población. La Declaración de Derechos, que estaba unida a la Constitución, era una lista de enmiendas garantizando a todos los ciudadanos ciertos derechos como la libre expresión y la libertad de prensa. La Declaración de Derechos estaba incluída en la Constitución porque muchos antifederalistas, que temían la pérdida de poder de los estados, se negaron a ratificar la Constitución sin ella.

¿Cómo administraron los primeros presidentes la nueva nación?

Los primeros dos presidentes fueron el General George Washington y John Adams.

- Washington nombró a su gabinete a consejeros de confianza como Alexander Hamilton, Thomas Jefferson y Henry Knox a las posiciones más altas dentro de la administración presidencial. Jefferson y Hamilton frecuentemente estaban en desacuerdo en asuntos claves porque Jefferson prefería un gobierno central más débil, una economía basada en la agricultura, y relaciones más estrechas con Francia, mientras que Hamilton quería un gobierno central fuerte, una economía mixta que incluía la industria, y relaciones más estrechas con Gran Bretaña. Como Secretario del Tesoro bajo Washington, Hamilton propuso que el gobierno federal pagara las deudas de guerra de los estados y que estableciera un banco federal que imprimiera papel moneda. Jefferson se opuso a un banco nacional, porque opinaba que la Constitución no lo permitía. Al crecer las divisiones entre las facciones, surgió un sistema político bipartidista que dividió a los americanos en organizaciones en competencia, basadas en sus creencias políticas.
- El segundo presidente fue John Adams, quien, al igual que Hamilton, era un federalista. Bajo Adams, la mayoría federalista del Congreso aprobó las Actas de Extranjeros y de Sedición, que le dieron al Presidente el poder de deportar a cualquier extranjero que fuera una amenaza al gobierno y que llevara a juicio a los críticos del gobierno. Jefferson y sus colegas, los demócrata-republicanos, sostenían que estas leyes eran un abuso de poder y ganaron amplio apoyo popular. Así fue que ganaron la elección presidencial de 1800.

PREGUNTAS DE REPASO

Instrucciones: Contesta las preguntas en el espacio dado.

1. Nombra dos impuestos o actas británicos y explica por qué los colonos se opusieron a ellos.

2. Explica cuáles fueron dos de los principales problemas con los Artículos de la Confederación.

3. ¿Cuáles fueron las diferencias principales entre la idea de gobierno de Thomas Jefferson y la de Alexander Hamilton?

Nombre _____ Clase _____ Fecha _____

La construcción de una nación fuerte

¿Cómo fue que los Estados Unidos casi doblaron su territorio al comienzo del siglo XIX?

En 1803, el Presidente Thomas Jefferson le ofreció a Napoleón Bonaparte de Francia 10 millones de dólares por el área que Francia había reclamado como suya, que se extendía del río Mississippi a las Montañas Rocosas. Jefferson estaba particularmente interesado en ganar control del puerto en Nueva Orleans. Bonaparte aceptó la oferta, pero pidió 15 millones, que aún en ese momento era un pequeño precio que pagar por la gran área geográfica comprendida en la Compra de Luisiana. Aunque la mayor parte de los americanos estaban satisfechos con la expansión de los Estados Unidos, algunos no estaban seguros de si el presidente tenía la autoridad constitucional para hacer esta compra sin el consentimiento del Congreso.

¿Cuáles fueron las causas principales de la Guerra de 1812?

Al principio de los 1800, Francia y Gran Bretaña estaban en guerra, pero el Presidente Jefferson quería que los Estados Unidos se mantuvieran neutrales en el conflicto. Pero durante los primeros años de la guerra, los británicos reclutaron por la fuerza a marineros de barcos americanos que sospechaban eran súbditos británicos y los hicieron servir en las fuerzas navales inglesas. Para terminar por medios pacíficos con el reclutamiento forzoso de los marineros americanos, el Congreso aprobó el Acta de Embargo. Jefferson esperaba que el embargo, o negarse a enviar productos a otros países, iba a hacer daño a Inglaterra y Francia. Pero el Acta hizo daño principalmente a los productores americanos que ya no podían exportar sus productos a Europa. Aunque las fuerzas de los Shawnee habían sido derrotadas en la Batalla de Tippecanoe, su líder Tecumseh se unió a los británicos cerca de la frontera con Canadá en el Viejo Noroeste. Los Estados Unidos culparon a los británicos de animar a los indios americanos a atacar a los colonos establecidos en la frontera. Al enfrentarse los barcos americanos en el Atlántico a las amenazas británicas y los colonos en el Noroeste a los ataques de los nativos americanos, el Congreso le declaró la guerra a Gran Bretaña en junio de 1812. La Guerra de 1812 finalizó con el Tratado de Ghent el 24 de diciembre de 1814. Aunque nadie ganó claramente la Guerra de 1812, esta guerra contribuyó al aumento de los sentimientos de nacionalismo entre los americanos.

¿Cómo era el Norte entre 1820 y 1850?

Al comienzo de los 1800, los Estados Unidos comenzaron a desarrollar una economía industrial principalmente en el Noreste. El gobierno de los Estados Unidos animó el crecimiento de las fábricas al poner impuestos de importación, conocidos como tarifas protectoras, sobre los productos hechos en el extranjero para hacerlos más costosos que los productos americanos.

• Las primeras fábricas en América hicieron textiles, o tela, y como funcionaban con la energía del agua, estaban situadas cerca de ríos de corriente rápida.

• Cerca de 1800, algunos inventores americanos como Eli Whitney introdujeron las partes intercambiables. Las fábricas podían hacer objetos con partes que encajaban en cualquier otro objeto del mismo tipo, lo que hizo posible la producción masiva, la producción rápida de grandes cantidades de mercadería idéntica.

- Muchas de las primeras fábricas textiles en el Noreste contrataba en su mayor parte a mujeres jóvenes y solteras para que trabajaran. Más tarde, al expandirse la industria, hombres y mujeres inmigrantes, así como niños, trabajaban en las fábricas.

- Algunos trabajadores formaron sindicatos, que eran organizaciones de trabajadores, para conseguir mejores condiciones de trabajo y mejores salarios. Si los dueños de las fábricas no aceptaban las exigencias de los trabajadores, algunos obreros hacían huelga, negándose a trabajar hasta que se hicieran las mejoras.

- Los nativistas objetaban al gran número de inmigrantes que entraban al país y que trabajaban en las fábricas. Los nativistas trataron de evitar la entrada al país de los inmigrantes.

- Las mujeres, los hombres y los niños que trabajaban en estas fábricas generalmente vivían en edificios de apartamentos atestados e insalubres. Algunos americanos de clase media trataron de ayudar a estos obreros trabajando por mejorar sus condiciones de vida y de trabajo.

¿Cómo era el Sur entre 1820 y 1850?

En lugar de productos manufacturados, la economía agrícola del sur producía algodón. El cultivo del algodón se volvió productivo después de que Eli Whitney inventó la despepitadora de algodón para sacarle las semillas rápidamente a la fibra de algodón. La población que crecía rápidamente en Gran Bretaña y en el noreste de los Estados Unidos aumentó la demanda para un mercado de textiles de algodón. En la explosión de producción de algodón que resultó se necesitaron más trabajadores en el Sur, y muchos de los granjeros que cultivaban algodón usaron esclavos para hacer el trabajo.

PREGUNTAS DE REPASO

Instrucciones: Contesta las preguntas en el espacio dado.

____1. La Compra de Luisiana incluía territorios que se extendían
  a. de Boston a los Grandes Lagos.
  b. de Florida al Mississippi.
  c. del Mississippi a las Montañas Rocosas.

____2. Una razón por la que los Estados Unidos lucharon en la Guerra de 1812 fue la práctica de Gran Bretaña de
  a. fraude.
  b. reclutamiento forzado.
  c. retirar inversiones.

____3. La mayoría de las primeras fábricas en América producían
  a. textiles o tela.
  b. muebles.
  c. automóviles.

____4. Al comienzo del siglo XIX, la economía en el Sur de los Estados Unidos estaba basada en
  a. el cultivo del tabaco.
  b. el cultivo del algodón.
  c. el cultivo del trigo.

La búsqueda del crecimiento y del cambio

¿Qué sucesos políticos significativos ocurrieron durante la presidencia de Andrew Jackson?

Andrew Jackson subió a la presidencia en 1828, visto como un héroe del hombre común. A muchos americanos les gustaba lo que representaba, porque había nacido pobre pero llegó a ser un rico plantador. Jackson simbolizaba la oportunidad de avanzar en América con trabajo duro y buena suerte.

- Los seguidores de Jackson crearon un nuevo partido político, el democrático, que surgió del viejo partido demócrata-republicano de Jefferson. Los opositores formaron el partido Whig.
- Los partidos políticos comenzaron a tener reuniones nacionales, llamadas convenciones de nominación, en las que los delegados tenían voto en la elección de los candidatos políticos.
- Carolina del Sur desafió la autoridad federal al hacer nula, o al cancelar, una tarifa nacional que el Congreso aprobó en 1828. Jackson opinó que los estados no tenían derecho a decidir qué leyes federales iban a obedecer. Al permitir que los estados hicieran eso, la unión se iba a ver amenazada y Jackson amenazó con usar la fuerza militar para hacer cumplir la ley, pero se llegó a un compromiso.
- Jackson vetó un nuevo permiso para el Banco de los Estados Unidos, y comenzó la transferencia del dinero del banco a los bancos estatales. Esta acción, junto con otros sucesos, ayudó a que hubiera una depresión económica.

En 1830 Jackson urgió al Congreso a aprobar el Acta de Traslado de los Indios, que obligaba a los indios que vivían al este del río Mississippi a que se mudaran al recientemente creado Territorio Indio en lo que hoy es Oklahoma y Kansas. Muchos indios protestaron este traslado por la prensa y las cortes y hasta con resistencia armada. La Suprema Corte, en Worcester v. Georgia, mantuvo que los Cherokee tenían derecho a su patria. Jackson ignoró esta decisión y en 1838 las tropas federales forzaron a los Cherokee y a otras tribus a mudarse al Territorio Indio en una marcha que hoy se conoce como el Sendero de las Lágrimas.

¿Cómo inspiró el Segundo Gran Despertar un movimiento de reforma moral?

Una ola de entusiasmo religioso conocido como el Segundo Gran Despertar pasó por América entre los años 1790 a 1830. Animó a la gente a que buscara su satisfacción espiritual. Los predicadores que viajaban organizaban grandes reuniones religiosas, llamadas renacimientos, y ponían énfasis en la experiencia emocional de la salvación. Muchos de los aquellos cuyo sentido moral fue despertado por estas experiencias espirituales volvieron a sus comunidades determinados a mejorar lo que consideraban como las condiciones "inmorales" que los rodeaban. Algunos se enfocaron en ayudar a los pobres y a los desposeídos. Otros apoyaron la prohibición, o declaración de ilegalidad, del alcohol para mejorar la vida de familia. Muchas mujeres abolicionistas comenzaron a apoyar más derechos para las mujeres. En 1848 Elizabeth Cady Stanton y Lucretia Mott organizaron la primera convención de derechos de la mujer en América en Seneca Falls, Nueva York.

¿Por qué fueron los Estados Unidos a la guerra con México?

Después de que México conquistó su independencia de España en 1821, los americanos empezaron a moverse hacia el norte de México en lo que ahora es el estado de la Unión llamado Texas. Para 1830 habían llegado 20,000 colonos americanos, y muchos no estaban contentos viviendo bajo el gobierno mexicano. En 1835 los colonos americanos se unieron a los texanos, o habitantes de Texas de ascendencia española o mexicana, para luchar por la independencia de México. Las tropas texanas bajo las órdenes del General Sam Houston derrotaron al ejército mexicano en la Batalla de San Jacinto en 1936. Texas se convirtió en una república independiente, y proclamó que el río Grande marcaba la frontera entre Texas y México. México no estuvo de acuerdo con la proclama texana de que el río Grande marcaba la frontera, e insistió que la frontera estaba más al norte, a lo largo del río Nueces. Después de que Texas se unió a los Estados Unidos en 1845, el Presidente James K. Polk ofreció a México 25 millones de dólares por sus territorios en Nuevo México y California, así como por las áreas en disputa en Texas. Cuando México se negó a aceptar esta oferta, Polk envió tropas a la región de Texas en disputa. Una guerra sangrienta comenzó, y después de que las fuerzas de los Estados Unidos capturaron la Ciudad de México en 1847, México estuvo de acuerdo en firmar el Tratado de Guadalupe Hidalgo. En este tratado, los Estados Unidos se comprometían a pagar 15 millones de dólares por el área conocida como la Cesión Mexicana. Esta área incluía a California, Nevada, Utah, y partes de Arizona, Nuevo México, Colorado y Wyoming.

¿Qué factores llevaron al aumento de la colonización del Oeste?

La Cesión Mexicana abrió vastas áreas nuevas para la colonización americana. Aun antes de la Guerra Mexicana, miles de americanos habían cargado sus pertenencias en carretas tiradas por caballos o por bueyes para hacer el largo y muchas veces peligroso viaje por el Camino de Oregon hacia el Pacífico. Tanto los hombres como las mujeres y los niños compartieron las dificultades y las responsabilidades de la vida en este camino. Muchos hombres solteros se fueron al oeste a buscar oro en la Fiebre del Oro de California que comenzó en 1849. Otros grupos como los mormones, que habían sido perseguidos en el este, se dirigieron hacia el oeste para establecer comunidades religiosas.

PREGUNTAS DE REPASO

Instrucciones: Escribe una "V" al lado de una oración verdadera, una "F" al lado de una falsa, y corrige la palabra o frase subrayada en las oraciones falsas.

____**1.** Andrew Jackson simbolizaba la oportunidad de avanzar en América <u>por tener una familia rica y conexiones políticas.</u>

____**2.** En 1830 <u>Jackson urgió al Congreso a que aprobara el Acta de Traslado de los Indios</u>, que trasladaba a los indios del este al Territorio Indio en el oeste.

____**3.** <u>El Gran Despertar</u> fue una ola de entusiasmo religioso.

____**4.** La primera convención por los derechos de la mujer tuvo lugar <u>en Seneca Falls, Nueva York</u>, en 1848.

La expansión sureña

¿Por qué la victoria de los Estados Unidos en la querra con México avivó el conflicto sobre la esclavitud?

La victoria de Estados Unidos en su guerra con México le ganó una inmenso territorio. Algunos norteamericanos querían solucionar el asunto de la esclavitud, en los nuevos territorios, extendiendo la línea 36° latitud norte hasta el Pacífico, latitud que se había acordado en el "Missouri Compromise" (Acuerdo de Missouri). Esta solución prohibiría la esclavitud al norte de esa línea y la permitiría al sur de ella. Otros norteamericanos pensaban que en ninguna parte del los nuevos territorios de la Cesión Mexicana debería permitirse la esclavitud.

¿Qué acciones fueron sugeridas para resolver el conflicto sobre la esclavitud en el Oeste?

Estipulación Wilmot Introducido por el Diputado David Wilmot por Pennsylvania en 1846, este proyecto de ley prohibía la esclavitud en todos los territorios obtenidos a través de tratados con México. El Proviso Wilmot fue aprobado en la Cámara de Diputados pero no en el Senado.

El Acuerdo de 1850 (The Compromise of 1850) Este acuerdo formulado por el Senador Henry Clay le permitió a California entrar a la Unión (o sea a los Estados Unidos) como estado libre y prohibió el tráfico de esclavos en el Distrito de Colombia. A cambio, los sureños ganaron, con ese Acuerdo, la aprobación de una dura ley en contra de los esclavos que huyeran de sus amos, el "Fugitive Slave Act". También se les permitió a los habitantes de los nuevos territorios de Utah y Nuevo México decidir, a través del voto, si deseaban implantar la esclavitud o no. A este tipo de acciones en las cuales son los votantes los que directamente deciden un asunto, se le llama soberania popular. Muchos norteños protestaron enérgicamente en contra del "Fugitive Slave Act" ya que esta ley los obligaba a entregar a las autoridades, a los esclavos que habían huido de sus amos.

La Ley Kansas-Nebraska (The Kansas-Nebraska Act) Formulada por el Senador Stephen A. Douglas en 1854, esta ley les permitía a Kansas y a Nebraska decidir, a través del voto, si deseaban permitir o prohibir la esclavitud. Como estos dos estados están arriba del paralelo 36° latitud norte, en realidad cancelaba el Acuerdo de Missouri (The Missouri Compromise). Aunque pocas personas necesitarían esclavos en estados con climas tan fríos, como los ubicados al norte del paralelo 36°, los sureños recibieron esta nueva ley como una victoria; mientras que los norteños la veían como una ley que amenazaba a la libertad.

La Compra de Gadsden (Gadsden Purchase) Esta compra hecha en 1854, de tierras mexicanas, agregó varios miles de millas cuadradas de territorio a lo que es hoy en día el suroeste de Arizona. Muchos senadores que se oponían a la esclavitud, obligaron a los Estados Unidos a comprar un territorio más chico de lo planeado originalmente. Estos senadores no deseaban agregarle al país más territorios por temor a que se fuera a legalizar la esclavitud en ellos, por medio de la soberanía popular.

¿Qué cambios políticos resultaron como consecuencia del conflicto sobre la esclavitud en los territorios del oeste?

El debate sobre la expansión de la esclavitud a los territorios del oeste jugaron un papel importante en las elecciones presidenciales de 1848.

Los demócratas nominaron al senador de Michigan, Lewis Cass, quien estaba a favor de la soberanía popular. Muchos demócratas norteños se oponían a la soberanía popular porque ésta podía permitir la legalización de la esclavitud en los territorios del oeste. Así que se opusieron a la nominación de Cass.

Estos demócratas norteños, juntos con algunos partidarios de los "Whigs", fundaron el Partido de Tierra Libre (Free-Soil Party). Este nuevo partido se oponía enérgicamente a la expansión de la esclavitud en los territorios del oeste. Los partidarios del Free-Soil Party nominaron al ex-presidente Martin Van Buren como su candidato.

El candidato del Partido Whig fue el General Zachary Taylor. Taylor, sabiendo que la cuestión de la esclavitud en los territorios de la Cesión Mexicana era muy controvertida, no expresó ninguna opinión al respecto. En vez de enfocar el tema de la esclavitud, los Whigs enfatizaron el heroísmo y la honestidad de Taylor. Esta estrategía funcionó, y Taylor ganó la elección.

Para más información, ver: Southerners Eye Latin America More of the Story Reading en *Exploring America's Past* CD-ROM.

PREGUNTAS DE REPASO

Instrucciones: Contesta cada preguna en la pequeña raya dada.

____**1.** La Ley Kansas-Nebraska de 1854 canceló
  a. el Acuerdo de Missouri
  b. la Compra de Gadsden
  c. la Cesión Mexicana
  d. la estipulacion de Wilmot

____**2.** La ley que le permitió a California entrar a la Unión como estado libre era parte de
  a. la estipulacion de Wilmot
  b. el Acuerdo de Missouri
  c. el Acuerdo de 1850
  d. a Ley Kansas-Nebraska

____**3.** En los años de la década de 1850, la doctrina de soberanía popular permitía a los territorios
  a. darle a las mujeres el derecho al voto.
  b. decidir, por medio del voto, si se permitía o prohibía la esclavitud.
  c. elegir candidatos presidenciales independientes
  d. cancelar la ley llamada, "Fugitive Slave Act".

____**4.** El partido político creado en 1848 con el próposito de oponerse a la esclavitud en los nuevos territorios ganados a través de la Cesión Mexicana fue
  a. el Partido Demócrata
  b. el Partido Whig
  c. el Partido Independiente
  d. el Partido Tierra Libre (Fee Soil Party)

Nombre _____ Clase _____ Fecha _____

La lucha por Kansas

¿Cuáles fueron las causas del conflicto en Kansas durante los años de la década de 1850?

Después de la entrada de California a la Unión, varios planes para construir una red ferrroviaría hacía la Costa Oeste fueron propuestos. Los norteños estaban a favor de una ruta que saliera de Chicago, mientras que los sureños querían que esta ruta corriera desde Nuevo Orleans. Pero ningúna red ferroviaría podría ser construida en territorios sin gobierno. El Senador Stephen A. Doublas de Illinois esperaba que su estado lograra grandes riquezas abriendo el paso necesario para que se pudiera construir el ferrocarril desde Chicago. Para lograrlo introdujo un proyecto de ley en el Congreso que transformaba la región al oeste de Missouri e Iowa en terrritorios. A pesar de alguna polémica, su proyecto de ley Kansas-Nebraska fue aprobado y convertido en ley en 1854.

La Ley Kansas-Nebraska creó muchos problemas porque le permitía a la gente de los nuevos territorios decidir, a través de la doctrina de soberanía popular, si iban a permitir o no la esclavitud. Los nuevos territorios incluían regiones al norte del paralelo 36° establecido en el Acuerdo de Missouri. Por lo tanto, la Ley Kansas-Nebraska, cancelaba este Acuerdo que prohibía la esclavitud al norte de ese paralelo. La razón por la cual Douglas, un senador norteño, había estado dispuesto a permitir que se pudiera legalizar la esclavitud en los territorios, era porque de lo contrario, los senadores sureños no hubieran apoyado su proyecto de ley. Sin el apoyo de ellos, era posible que Chicago se quedara sin su deseado ferrocarril transcontinental. Douglas creía que ni los votantes de Kansas, ni los de Nebraska, legalizarían la esclavitud. Así que pensó que permitirles el voto sobre la esclavitud no causaría ningún problema. Se equivocó. Tanto las fuerazas en pro de la esclavitud como las que estaban en contra de ella, intentaron controlar el gobierno de Kansas. Un abolicionista de Massachusetts, Eli Thayer, organizó la Compañía de Ayuda de Massachusetts para el Emigrante (Massachusetts Emigrant Aid Company). Esta organización ayudaba a pagar los gastos de mudanza de familias que estaban en contra de la esclavitud y que estaban dispuestas a irse a vivir a Kansas. Mientras tanto, gente de Missouri que estaba a favor de la esclavitud se apresuro a irse a radicar a Kansas. Una vez en Kansas, estas dos facciones comenzaron una batalla política que pronto estalló en una sangrienta guerra civil entre los colonos anti y pro esclavitud.

¿Qué problemas y conflictos específicos estallaron en el territorio de Kansas?

A finales de 1854, funcionarios públicos organizaron una elección en la que iban a participar 3,000 electores del territorio de Kansas. Cuano las boletas contadas sumaron 6,300 quedó claro que ciudadanos de Missouri a favor de la esclavitud, habían entrado a Kansas a votar ilegalmente.

Como los votos ilegales también fueron contados, una mayoría de delegados que favorecían la esclavitud, fueron elegidos a la legislatura de Kansas. Rápidamente aprobaron leyes permitiendo la esclavitud en Kansas y hasta implantaron la pena de muerte para quien auxiliara a esclavos fugitivos.

En respuesta a las acciones de un gobierno que favorecía la esclavitud, la oposición estableció también su propia legislatura. Ahora ambas partes decían controlar un mismo territorio. Esta situación finalmente resultó en el estallido de un conflicto armado.

En noviembre de 1855, un hombre del grupo a favor de la esclavitud, mató a uno colono opuesto a ella, en una discusión sobre un tierra. Entonces, los amigos del hombre muerto quemaron la cabaña del asesino.

En la primavera de 1856, colonos anti-esclavitud, organizaron una milicia en Lawrence, Kansas. El 21 de mayo, el "sheriff" de la localidad, quien estaba a favor de la esclavitud, encabezó a un grupo grande de gente armada de Missouri. El sheriff y su grupo atacaron el pueblo de Lawrence. Quemaron muchos de sus edificios y mataron a una persona.

Por la media noche, de unos días después del ataque a Lawrence, un abolicionista radical llamado John Brown, dirigió a un grupo de siete hombres, cuatro de los cuales eran sus hijos, a Pottawatomie Creek. Allí, Brown y sus seguidores mataron a cinco hombres pro-esclavitud.

Para más información, ver: "Bleeding Kansas Atlas Map," "Violence in Congress" y More of the Story Reading" en *Exploring America's Past* CD-ROM.

PREGUNTAS DE REPASO

Instrucciones: Contesta cada preguna en los renglones dados.

1. ¿Por qué propuso el Senador Stephen A. Douglas el proyecto de ley Kansas-Nebraska?

_____

_____

_____

2. ¿Cómo cambió la Ley Kansas-Nebraska, al Acuerdo de Missouri?

_____

_____

_____

3. ¿Por qué se establecieron dos gobiernos en el territorio de Kansas?

_____

_____

_____

4. Menciona tres problemas o conflictos que ocurrieron en el territorio de Kansas y explica la importancia de cada uno.

_____

_____

_____

Nombre _____ Clase _____ Fecha _____

CAPÍTULO

La problemática de la esclavitud

¿Qué era la nueva ley llamada Ley para los Eclavos Fugitivos "Fugitive Slave Act" y por qué fue tan polémica?

Por mucho tiempo, los dueños de esclavos habían argumentado que la Quinta Enmienda de la Constitución que protegía el derecho a la propiedad, les daba a ellos el derecho de tener sus esclavos. Ellos consideraban que los esclavos eran un objeto de propiedad. Por lo consiguiente, los esclavistas argumentaban que ellos tenían el derecho de capturar a cualquier escalvo que huyera. La ley "Fugitive Slave Act", más enérgica que otras anteriores, reforzaba su posición. Pero esta ley que había sido aprobada como parte del Acuerdo de 1850, era muy polémica por muchas razones.

Cualquier persona que escondiera a un esclavo fugitivo podía ser castigado con seis meses de cárcel y una multa de $1,000. Todos los ciudadanos, aún los abolicionistas del Norte, tenían la obligación de ayudar a capturar esclavos fugitivos, si la autoridad competente se los ordenaba. Esta ley se implementaba hasta en regiones donde la gente se oponía fuertemente a la esclavitud.

Como mucho dueños de esclavos en el sur ofrecían recompensas por la captura de esclavos fugitivos, había personas que se dedicaban a la captura de estos esclavos. Su objetivo era capturar la cantidad más grande de esclavos fugitivos posible. Algunas veces hasta agarraban a afro-americanos libres del Norte y los vendían en el Sur. Esto horrorizaba tanto a los afro-americanos libres como a los norteños. Para evitar tal suerte, muchos afro-americanos—libres y esclavos—inmigraron a Canadá.

¿Quién fue Dred Scott, y por qué fue importante la "decision Dred Scott"?

Dred Scott fue un esclavo que había sido llevado por su amo a vivir, durante unos años, a un territorio libre y después a un estado libre. Scott demandó su libertad en un tribunal, argumentando que él se había convertido en un hombre libre al haber sido llevado a lugares donde la esclavitud era ilegal. En 1857, la Suprema Corte emitió su fallo en este caso, que llegó a ser conocido como la "decisión Dred Scott". Esta decisión de la Corte agradó al Sur y enojó al Norte.

En su decisión la Corte explicó que Scott no tenía derecho a presentar su demanda porque él no era ciudadano de los Estados Unidos. La Corte declaró que la Constitución no admitía que los afro-americanos eran ciudadanos estadounidenses.

La decisión reconocía que los esclavos eran propiedad. La Corte declaró que como la Quinta Enmienda garantiza el derecho del ciudadano a su propiedad, cualquier ley que limite a las personas de llevar a sus esclavos a un territorio, no era constitucional.

El efecto de esta decisión era que declaraba el Acuerdo de Missouri inconstitucional y prohibía que el Congreso aprobara leyes restringiendo la esclavitud en los territorios del oeste.

Para más información, ver: "Flight to Canada" Source Reading en *Exploring Ameica's Past* CD-ROM.

PREGUNTAS DE REPASO

Instrucciones: Contesta cada pregunta en los renglones dados.

1. De acuerdo a la ley llamada, "Fugitive Slave Act", ¿cuál era el castigo por esconder a un esclavo fugitivo? ¿Qué exigía la ley que hiciera todo ciudadano respecto a esclavos fugitivos cuando la autoridad le diera ordenes?

    _____

    _____

    _____

2. ¿Por qué los afro-americanos libres que vivían en el Norte le temían a la ley, "Fugitive Slave Act"?

    _____

    _____

    _____

3. Menciona y explica dos aspectos principales de la decison Dred Scott.

    _____

    _____

    _____

La cabaña del tío Tom

¿De qué se trataba la novela, *La cabaña del tío Tom*?

La novela de Harriet Beecher Stowe, titulada, *La cabaña del tío Tom,* cuenta la historia de un escalvo bueno y noble llamado Tom, que es vendido a un amo cruel, dueño de una hacienda de algodón en Louisiana. Este hombre ordena un día que Tom sea golpeado y el esclavo, con sus ya largos años de sufrimiento, muere de los golpes. Esta novela fue una crítica a la inhumana crueldad y terrible maldad del sistema de esclavitud.

¿Qué impacto tuvo *La cabaña del tío Tom* en las personas del Norte?

La novela apareció primero por partes en la revista, *National Era,* en 1851. La novela completa no apareció hasta marzo de 1852. El primer año de su publicación se vendieron aproximadamente 300,000 ejemplares. Muchos norteños se sintieron perturbados ante lo que presentaba la novela—escenas con lujo de detalles que mostraban la barbarie de la esclavitud. La novela también mostraba la cruel y común práctica de separar a familias de esclavos al venderlos. Muchos norteños juzgaron esta práctica mesquina e inhumana.

Los norteños habían podido ignorar la existencia de la esclavitud porque estaba lejos, pero *La cabaña del tío Tom* se las trajo a sus salas. Como esta novela logró conmover los sentimientos del lector y hacerle sentir su moral ofendida, tuvo gran éxito. Conmovió los sentimientos de muchos norteños y ayudó a endurecer la opinión pública en contra de la esclavitud y de cualquier intento de concertación con los estados esclavistas.

¿Qué pensaron los sureños acerca de *La cabaña del tío Tom*?

La mayoría de los sureños se sintieron profundamente ofendidos por la novela. Arguyeron que presentaba una imagen injusta del sistema de esclavitud y que era un ejemplo del los prejuicios norteños.

¿Qué le inspiró a Stowe escribir esa novela?

Stowe fue impulsada a escribir esta novela por sus objeciones al la nueva ley, "Fugitive Slave Act", incluída en el Acuerdo de 1850.

El movimiento y la literatura anti-esclavista comunes en el Norte, en esta época también la impulsaron a escribir su novela.

¿Por qué tuvo tanto impacto la novela de Stowe?

Al contrario de muchos otros escritores abolicionistas, Stowe contó una historia realista, aunque ficticia, en vez de presentar filosofía y analizar ideas. Stowe apeló a los sentimientos personales del individuo sobre lo que es bueno y lo que es malo, y creó personajes y escenas que tocaron el corazón de sus lectores. Su novela inspiró a lectores conmovidos a protestar más fuerte y más seguido en contra de las crueldades de la esclavitud. Por el impacto emotivo de sus imágenes, *La cabaña del tío Tom,* es con frecuencia citada como una de las obras literarias norteamericanas más importantes del siglo 19.

Como muchos reformadores sociales y radicales de esa epoca, Stowe apeló a las conciencias de las personas para inspirarlas a que trabajaran para lograr cambios sociales. Ella pensaba que antes que el ser humano pudiera trabajar para mejorar a la sociedad, tenía que mirarse dentro de si mismo y encontrar su sentimientos de justicia y de lo que es bueno y malo. La novela impulsó a muchas personas que no estaban involucradas en movimientos de reforma, a que exigieran límites para el sistema de esclavitud. También ayudó a endurecer la opinión pública en el Norte en contra de cualquier intento de concertación sobre la esclavitud. Además, como esta novela endureció las actitudes tanto de los norteños como de los sureños, formó parte del camino hacia la Guerra Civil.

PREGUNTAS DE REPASO

Instrucciones: Escribe una C al lado de cada afirmación que sea cierta y una F si es falsa. Si la afirmación es falsa, corrige la información subrayada, en el renglón dado.

____1. La novela *La cabaña del tío Tom* fue escrita por <u>Henry David Thoreau</u>

_____

____2. *La cabaña del tío Tom* se trata de un escalvo llamado Tom que es vendido a un amo cruel dueño de una hacienda de algodón en Louisiana. Un día Tom <u>logra escaparse para luchar contra la esclavitud.</u>

_____

____3. *La cabaña del tío Tom* afectó profundamente a muchos norteños por su presentación de la crueldades de la esclavitud, en particular, la separación de familias esclavas al ser vendidas.

_____

____4. Los sureños pensaron que la novela era <u>inspirativa y que presentaba honestamente las crueldades de la esclavitud.</u>

_____

____5. La literatura y los movimientos abolicionistas, y la Ley Kansas-Nebraska inspiraron a Harriet Beecher Stowe a escribir *La cabaña del tío Tom.*

_____

____6. La novela de Stowe motivó a muchos lectores a protestar contra la esclavitud por sus imagenes cargadas de emoción y porque apelaba a <u>los sentimientos de lo que es bueno y malo de cada individuo.</u>

_____

CAPÍTULO

El ataque de John Brown

¿Cuáles fueron los eventos del ataque de John Brown?

El 16 de octubre de 1859, John Brown y unos 20 hombres capturaron el arsenal federal en Harpers Ferry, Virginia. Su intención era incitar una rebelión de esclavos por todo el Sur. John Brown era el mismo abolicionista radical que en 1856 había encabezado a un grupo de siete hombres, dando muerte a varios colonos dueños de esclavos en la Masacre de Pottawatomie, Kansas en 1856.

Aunque Brown esperaba que los esclavos de toda la región se le unieran en su rebelión, no les había informado de sus planes. Ningún esclavo se unió al ataque de Harpers Ferry, y la milicia local y federal pronto capturaron o mataron a la mayoría de los seguidores de Brown.

Brown fue procesado y condenado a muerte por traición, conspiración, y homicidio. El 2 de diciembre de 1859 fue ahorcado.

¿Cómo has sido visto históricamente el ataque de John Brown en Harpers Ferry?

Muchos han visto el plan de Brown como temerario o hasta demente. Brown no tenía suficiente dinero u hombres para lanzar una rebelión en contra del estado de Virginia, mucho menos en contra de todo el Sur. Pero después de su arresto, Brown no se condujo como un demente sino que se comportó con notable dignidad, valentía, y autodisciplina. Por lo tanto, atrajo la simpatía de muchos norteños anti-esclavistas.

¿Quiénes apoyaron a Brown en su intento por capturar Harpers Ferry?

Antes de su ataque, Brown se había ganado el apoyo de varios abolicionistas importantes del norte. Entre ellos estaban los "Secret Six" (los "Seis Secretos"), un grupo de hombres de negocios e intelectuales, principalmente de Boston. Estos hombres ayudaron a financiar el ataque de Brown. Los abolicionistas que más tarde alabaron los esfuerzos de Brown incluyeron a Ralph Waldo Emerson, Herny David Thoreau, William Lloyd Garrison y Theodore Parker. Ellos,aclamaron el ataque, juzgándolo una acción honorable y justificada porque el objetivo de Brown había sido liberar a gente esclavizada. Pero la mayoría de norteños moderados condenaros las acciones de Brown.

¿Cómo reaccionaron los sureños al ataque de Brown?

El intento de Brown de impulsar una rebelión violenta de esclavos, horrorizó y enfureció a casí toda la gente del Sur. La simpatía que muchos norteños expresaron hacia Brown antes y después de su muerte causó un profundo sentimiento de ira entre los sureños.

¿Cuál fue el impacto más duradero del ataque de Brown en la situación política de los EU en esta época?

Una vez más, el impacto más duradero fue que los norteños y los sureños se empezaron a ver, unos a los otros, con creciente sospecha, temor y hasta odio. Los sureños se volvieron menos dispuestos a mantener su unión con los del norte, quienes abiertamente apoyaban rebeliones de esclavos y el asesinato de dueños de esclavos. Muchos sureños se convencieron que no tenían ningún futuro en la Unión.

PREGUNTAS DE REPASO

Instrucciones: Contesta cada pregunta en los renglones dados.

1. ¿Qué esperaba lograr John Brown con la captura del arsenal federal en Harpers Ferry, Virginia?

   _____

   _____

   _____

2. ¿Cómo reaccionaron algunos abolicionistas norteños al plan de John Brown de empezar una rebelión de esclavos en el Sur?

   _____

   _____

   _____

3. ¿Cómo vieron la mayoría de los sureños el ataque de John Brown?

   _____

   _____

   _____

4. ¿Qué efecto tuvo el ataque de John Brown en las divisiones políticas entre el Norte y el Sur?

   _____

   _____

   _____

La política de 1848-1858

¿Cómo afectaron los conflictos sobre la esclavitud a los partidos políticos Demócrata y Whig?

El Partido Demócrata había sido durante mucho tiempo una organización política importante y una fuerza poderosa de unión nacional en el Norte y en el Sur. La aprobación de la Ley Kansas-Nebraska, la cual la mayoría de la gente veía como una medida en pro de la esclavitud, le costó a los demócratas el apoyo de muchos norteños.

Para 1852, el Partido Whig estaba desmoronándose porque las facciones del norte y del sur tenían graves desacuerdos sobre la esclavitud.

¿Qué nuevos partidos surgieron durante este período?

El Partido Republicano se formó en el Norte en 1854 depués de la aprobación de la Ley Kansas-Nebraska. Sintiendo que sus partidos los habían traicionado, un gran número de Whigs del norte y miles de Demócratas también norteños, se unieron al Partido Republicano. Para el Partido Republicano, el asunto más importante era evitar la esclavitud en los territorios del oeste.

Algunos Whigs, especialmente los del Sur, se cambiaron a un partido nuevo llamado el Partido Americano (American Party). Era un partido que se oponía a la inmigración de extranjeros a los Estados Unidos. Los miembros de este partido eran conocidos como los "Know-Nothings". Los "Know-Nothings" estaban a favor de la Ley Kansas-Nebraska y ganaron algunas elecciones locales entre 1854 y 1855.

¿Quiénes fueron algunos líderes importantes de este período?

El Senador Stephen A. Douglas luchó porque se aprobara su proyecto de ley Kansas-Nebraska. Esta ley decía que la gente que vivía en los territorios podía decidir, por medio de la soberanía popular, si se querían legalizar o no la esclavitud. Pero, la decisión de la Suprema Corte en el caso de Dred Scott declaró que toda ley en los territorios, en contra de la esclavitud, era ilegal. Douglas defendió su idea contenida en la Ley Kansas-Nebraska con un argumento que se llegó a conocer como la Doctrina Freeport (Freeport Doctrine). Esta doctrina decía que los gobiernos de los territorios podían excluir la esclavitud no pasando las leyes necesarias para poder regular y controlarla. Douglas alegaba que sin esas leyes, los dueños de esclavos no arriesgarían su propiedad en ese territorio. Esta doctrina le costó a Douglas muchos de sus partidarios sureños que se había ganado con la idea de la soberanía popular, y quizá hasta le haya costado la presidencia en 1860.

Abraham Lincoln, un prominente abogado, se unió al Partido Republicano en 1856. Lincoln se oponía firmemente a la extensión de la esclavitud a los territorios del oeste. Fue rival de Douglas en la elección de 1858 para el Senado de Illinois.

¿Cómo consiguió Abraham Lincoln sobresalir a nivel nacional?

Durante la campaña para la elección de 1858 al Senado, Lincoln retó a Douglas a siete debates. Estos tomaron lugar en diferentes partes del estado de Illinois. Estos debates llegaron a ser ampliamente conocidos como los debates Lincoln-Douglas. Aunque Lincoln perdió la elección y Douglas la ganó, su brillante habildad de oratoria, su concimiento especializado sobre muchos temas y su bien cavilada oposición a la esclavitud, le trajeron popularidad y visibilidad nacionales.

Para más información, ver: "The Election of 1856", "More of the Story" Reading en *Exploring America's Past* CD-ROM.

PREGUNTAS DE REPASO

Instrucciones: Contesta cada pregunta en la pequeña raya dada.

____**1.** ¿Qué partido perdió miles de partidarios porque apoyó la Ley Kansas-Nebraska de 1854?
   a. el Partido Demócrata
   b. el Partido Republicano
   c. el Partido Whig
   d. el Partido Americano

____**2.** ¿Cuál partido fue establecido para evitar la extensión de la esclavitud al los territorios del oeste de los Estados Unidos?
   a. el Partido Whig
   b. el Partido Americano
   c. el Partido Demócrata
   d. el Partido Republicano

____**3.** La Doctrina Feeport argumentaba que
   a. la esclavitud debía ser ilegal en todos los territorios debido a la Quinta Enmienda.
   b. la esclavitud debía ser legal en todos los territorios debido a la Quinta Enmienda.
   c. la decisión en el caso Dred Scott no era aplicable a los afro-americanos del Norte.
   d. los gobiernos de los territorios podían excluir la esclavitud no estableciendo leyes que la regulara

____**4.** Abraham Lincoln logró sobresalir nacionalmente, siendo miembro ¿de qué partido?
   a. el Partido Demócrata
   b. el Partido Whig
   c. el Partido Republicano
   d. el Partido Americano

Rumbo a la desunión

¿Qué partidos políticos participaron en la elección presidencial de 1860 y quiénes fueron sus candidatos?

La convención Demócrata organizada para nominar un candidato presidencial, se desintegró porque no pudo llegar a ningún acuerdo sobre que candidato nominar. Después de reunirse dos veces más, la mayoría de los delegados a la convención nominaron a Stephen A. Douglas de Illinois. Pero los demócratas sureños no estuvieron de acuerdo con su nominación y abandonaron la convención.

Los demócratas nominaron a su propio candidato, John C. Breckinridge de Kentucky, quién estaba a favor de extender la esclavitud a los nuevos territorios.

Los del Partido Republicano nominaron a Abraham Lincoln.

Temiendo que el Sur abandonara la Unión si un republicano anti-esclavista ganara la elección, algunos sureños moderados, pro-esclavitud y pro-unión, formaron el Partido Unión Constitucional (Contitutional Union Party). Su plataforma y su candidato, John Bell de Tennessee, apoyaban el mantenimiento de la Unión y de la Constitución.

¿Quién ganó la elección presidencial de 1860 y por qué?

Esta elección pareció ser dos jornadas electorales separadas. Una con Lincoln contra Douglas en el Norte y la otra con Breckinridge contra Bell en el Sur. Con cuatro candidatos contendiendo por la presidencia, ninguno podía esperar ganar la mayoría del voto popular. Pero, era posible ganar la mayoría de los votos electorales. El resultado de las elecciones fue el siguiente:

Lincoln apenas si ganó en todos los estados libres, excepto Nueva Jersey. Esto le dio 180 votos electorales en contra de los 12 que ganó Douglas. Como en toda la nación había sólo 303 votos electorales, Lincoln ganó la presidencia. Pero hay que aclarar que Lincoln ganó sólo el 39 por ciento del voto popular y todo este porcentaje fue logrado en los estados del norte. Lincoln no sólo no ganó ningún estado del sur, sino que ni siquiera estuvo registrado como candidato en la mayoría de esos estados.

El número de habitantes que tiene cada estado, determina el número de votos electorales de cada estado. Como los estados del norte eran los más populosos, ellos eran también los que tenían el número más grande de votos electorales.

En los estados menos populosos, que también eran los estados con menos esclavos, Breckinridge y Bell se dividieron el voto. Breckinridge obtuvo 72 votos electorales habiendo ganado en todos los estados del extremo sur y algunos de más al norte (Upper South) Bell ganó en los estados fronterizos de Tennessee, Kentucky y Virginia obteniendo con estas victorias 39 votos electorales. Ninguno de estos dos candidatos obtuvo suficientes votos electorales como para haberle presentado un reto serio a la candidatura de Lincoln.

¿Cómo reaccionó la gente en el Sur con la victoria de Lincoln?

Aunque los sureños reconocían que Lincoln había sido elegido legalmente, ellos cuestionaban la justicia de un sistema electoral que le permitía a Lincoln gobernar regiones enteras que no habían votado por él. Los sureños se pusieron a examinar cómo iba a ser afectado su sistema de esclavitud, el tener un presidente que se oponía a la esclavitud. También lucharon con sus dobles lealtades: una al Sur y otra a la Unión. Casi a fines de 1860 la legislatura de Carolina del Sur votó en una convención especial separarse de la Unión. Para más información, ver: "South Carolina's Declaration" Source Reading en CD-ROM.

Cómo justificaban los sureños su secesión o separación de la Unión?

Los sureños justificaban la legalidad de la secesión señalando la doctrina de la soberanía de los estados. Los trece primeros estados, habían existido separadamente antes de unirse y conformar el país de los Estados Unidos. Al unirse los trece primeros estados redactaron y aprobaron la Constitución de los Estados Unidos. Como los estados habían sido una vez independientes, los sureños argumentaban que cada estado seguía teniendo el derecho de retirar su fidelidad a la Constitución si sus ciudadanos así votaban hacerlo.

Muchos sureños deseaban abandonar la Unión por la lealtad que sentían por el Sur y su sistema de esclavitud. Temían que su bienestar social y ecónomico fuera a sufrir con la presidencia de Lincoln, quién no estaba de acuerdo con la esclavitud. Además, su lealtad hacia la Unión se había debilitado por los años que habían sido criticados por su sistema de esclavitud en los debates nacionales.

¿Qué pensaban los norteños de la secesión?

Muchos norteños vieron la secesión como un reto a los principios fundamentales de la Constitución. Ellos argumentaban que la Constitución había unido a todos los estados por consentimiento mutuo, en otras palabras, los estados habían reconocido voluntariamente que la Constitución sería la ley suprema en el país. Los estados también habían acordado aceptar la idea del federalismo, o sea el compartimiento de poder entre el gobierno nacional y el estatal. Y aun más, los estados habían aceptado que el gobierno naciona tenía la facultad de llevar a cabo ciertas funciones. La propuesta del Sur de rechazar la Constitución en favor de la soberanía estatal enojó a los norteños.

PREGUNTAS DE REPASO

Instrucciones: Contesta cada pregunta en los renglones aquí dados.

1. ¿Quiénes fueron los cuatro candidatos en la elección presidencial de 1860 y a qué partidos representaron?

_____

_____

2. ¿Cómo fue que Abraham Lincoln ganó la elección de 1860 aun sin ganar ningún estado sureño?

_____

_____

Geografía y secesión

¿Por qué los estados del Sur decidieron separarse de la Unión?

- Los abolicionistas del Norte habían venido luchando por décadas para liberar a los esclavos afroamericanos y poner fin a la esclavitud. Estos esfuerzos incluían actividades dirigidas a presionar al congreso para que limitara la expansión de la esclavitud.

- En 1860, Estados Unidos tenía un mayor número de estados que se oponían a la esclavitud - donde ésta estaba prohibida - que estados pro-esclavitud –donde existían leyes que la protegían.

- Abraham Lincoln, republicano, fue elegido presidente en 1860 sin que ganara la mayoría de los votos en ningún estado del Sur. Él y su partido se oponían a la extensión de la esclavitud en el país. A los sureños les preocupaba que el Presidente y la mayoría norteña del congreso suprimieran la esclavitud.

- Debido a que los estados pro-esclavitud dejaron de tener igual número de senadores, los secesionistas temían que el Sur perdiera el poder político necesario para proteger su forma de vida. Así, ellos llegaron a la conclusión de que la única solución era la secesión –el Sur debía separarse de los Estados Unidos.

¿Cuáles estados se separaron de la Unión y cuando lo hicieron?

Los 11 estados que se separaron de la Unión, lo hicieron en dos etapas:

- Los siete estados del Bajo Sur se separaron entre diciembre de 1860 y febrero de 1861, después de la elección de Lincoln y antes de que asumiera la presidencia. El siguiente es el orden en que se separaron: Carolina del Sur (20 de diciembre de 1860); Misisipí (9 de enero de 1861); Florida (10 de enero de 1861); Alabama (11 de enero de 1861); Georgia (19 de enero de 1861); Louisiana (26 de enero de 1861) y Texas (1 de febrero de 1861). Para mayor información con respecto a la secesión, consulta Road to the Civil War Media Bank Time Line en el CD ROM.

- Como resultado de que el presidente Lincoln convocó a 75,000 soldados voluntarios luego de la captura de Fort Sumter en Carolina del Sur, cuatro estados del Alto Sur se separaron entre abril y mayo de 1861. Estos estados fueron: Virginia (17 de abril de 1861), Arkansas (6 de mayo de 1861), Tennessee (6 de mayo de 1861) y Carolina del Norte (20 de mayo de 1861). Sin embargo, los condados del Oeste de Virginia rehusaron a separarse y formaron un gobierno pro-Unión y en 1863 fueron admitidos como el nuevo estado de Virginia Occidental.

¿Qué hicieron los estados del Sur luego de la separación?

En febrero de 1861 los estados del Bajo Sur formaron el Confederado de Estados Americanos (o "Confederación"), con su capital en Montgomery, Alabama. Delegados de estos estados redactaron una constitución basada en la Constitución de los Estados Unidos. Jefferson Davis, anteriormente secretario de guerra de los Estados Unidos y senador del Misisipí, fue elegido presidente. En mayo de 1861 la Confederación mudó su capital a Richmond, Virginia, una de las más grandes ciudades del Sur.

¿A qué estados se los llamó estados fronterizos y que tenían en común?

Los estados fronterizos que limitaban con la Confederación eran Missouri, Kentucky, Maryland y Delaware. Estos estados apoyaban la esclavitud y fueron los únicos que no se separaron.

¿Por qué la ubicación y la lealtad de los estados fronterizos fueron importantes?

Quien tuviera control sobre Missouri y Kentucky también controlaría el territorio a lo largo de los ríos Mississippi y Ohio. Washington D.C. linda con Maryland al norte y con Virginia al sur. Si Maryland se hubiera separado, la capital de la Unión habría quedado completamente rodeada por territorio confederado.

¿Cuál fue la crisis de abril de 1861 que llevó a los Estados Unidos a enfrentarse en una guerra contra los Confederados?

La Confederación invadió fuertes federales y puestos militares fronterizos. Sin embargo, las tropas de los Estados Unidos permanecieron en Fort Sumter el cual se hallaba localizado en una isla en la bahía de Charleston, Carolina del Sur. Tanto la Unión como la Confederación sabían que estas tropas tendrían que finalmente rendirse por la falta de provisiones. Lincoln anunció que enviaría provisiones al fuerte pero las fuerzas de Carolina del Sur lanzaron un ataque antes de que las provisiones llegaran.

PREGUNTAS DE REPASO

Instrucciones: Indica el orden en que sucedieron los acontecimientos de la división de la nación y el comienzo de la Guerra Civil escribiendo una *A* frente al primer acontecimiento, una *B* frente al segundo, y así sucesivamente.

_____ **1.** Carolina del Sur atacó al Fort Sumter y forzó a las tropas de la Unión rendirse.

_____ **2.** Virginia, Arkansas, Tennessee y Carolina del Norte se separaron.

_____ **3.** Abraham Lincoln fue elegido presidente de los Estados Unidos.

_____ **4.** Los estados del Bajo Sur formaron la Confederación de Estados Americanos.

_____ **5.** Carolina del Sur, Mississippi, Florida, Alabama, Georgia, Louisiana y Texas se separaron.

_____ **6.** Abraham Lincoln se posesionó como presidente.

Relaciona el estado fronterizo y la descripción de su importancia durante la guerra civil.

a. Kentucky **b.** Maryland **c.** Missouri

_____ **7.** El río Misisipí corre a lo largo de gran parte de este estado.

_____ **8.** Gran parte de este estado está bañado por el río Ohio.

_____ **9.** El control Confederado de este estado dejaría a la capital de los Estados Unidos rodeada por territorio enemigo.

10. Explica la razón por la cual los sureños creían que Lincoln podría suprimir la esclavitud.

_____

_____

Comparación entre el Norte y el Sur

¿Con qué ventajas y recursos contaba el Norte durante la Guerra Civil?

El Norte contaba con casi todos los recursos materiales necesarios para la guerra, según se muestra en Rating the North y South Media Bank Graph en el CD-ROM.

- **Fábricas** — Al mismo tiempo en que el sistema de plantaciones se extendía en el Sur durante los años de la década de 1880, la industria crecía rápidamente en el Norte. Sus fábricas estaban preparadas para manufacturar el equipo militar necesario. El Sur, que contaba con pocas fábricas, tuvo que depender de fuentes extranjeras.

- **Cultivos** — Debido a que las granjas del Norte cultivaban principalmente productos para el consumo alimenticio, el Norte estaba en condiciones de alimentar a los soldados, a la población civil y a su ganado. En contraste, en los años de la década de 1860 el principal cultivo del Sur era el algodón. Por ello, muchos soldados y civiles del Sur carecían de alimento a finales de la guerra.

- **Ganado** — En el Norte había un mayor número de caballos, asnos y mulas que en el Sur. Estos animales eran empleados para transpotar vagones, cañones así como para llevar soldados y proviciones. Los mismos también ayudaban en el arado de los campos y en la cosecha.

- **Vía férrea** — El Norte tenía más millas de vía férrea que el Sur. Esto le permitió al Norte movilizar gente y productos más rápidamente y efectivamente.

- **Depósitos bancarios** — Los norteños eran los dueños del mayor capital económico de la nación. Esto permitió que los Estados Unidos pudieran recaudar dinero para comprar equipo militar y provisiones como también para pagar a los soldados.

- **Población** — La población del Norte era el doble de la del Sur, lo que permitía que el Norte pudiera reclutar más soldados y reemplazar víctimas de guerra más fácilmente.

¿Cuáles eran las ventajas y recursos con que contaba el Sur durante la Guerra Civil?

El Sur tenía menos recursos pero contaba con ciertas ventajas importantes.

- **Tradición militar** — Debido a la fuerte tradición militar del Sur, la mayoría de los más acreditados líderes militares eran sureños. Muchos de ellos pelearon del lado de los confederados y por esto la armada confederada inició la guerra con generales más experimentados que los de la Unión.

- **Geografía** — Mientras que las tropas de la Unión tenían que operar en regiones desconocidas y hostiles, los sureños pelearon principalmente en su propia tierra.

- **Moral** — Muchos sureños sentían que estaban luchando para preservar sus hogares y su forma de vida por lo que tenían una razón más personal para luchar que los norteños.

- **Algodón** — A principios de la guerra, los sureños creían que podrían vender algodón al extranjero a fin de recaudar dinero para adquirir los bienes y productos que no se producían en el Sur. Adicionalmente, ellos creían que podrían aprovechar la necesidad de Europa de proveerese de algodón para presionar a Gran Bretaña a que los apoyara. Sin embargo la "diplomacia de algodón" sureña falló.

¿En qué diferían las estrategias del Norte y del Sur?

• El Sur no tenía que luchar a menos que fuera invadido, por lo tanto, planificaron una guerra defensiva. El Sur confiaba en poder utilizar la ventaja moral, geográfica y militar para defenderse eficazmente de los norteños hasta que estos últimos se cansaran de luchar y presionaran al gobierno para que se negociara la paz.

• Los norteños tuvieron que invadir el Sur con la finalidad de reintegrar a la nación. El Norte planificaba emplear su superioridad de recursos para atacar al Sur hasta que las fuerzas de la Unión conquistaran áreas clave del Sur o hasta que debilitaran a la armada sureña. El Norte diseñó una estrategia que contaba con tres partes: 1) lanzar un bloqueo naval en los puertos sureños para evitar que el Sur pudiera vender su algodón a Europa e impedir que comprara las provisiones necesarias para una guerra prolongada; 2) capturar Richmond, Virginia, la capital Confederada; y 3) ganar control sobre el río Misisipi, con lo que se dividiría a la Confederación por la mitad.

¿Qué es un escenario de guerra y cuáles fueron los tres escenarios de la Guerra Civil?

El escenario de guerra es una amplia extensión de terreno donde se realizan las operaciones militares. En la Guerra Civil, el escenario Este estaba conformado por todo el territorio al Este de las Montañas Apalaches. El área ubicada entre las montañas Apalaches y el río Mississippi constituía el escenario Oeste. Al Oeste del Misisipí se encontraba el escenario del Lejano Oeste. Las luchas principalmente tuvieron lugar en los escenarios Este y Oeste. Para mayor información sobre los escenarios de la Guerra Civil, consulta Theater of War Atlas Map en el CD ROM.

PREGUNTAS DE REPASO

Instrucciones: Esribe una *N* frente a los recursos con los que contaba el Norte durante la Guerra Civil y una *S* frente a aquellos con los que contaba el Sur. Luego indica por qué cada uno de ellos representaba una ventaja durante la guerra.

____**1.** población _____

_____

____**2.** fábricas y cultivos _____

_____

____**3.** tradición militar _____

_____

____**4.** vías de ferrocarril _____

_____

____**5.** geografía _____

_____

CAPÍTULO

2

Las batallas de la Guerra Civil

¿Cuáles fueron las principales batallas y campañas del escenario Oeste? ¿De qué manera contribuyeron éstas a que el Norte alcanzara sus objetivos?

Las siguientes batallas contribuyeron a que la Unión lograra el control del río Misisipí:

- **La Batalla de Shiloh** (abril de 1862) En abril de 1862, el ejército confederado dirigido por el general Albert Sidney Johnston sorprendió al ejército de la Unión dirigido por el general Ulysses S. Grant, en la frontera entre Tennessee y Misisipi. Aunque el ejército del general Grant sufrió bajas, tropas de refuerzo arribaron a tiempo y derrotaron a los confederados. Hubo un gran número de víctimas en los dos bandos.
- **La Batalla del río Misisipí** (abril de 1862 – julio de 1863) En esta campaña primaron el bloqueo, la acción naval y la lucha en tierra. La misma empezó con la captura de New Orleans por una flota naviera de la Unión y concluyó con la caída de Vicksburg, Misisipí y el puerto de Hudson, Louisiana. Como resultado de estas victorias, la Unión ganó control de todo el río Misisipí y separó a Arkansas, Texas y Louisiana del resto de la Confederación.

¿Cuáles fueron las principales batallas en el escenario Este de la guerra?

La mayoría de las batallas que se desarrollaron en el escenario Este tenían como propósito tomar la capital confederada, Richmond, Virginia.

- **Primera batalla de Bull Run** (julio 1861) Tropas de la Unión insuficientemente preparadas marcharon hacia Richmond y fueron derrotadas por tropas confederadas con similar preparación.
- **Batalla de los siete pinos/Batallas de siete días** (mayo-junio de 1862) Durante estas batallas, el general de la Unión George McClellan fue derrotado en su campaña de ataque a Richmond desde el Sureste. En esta campaña el general confederado Robert E. Lee estuvo a cargo del ejército y probó ser mejor comandante que los generales de la Unión.
- **Segunda batalla de Bull Run** (agosto de 1862) En la segunda batalla de Bull Run, los generales Lee y Stonewall Jackson se unieron para derrotar al general de la Unión John Pope. La victoria de Lee lo animó a invadir el Norte con la esperanza de que una victoria allí pusiera fin a la guerra.
- **Batalla de Antietam** (septiembrede 1862) McClellan hizo retroceder al ejército de Lee en el Oeste de Maryland y lo forzó a que se retirara a través del río Potomac hasta Virginia. Esta victoria de la Unión posibilitó al presidente Lincoln que anunciara la Proclamación de Emancipación.
- **Batalla de Fredericksburg** (diciembre de 1862) En este pueblo del norte de Virginia, el general Lee impidió que una nueva intrusión de la Unión alcanzara la capital confederada.
- **Batalla de Chancellorsville** (mayo de 1863) Por quinta vez, los confederados impidieron que la Unión tomara a Richmond. Stonewall Jackson murió en esta batalla.
- **Batalla de Gettysburg** (julio de 1863) La segunda invasión al Norte, dirigida por Lee, fue frustrada por el general George Meade, luego de una batalla que duró tres días y que fue librada en Gettysburg, un pueblo cerca de Pennsylvania. Lee se batió en retirada hasta Virginia lo cual, en opinión de muchos, fue el evento crucial que decidió la guerra. El presidente Lincoln visitó el campo de batalla en noviembre y ofreció el discurso de Gettysburg.

- **Batalla de Wilderness** (mayo de 1864) Grant tomó a cargo todas las tropas de la Unión e inmediatamente preparó una incursión final en Richmond. Su intención era tomar la ciudad o cansar a las tropas de Lee. Ninguno de los dos bandos salió victorioso de esta batalla que se peleó cerca de Chancellorsville. Sin embargo, Grant continuó su marcha hacia Richmond.
- **Batalla de Spotsylvania Court House** (mayo de 1864) Lee derrotó nuevamente al ejército de la Unión.
- **Batalla de Cold Harbor** (junio de 1864) Grant fue derrotado por tercera vez pero, a diferencia de los confederados, podía reemplazar a sus soldados caídos después de cada batalla y continuar hacia Richmond.
- **El bloqueo de Petersburg** (junio de 1864-abril de 1865) El ejército de Lee logró contener a las fuerzas de Grant en las afueras de Petersburg, una estación de empalme de ferrocarril situada a pocas millas del sur de Richmond. Grant se instaló en este lugar a fin de esperar a los sureños que sufrían de escasez de alimento y provisiones.
- **Marcha hacia el mar** (noviembre-diciembre de 1864) Mientras Grant tenía sitiado a Petersburg, el general William T. Sherman tomó Atlanta, Georgia y luego continuó hacia Savannah, Georgia. Sherman y sus hombres dejaron un sendero de destrucción de 60 millas de ancho.
- **Capitulación en Appomattox Courthouse** (abril de 1865) El ejército de Lee trató de escapar de Petersburg pero Grant se lo impidió y forzó a Lee a rendirse en Appomattox Courthouse. Otras fuerzas confederadas continuaron luchando por algunas semanas más, pero la Guerra Civil ya había llegado a su fin.

PREGUNTAS DE REPASO

Instrucciones: Conteste cada pregunta en el espacio provisto.

____1. ¿Cuál fue el objetivo principal de la Unión en el escenario Este?
   a. controlar el río Misisipí
   b. tomar la capital confederada
   c. controlar el río Tennessee

____2. ¿Cuál de estas batallas fue considerada el evento crucial de la guerra?
   a. La batalla de Shiloh
   b. Las batallas de los siete días
   c. La batalla de Gettysburg

____3. ¿Cuál fue la primera ciudad tomada por el general Sherman en su marcha hacia el mar?
   a. Savannah, Georgia
   b. Columbia, Carolina del Sur
   c. Atlanta, Georgia

CAPÍTULO

2

La guerra en el Lejano Oeste

¿Cuáles fueron los objetivos del Norte y del Sur en el escenario del Lejano Oeste?

- El Sur quería controlar el Suroeste. Para lograrlo, sus líderes proclamaron el Territorio Confederado de Arizona, el cual incluía la mitad sur del territorio de Nuevo México. Los sureños también apoyaron a las fuerzas pro-esclavitud de Missouri, un estado que todavía formaba parte de la Unión, así con la esperanza de que se uniera a la Confederación.

- El Norte luchó para mantener al territorio de Nuevo México y Missouri dentro de la Unión. Las fuerzas de la Unión hicieron retroceder a las invasiones confederadas en Nuevo México y derrotaron a las fuerzas pro-esclavitud de Missouri. Los líderes del Norte sabían que si mantenían a Missouri dentro de la Unión, podrían controlar el río Misisipí.

¿En relación a las batallas del Este y Oeste, cuando tuvo lugar la lucha en el Lejano Oeste?

Las batallas más importantes del Lejano Oeste se pelearon en los inicios de la guerra. Hacia abril de 1862, época en la que se peleó la primera gran batalla del escenario Oeste, la batalla de Shiloh, la Unión ya había logrado concretar casi todos los objetivos que se había propuesto en el Lejano Oeste. Sin embargo, algunos confederados del Lejano Oeste se rehusaron a rendirse y los enfrentamientos continuaron a lo largo de toda la guerra. De hecho, el último general confederado que se rindió fue un Cherokee llamado Stand Watie quién peleó principalmente en el Lejano Oeste. Él y sus tropas se rindieron en junio de 1865, más de dos meses después de que lo hiciera Lee ante Grant. Para mayor información, consulta War in the Indian Territory More of the Story Reading en el CD-ROM *Exploring America's Past*.

¿Cuáles fueron las principales batallas del Lejano Oeste?

Cuatro batallas del Lejano Oeste fueron las más decisivas con respecto a quien controlaría el Suroeste y Missouri.

- **Batalla de Wilson's Creek** (10 de agosto de 1861) Las fuerzas confederadas derrotaron al ejército de la Unión en el Suroeste de Missouri, cerca de la frontera con Arkansas. Las fuerzas de la Unión se retiraron al centro de Missouri y dejaron la mayoría del estado en manos de los confederados.

- **Batalla de Valverde** (21 de febrero de 1862) Las tropas de la Unión fueron derrotadas en Nuevo México por fuerzas confederadas que venían de Texas.

- **Batalla de Pea Ridge** (7 de marzo de 1862) Las fuerzas de la Unión derrotaron a los confederados en la esquina Noroeste de Arkansas, cerca de la frontera con Missouri y en territorio indio (lo que en la actualidad es Oklahoma). Aunque los enfrentamientos de guerrillas continuaron en Missouri por un período considerable, esta victoria permitió que la

Unión ganara control de Missouri y del resto del área al Oeste del río Misisipí. Para mayor información, consulta War in the Indian Territory More of the Story Reading en el CD ROM.

- **Batalla de Glorieta Pass** (28 de marzo de 1862) Las fuerzas de la Unión derrotaron a las tropas confederadas cerca de Santa Fé, Nuevo México. Esta derrota puso fin a las esperanzas que guardaban los confederados de conquistar el Suroeste.

¿En qué se diferenciaron las batallas del Lejano Oeste de las batallas del Este y Oeste?

- En las batallas del Lejano Oeste participarom menos hombres que en las batallas del Este y Oeste. Por ejemplo, en la batalla de Wilson's Creek, alrededor de 11,000 soldados confederados lucharon contra 5,600 soldados de la Unión. La batalla de Valverde tuvo un menor número de participantes, 3,800 soldados de la Unión contra 2,600 soldados confederados. En comparación, en la primera batalla de Bull Run del Este intervinieron alrededor de 35,000 federales y 22,000 confederados.

- Los indios norteamericanos y las tropas hispanas cumplieron un rol muy importante en el Lejano Oeste. Aunque los indios pelearon individualmente en los dos bandos, algunas tribus se aliaron oficialmente con el Sur. Las tropas hispanas principalmente pelearon a favor de la Unión. La victoria que la Unión obtuvo en Glorieta Pass se logró gracias a la participación del subteniente coronel Manuel Chaves y a sus tropas méxicoamericanas.

Para mayor información consulta Far West Battles Atlas Map en el CD ROM.

PREGUNTAS DE REPASO

Instrucciones: Escribe una *C* si la oración es verdadera o *F* si es falsa. Corrije las palabras o frases subrayadas en el espacio provisto.

_____**1.** Los líderes de la Unión creían que al tomar control de <u>Nuevo México</u> ganarían control del río Misisipí.

_____

_____**2.** En un esfuerzo por ganar control del Suroeste, los confederados tomaron posesión del Territorio de Arizona, que incluía la mitad sur de <u>Missouri</u>.

_____

_____**3.** Las luchas importantes del Lejano Oeste <u>se terminaron antes</u> de que tuvieran lugar las batallas del Este y Oeste.

_____

_____**4.** La <u>Batalla de Wilson's Creek y la Batalla de Glorieta Pass</u> se pelearon con la finalidad de lograr control del Suroeste.

_____

_____**5.** Como resultado de la <u>Batalla de Pea Ridge en el Noroeste de Arkansas</u>, la Unión logró el control de Missouri y del área que quedaba al Oeste del río Misisipí.

_____

Los soldados de la Guerra Civil

¿Cuáles eran los antecedentes de los soldados que pelearon en la Guerra Civil?

- Muy pocos hombres que pelearon en la guerra eran soldados profesionales. La mayoría tuvo que dejar atrás su trabajo para enlistarse en el ejército de la Unión o de la Confederación. Cerca de la mitad de ellos eran granjeros y los demás eran trabajadores especializados y no especializados. Solamente 1 de cada 10 eran hombres de negocios o profesionales, doctores o abogados.

- Los soldados de la Unión pertenecían a todas las razas y nacionalidades. Cerca de 180,000 afroamericanos sirvieron en el ejército del Norte, así como también 500,000 inmigrantes alemanes e irlandeses.

- Menos del 10 por ciento de los soldados confederados eran inmigrantes debido a que un reducido número de inmigrantes vivía en el Sur. A los afroamericanos, libres o esclavos, se les prohibió enlistarse en el ejército confederado pero se los hizo trabajar en casa. Gracias al apoyo del general Lee, la legislación de Virginia aprobó una ley el 13 de marzo de 1865 que permitía que los afroamericanos se enlistaran. Sin embargo, antes de que se organizara un regimiento completo, Lee capituló ante Grant y la guerra terminó.

- Los indios norteamericanos pelearon en los dos bandos, pero principalmente por el Sur. La mayoría de los soldados mexicoamericanos pelearon por la Unión.

Para mayor información, consulta Raising the Regiments More of the Story Reading en el CD ROM *Exploring America's Past.*

¿De qué manera atrajeron soldados a sus líneas y cómo los organizaron para la lucha?

- En un principio, miles de soldados fueron voluntarios. Grupos de hombres —amigos, vecinos y parientes— del mismo pueblo o condado se enlistaron conjuntamente y pelearon en la misma compañía. Cada compañía consistía de 100 hombres y 10 compañías formaban un regimiento. Los regimientos eran identificados con el nombre del estado de donde provenían —por ejemplo, el regimiento 54 de Infantería de Massachusetts o el regimiento 4 de Infantería de Texas. Una brigada consistía de tres o cuatro regimientos. Las brigadas se combinaban en grupos aún más grandes, tales como divisiones y cuerpos. Para mayor información sobre la organización del ejército, consulta Raising the Regiments More of the Story Reading en el CD ROM.

- Los oficiales de la compañía eran elegidos por los hombres que conformaban la compañía. El regimiento estaba liderado por la persona que lo organizaba, generalmente un alcalde o el dueño de una plantación. Los comandantes generales como McClellan, Lee y Grant y sus asistentes eran soldados profesionales y oficiales graduados de la academia militar de West Point.

- A medida que pasaba el tiempo, el número de voluntarios disminuía y tanto el Norte como el Sur se vieron en la necesidad de reclutar soldados —un sistema que requería que los hombres sirvieran en el ejército. Sin embargo, en las dos milicias, si un recluta tenía suficiente dinero podía contratar a un substituto para que sirviera en su lugar. En el Norte, un hombre también podía evitar hacer el servicio militar si pagaba 300 dólares al gobierno.

¿Cómo era la vida de un soldado en la Guerra Civil?

- En promedio, los soldados pasaban 50 días en el campo por cada día que estaban en batalla. La mayoría vivía en tiendas de campaña pero algunos construían cabañas cuando podían. En un día típico, los soldados se reunían para pasar lista, entrenar con la compañía y el regimiento, y para hacer guardia. En su tiempo libre jugaban, escribían cartas, contaban historias, cantaban canciones y asistían a servicios religiosos.

- A pesar de su entrenamiento, un soldado típico no estaba preparado para las experiencias de la guerra. Miles de hombres participaron en las principales batallas que se caracterizaban por ser ruidosas, polvorientas, llenas de humo y sangrientas. El número de víctimas en las batallas principales llegaban a cientos e incluso a miles. Para más información refiérase a Lectura Literaria sobre Víctimas de Guerra en el CD ROM.

- El tratamiento médico era rústico, de acuerdo a los estándares actuales. Luego de una batalla, muchos soldados heridos tenían que esperar durante varios días antes de que pudieran recibir tratamiento médico. Si la víctima había recibido heridas de bala en los brazos o las piernas, éstas debían amputarse; y a menudo se producía la muerte de la persona porque los médicos carecían del conocimiento para evitar las infecciones y controlar el desarrollo de la enfermedad. Las epidemias devastaban los campos y mataban más soldados de los que morían en batalla.

PREGUNTAS DE REPASO

Instrucciones: Escribe una *C* si la oración es cierta o una *F* si es falsa.

____1. Casi la mitad de los soldados que lucharon en la Guerra Civil eran hombres de negocios y profesionales.

____2. Debido a que en el Sur vivían pocos inmigrantes, la mayoría de los soldados confederados eran estadounidenses.

____3. La mayoría de los inmigrantes que pelearon en el ejército de la Unión eran franceses e irlandeses.

____4. Los afroamericanos, mexicoamericanos e indios norteamericanos pelearon en la Guerra Civil.

____5. A principios de la guerra, grupos de hombres del mismo pueblo o condado formaban compañías voluntarias y elegían a sus propios oficiales.

____6. A finales de la guerra, el Norte y el Sur tuvieron que reclutar soldados pero en ambos grupos se podía contratar un substituto.

____7. Los soldados de la Guerra Civil pasaban la mayor parte del tiempo en batalla.

____8. Más soldados murieron a causa de enfermedades que en el campo de batalla.

Nombre _____ Clase _____ Fecha _____

CAPÍTULO

Lincoln y la emancipación

¿Qué fue la Proclamación de Emancipación y por qué la anunció el Presidente Lincoln?

La Proclamación de la Emancipación fue un decreto presidencial emitido el 1 de enero de 1863, mediante el cual se suprimía la esclavitud en todas las áreas en rebelión. Lincoln tenía varias razones para promulgar la Proclamación de Emancipación.

- **Estrategia política** Atormentados por las sangrientas batallas, muchos norteños empezaron a cuestionar si la reunificación de la Unión valía el precio que estaban pagando. Lincoln confiaba en que podría recuperar apoyo para continuar la guerra si el tema de la esclavitud se convertía en un asunto de discusión.

- **Estrategia de política internacional** Al convertir a la Guerra Civil en una lucha contra la esclavitud, Lincoln también debilitaba la simpatía y el apoyo que los confederados pudieran recibir del extranjero. Ninguna nación europea apoyaría a esclavistas, lo cual era particularmente cierto con Gran Bretaña, país que contaba con un poderoso movimiento abolicionista.

- **Estrategia militar** Al liberar a los esclavos, quienes representaban la fuerza primordial de trabajo en el Sur, la posibilidad de que esta región continuara luchando en la guerra se veía disminuída.

¿A qué áreas geográficas afectó la Proclamación de Emancipación?

- Según lo muestra el mapa de Emancipación de 1863, la Proclamación de Emancipación afectaba solamente a las áreas del Sur que todavía continuaban rebeladas en contra de los Estados Unidos hasta el 1 de enero de 1863. Estas áreas incluían Alabama, Arkansas, Florida, Georgia, Louisiana, Misisipí, Carolina del Norte, Carolina del Sur, Texas y Virginia.

- La proclamación no se aplicaba a ningún estado de la Unión, por lo que la misma no afectó a los estados esclavistas de la frontera: Delaware, Kentucky, Maryland, Missouri y el nuevo estado de Virginia del Oeste. Tampoco se vieron afectadas las áreas confederadas que ya estaban bajo el control de la Unión y que incluían a parte de Louisiana y todo Tennessee.

¿Por qué limitó el Presidente Lincoln la Proclamación de Emancipación?

- La mayoría de los norteños no eran abolicionistas y no creían en la igualdad de todas las personas. Lincoln temía que el apoyo a la guerra disminuyera si se concedía la libertad a todos los esclavos.

- Lincoln también temía que la eliminación total de la esclavitud forzara a uno o más estados fronterizos a separarse de la Unión. Debido a la ubicación estratégica de estos estados, su lealtad a la Unión era crítica para el éxito de la guerra.

- El presidente no creía que contaba con el poder constitucional para suprimir la esclavitud en toda la nación. Sin embargo, pensaba que como Comandante en Jefe tenía el poder de liberar a los esclavos en territorio enemigo como una estrategia para debilitar a las fuerzas de la oposición.

¿Cómo reaccionaron diversos grupos de estadounidenses a la Proclamación de Emancipación?

En general, los afroamericanos apoyaban la Proclamación de Emancipación mientras que los blancos del Sur la rechazaban. Las reacciones en el ejército de la Unión y entre los civiles blancos fueron variadas. Algunos soldados apoyaban la idea de liberar a gente esclavizada mientras que a otros les preocupaba que la liberación de esclavos les diera a los sureños una razón para luchar con más tenacidad. Algunos civiles del Norte temían que los esclavos libres compitieran con ellos por los trabajos. Para mayor información sobre los sentimientos de los diferentes grupos de estadounidenses frente a la decisión de Lincoln, consulta Emancipation Reactions Source Reading en el CD ROM *Exploring America's Past.*

¿Cuándo se suprimió la esclavitud en el Sur?

En el Sur la esclavitud se suprimió en etapas, a medida que el ejército liberaba a los esclavos que vivían en las áreas conquistadas. En otros lugares, la esclavitud desapareció al final de la guerra, cuando la Unión tomó control de éstos. En Texas, por ejemplo, la esclavitud terminó por orden del comandante militar que estuvo a cargo del estado, en junio de 1865. Oficialmente se abolió la esclavitud en toda la nación con la ratificación de la Decimotercera Enmienda a la Constitución en diciembre de 1865, varios meses después de que la guerra había terminado.

PREGUNTAS DE REPASO

Instrucciones: Contesta a cada pregunta en el espacio provisto.

1. ¿Cuáles fueron las tres razones principales por las que Lincoln promulgó la Proclamación de Emancipación?

   _____

   _____

2. ¿Cuáles fueron los límites que estableció Lincoln a la Proclamación de Emancipación?

   _____

   _____

3. ¿Por qué limitó Lincoln la Proclamación de Emancipación?

   _____

   _____

4. ¿Cómo reaccionaron los estadounidenses a la Proclamación de Emancipación?

   _____

   _____

5. ¿Por qué no se terminó la esclavitud al mismo tiempo en todo el Sur?

   _____

   _____

CAPÍTULO

2

El frente del hogar

¿Cómo era la vida de aquellos que permanecieron en casa?

- **Norte** La economía norteña prosperó durante la guerra. Cientos de miles de soldados de la Unión necesitaban comida, armas, uniformes, zapatos y otro tipo de equipo. Las granjas y las fábricas del Norte trabajaban con prontitud para proveer estos bienes. Los trabajos en las granjas y fábricas abundaban, especialmente porque una gran parte de los obreros estaban en la guerra.

- **Sur** Por otro lado, la economía del Sur sufrió durante la guerra. El número reducido de fábricas no podían satisfacer las necesidades del ejército confederado y de la población civil, y el bloqueo que impuso la Unión impidió que el Sur pudiera importar mercancías del extranjero. Los sureños no solamente sufrieron escasez sino que la mayor parte de la guerra se peleó en su territorio. El sufrimiento y la destrucción se extendió por todas partes.

Para mayor información, consulta Civil War Economy More of the Story Reading en el CD ROM *Exploring America's Past*.

¿De qué manera contribuyó la gente que permaneció en sus hogares a la guerra?

- **Norte** Las mujeres se hicieron cargo de las granjas y negocios debido a que sus padres, esposos y hermanos estaban luchando. Ellas también trabajaron en oficinas y fábricas, desempeñando funciones a las que ordinariamente no hubieran tenido acceso dada su condición de mujeres. Tanto hombres como mujeres compraron bonos de guerra que el gobierno emitió para recaudar fondos a fin de financiar la guerra.

- **Sur** Al igual que en el Norte, la guerra creó oportunidades de trabajo para la mujer. Las mujeres administraban negocios y granjas, dirigían las plantaciones, estaban a cargo de los esclavos y luchaban por conseguir alimento y provisiones para el ejército. Algunos esclavos tuvieron que trabajar para el ejército confederado. Los blancos sureños también prestaron dinero a su gobierno para apoyar la guerra.

¿Cómo se sentía la gente que permanecieron en casa en cuanto a la guerra?

La mayoría de norteños y sureños apoyaban a sus gobiernos. Sin embargo, también había gente que se oponía a la guerra.

- En el Norte, a quienes se oponían a la guerra se les llamaban Copperheads. La mayoría de ellos eran demócratas y algunos ocupaban puestos en el Congreso.

- Los esclavos del Sur aprovecharon la oportunidad para huir en busca de la libertad y de la protección que ofrecían los ejércitos de la Unión. A estos refugiados se les llamaban contrabandos.

- En el Norte se produjeron disturbios debido a que algunos hombres rehusaban a pelear en la guerra. Muchos de ellos resentía tener que arriesgar sus vidas para liberar a gente que, después de la guerra, competirían con ellos por los trabajos.

¿Cómo respondió el Presidente Lincoln a aquellos que se oponían a la guerra?

En el Norte, la oposición a la guerra se manifestaba con actitudes que variaban desde hablar y escribir en contra de ésta hasta apoyar directamente al enemigo. Lincoln creía que aunque los derechos y libertades de los ciudadanos eran importantes, el futuro de la nación era aún más importante. Para facilitar que la Unión ganara la guerra, Lincoln restringió la libertad de expresión, la libertad de reunirse en asamblea, así como también la libertad de prensa. Adicionalmente, el puso algunas áreas civiles bajo control militar y temporalmente ignoró el *habeas corpus,* lo que le permitió arrestar y encarcelar a gente sin previo juicio.

PREGUNTAS DE REPASO

Instrucciones: Escribe una *N* frente a las oraciones que se refieran solamente al Norte, una *S* frente a aquellas que se refieran únicamente al Sur, una *B* para las que sean verdad para Norte y Sur y una *X* para las que no sean verdad para ninguno de los dos.

____ **1.** La economía progresó durante la guerra y había abundancia de trabajos.

____ **2.** La economía sufrió durante la guerra y la gente experimentó dificultades.

____ **3.** La guerra creó nuevas oportunidades para las mujeres.

____ **4.** Las mujeres se encargaron de la administración de los negocios y las granjas, mientras los hombres estaban peleando en la guerra.

____ **5.** El bloqueo impuesto por el enemigo impidió que la gente obtuviera del extranjero productos que necesitaba para el consumo.

____ **6.** La mayoría de los ciudadanos estaban a favor de la guerra, aunque unos pocos se oponían.

____ **7.** La gente en las ciudades rehusó contribuir económicamente para ayudar a financiar la guerra.

____ **8.** Se llamaba Copperheads a quienes se oponían a la guerra.

____ **9.** El gobierno impuso limitaciones a la libertad de expresión, de asamblea y de prensa.

____**10.** Se arrestó y encarceló sin juicio a algunos de los opositores a la guerra.

3

La política de 1865 a 1900

¿Qué fue la Reconstrucción?, y ¿en qué se distinguieron los programas de Reconstrucción del presidente a los de los republicanos radicales?

La Reconstrucción se refiere a un plan global de los Estados Unidos de América para volver a construir el gobierno y la sociedad del Sur, derrotados en la Guerra Civil. Los presidentes Abraham Lincoln y Andrew Jackson tenían visiones muy diferentes a las de los republicanos radicales en cómo reconstruir el Sur. Lincoln y Johnson querían antes que nada que los estados del Sur volvieran a formar parte de la Unión. Su política era la de "no hacerle daño a nadie". Mientras que los republicanos radicales querían castigar a los hacendados del Sur, y proteger los derechos de los afroamericanos puestos en libertad recientemente. Sus programas de Reconstrucción se distinguieron de las siguientes maneras:

• El plan presidencial ofrecía una amnistía, o un perdón, a casi todos los sureños que juraran su lealtad a los Estados Unidos de América. Sin embargo, el plan de los republicanos radicales ponía a los estados sureños bajo un gobierno militar.

• El plan presidencial requería que los estados abolieran la esclavitud, pero no le otorgaba a los afroamericanos el derecho al voto. Los republicanos radicales les otorgaban derechos civiles y derechos al voto a los afroamericanos al aprobar las Decimocuarta y Decimoquinta Enmiendas de la Constitución.

• El plan presidencial reconocía el gobierno de cada estado en el Sur, una vez que el 10 por ciento de los votantes juraran su lealtad. Mientras que antes de que los republicanos radicales reconocieran los gobiernos de los estados del Sur, los votantes sureños tenían que aprobar las Decimocuarta y Decimoquinta Enmiendas de la Constitución, y además adoptar constituciones estatales que les otorgaran a los afroamericanos el derecho al voto.

A final de cuentas, los republicanos radicales tuvieron más fuerza política, y pudieron implementar casi todo su plan, a pesar de la resistencia del presidente Johnson.

¿Qué significa el término imputamiento? ¿Por qué querían los republicanos radicales imputar al presidente Andrew Johnson?

El imputamiento es un proceso por el cual se le acusa formalmente a un alto funcionario público del gobierno, como por ejemplo el presidente, de haber cometido un delito. Una vez que el delito es comprobado, el funcionario es despedido de su puesto. Después de luchar contra el presidente Johnson sobre cómo reconstruir el Sur, los republicanos radicales entablaron un proceso de imputamiento contra el presidente. Querían imputar al presidente por las siguientes razones:

• Sospechaban de Johnson porque él era de Tennessee, y por ser demócrata.

- Johnson había vetado casi todos los proyectos de ley de la Reconstrucción que el Congreso sí había aprobado.

- Johnson se oponía abiertamente a los derechos civiles y derechos al voto de los afroamericanos.

- Durante las elecciones de 1866, Johnson apoyó a los candidatos que se oponían a los republicanos radicales y a la Decimocuarta Enmienda.

- Johnson se opuso al plan de Reconstrucción de los republicanos radicales y apoyó el plan de Lincoln.

Los republicanos radicales casi ganaron el juicio de imputamiento, el cual tomó lugar en el Senado. Por sólo un voto fallaron en condenar a Johnson de los cargos tan serios por los cuales se le enjuiciaba. Después del juicio, Johnson no se resistió a la mayoría del plan de Reconstrucción de los republicanos radicales.

Para más información acerca de la Reconstrucción, consulta *Reconstruction Programs More of the Story Reading on the Exploring America's Past* CD-ROM.

PREGUNTAS DE REPASO

Instrucciones: Contesta cada pregunta en el espacio adecuado.

1. ¿Qué fue la Reconstrucción?

_____

_____

_____

2. ¿Quiénes eran los republicanos radicales? ¿Qué querían conseguir en la Reconstrucción?

_____

_____

_____

3. Al ser denunciado y casi condenado el presidente Johnson, ¿cómo cambió esto el proceso de Reconstrucción?

_____

_____

_____

3

El asesinato de Lincoln

¿Cómo murió el presidente Abraham Lincoln?

El 14 de abril de 1865, Abraham y Mary Todd Lincoln fueron a la obra de Teatro *Our American Cousin* en el Teatro Ford de Washington, D.C.. Cuando estaban mirando la obra, un actor, John Wilkes Booth, quien simpatizaba con los del Sur, se acercó al presidente y le disparó en la parte de atrás de la cabeza. Después de darle el balazo, Booth gritó "¡El Sur ha sido vengado!". El presidente Lincoln murió al día siguiente.

¿De qué manera afectó la muerte de Lincoln a la nación?

La muerte de Lincoln sucedió menos de una semana después de que Robert E. Lee se rindiera a Ulysses S. Grant en Appotomax Courthouse, Virginia. La muerte del presidente llevó al país a un estado muy alterado y de incertidumbre. Mientras que la gente lamentaba la muerte de Lincoln, los políticos se preocupaban del futuro de la nación. Lincoln había ejercido un gran poder durante la guerra. Además, había estado involucrado durante meses en el plan de la Reconstrucción. Su muerte creó un vacío terrible. Su vicepresidente, Andrew Johnson, tenía que llenar este vacío, pero ni los republicanos ni los demócratas sabían cómo Johnson iba a dirigir el esfuerzo para reunir a la nación.

¿Cuál es el tema del poema de Walt Whitman, *"O Captain! My Captain!"*?, y ¿a quién representa el capitán?

El poema de Whitman lamenta la muerte de un capitán, y ese capitán es Abraham Lincoln. La muerte del capitán es trágica en particular porque él acaba de guiar el barco (los Estados Unidos de América) a un sitio seguro, a través de mares y tormentas (la Guerra Civil) que amenazaban con destruirlo. Sin embargo, ahora el capitán yace muerto. Aunque todo el mundo está listo para celebrar la victoria, Whitman no puede porque él lamenta la muerte del hombre que salvó el barco. Este poema es un ejemplo de cómo la muerte de Lincoln conmovió a muchos norteamericanos.

PREGUNTAS DE REPASO

Instrucciones: Contesta cada pregunta en el espacio adecuado.

____**1.** ¿Quién mató a Abraham Lincoln?
    a. Andrew Johnson
    b. Lee Harvey Oswald
    c. John Wilkes Booth
    d. Robert E. Lee

____**2.** ¿Quién asumió la presidencia después de Abraham Lincoln?
    a. Ulysses S. Grant
    b. Thaddeus Stevens
    c. Rutherford B. Hayes
    d. Andrew Johnson

____**3.** ¿Cómo reaccionó el país con la muerte de Lincoln?
    a. con indiferencia
    b. con alivio
    c. con lamentación
    d. con alegría

4. ¿Quién escribió *"O Captain! My Captain!"*?, y ¿de quién se trataba?

_____

_____

_____

La Reconstrucción en el Sur

¿Durante la Reconstrucción cómo les fueron otorgadas ciertas libertades por el gobierno federal a los afroamericanos? ¿Cuáles fueron esas libertades?

En 1867, el Congreso, dominado por los republicanos, tomó el control de la Reconstrucción, y aprobó los Decretos de Reconstrucción. Estos decretos dividieron al sur en cinco distritos militares, y los decretos les dieron órdenes a los comandantes de cada distrito de poner en vigor las Decimocuarta y Decimoquinta Enmiendas. El ejército previno que casi todos los confederados votaran, ya que la Decimocuarta Enmienda estipulaba que aquellos que participaran en una rebelión podrían correr el riesgo de perder su derecho al voto. Estas Enmiendas, así como los Decretos de Reconstrucción, les dio a los hombre libres aún más libertades de las que habían tenido antes. Las leyes también anularon los Códigos Negros (Black Codes), los cuales habían aprobado las legislaturas sureñas para asegurarse de que los afroamericanos permanecieran como esclavos. Las nuevas libertades otorgadas a los afroamericanos incluían:

• Los afroamericanos ya no eran esclavos. Ellos tenían la libertad de ir a donde quisieran.
• Los hombres libres podían recibir educación y seguir cualquier religión.
• Ellos podían ser dueños de tierras y ganar un ingreso de trabajo.
• También podían votar, y tener un puesto político en gobiernos locales, estatales y nacionales.

¿Qué grupos participaron en la creación de las nuevas constituciones de los estados del Sur durante la Reconstrucción? ¿Cómo esperaban estos grupos cambiar la sociedad sureña?

Para reflejar las nuevas libertades otorgadas por el Congreso a los afroamericanos, las constituciones de los estados del Sur fueron escritas de nuevo en las asambleas de 1868. Entre los delegados de las asambleas se incluían a afroamericanos, unionistas blancos sureños y republicanos del Norte. Pero no podían participar en estas asambleas los partidarios de la antigua Confederación. Los delegados de las asambleas esperaban cambiar la sociedad sureña al quitarles el poder a los hacendados blancos. Para lograr esta meta, los delegados redactaron constituciones que les otorgaban el derecho al voto a hombres afroamericanos, hombres blancos de bajos recursos y hombres leales a la Unión, pero no a la mayoría de los Confederados. Los delegados esperaban que el poder del voto de estos grupos les daría control sobre los gobiernos locales y estatales, y así acabar con el dominio la estructura tradicional de poder del Sur. Estos líderes esperaban recaudar fondos a través de los impuestos para pagar los servicios sociales, tales como la educación pública, proyectos como los ferrocarriles, a este tipode cosas los antiguos líderes sureños se oponían.

¿Llegaron a dominar los afroamericanos la política de los estados que antes formaban parte de la Confederación?

En general, los afroamericanos liberados no dominaron los gobiernos estatales del Sur. Solamente en South Carolina pudieron los afroamericanos llegar a tener una mayoría en la legislatura del estado. Sólo 22 afroamericanos trabajaron para el Congreso norteamericano entre 1868 y 1877, y algunos hicieron unas contribuciones muy importantes:

- **Hiram Revels:** El ministro, político y educador Revels nació en Fayetteville, North Carolina, dentro de una familia afroamericana ya en libertad. Él trabajó como maestro y barbero antes de convertirse en ministro en Baltimore, en 1845. Durante la Guerra Civil, organizó regimientos de afroamericanos, fundó una escuela para afroamericanos en St.Louis, Missouri, y trabajó como ministro de capilla en el ejército de la Unión. Él ayudó a organizar el Asencia de los Hombres Liberados en Mississippi, después de la Guerra Civil, y se quedó a vivir allí en 1868. En 1869, fue elegido a la legislatura de Mississippi, y después al Congreso norteamericano para asumir el escaño de Jefferson Davis. Él fue el primer afroamericano elegido al Congreso, entre 1870 y 1871. Después regresó a Mississippi para convertirse en el primer presidente de la Universidad Alcorn.

- **Blanche K. Bruce:** Bruce nació dentro de una familia de esclavos y fue educado por el hijo de su dueño. Durante la Guerra Civil se escapó a Missouri, y allí abrió una escuela para afroamericanos. Estudió en la Universidad Oberlin en 1866, y en 1869 se mudó a Missouri donde se convirtió en un hacendado de mucho dinero. Siendo miembro del Partido Republicano, Bruce fue elegido al Senado de los Estados Unidos de América, y luchó por los derechos de los hombres liberados, de 1875 a 1881. Él fue el segundo afroamericano en trabajar en el Senado, y el primero en trabajar durante un término completo. En 1881, el presidente James Garfield lo nombró Registrador de la Tesorería Federal, y en 1895 fue nombrado como Registrador de los Títulos de Propiedad para District of Columbia, por el presidente Benjamin Harrison.

Para mayor información acerca de las personas involucradas con los nuevos gobiernos estatales del Sur, ver *The Reconstruction Governments More of the Story Reading on the Exploring America's Past* CD-ROM.

PREGUNTAS DE REPASO

Instrucciones: Contesta cada pregunta en el espacio adecuado

1. ¿Qué son los Códigos Negros?

   _____

   _____

2. ¿Cuáles grupos escribieron de nuevo las constituciones de los estados sureños?

   _____

   _____

3. ¿Cómo querían los republicanos cambiar el Sur?

   _____

   _____

4. ¿Quiénes fueron Hiram Revels y Blanche K. Bruce?

   _____

   _____

Nombre _____ Clase _____ Fecha _____

CAPÍTULO

El Departamento de los Hombres Liberados

¿Qué fue la Agencia de los Hombres Liberados?, y ¿cómo ayudó a los afroamericanos?

En marzo de 1865, el Congreso creó la Agencia de Refugiados, Liberados y Tierras Abandonadas, conocida como Agencia de los Hombres Liberados. Esta Agencia se encargaba de ayudar a los refugiados y liberados que permanecieron sin hogar después de la Guerra Civil.

- La Agencia ofrecía comida, refugio, atención médica y transporte a aquellos que lo necesitaran en emergencias.

- La Agencia trataba de proteger los derechos de los hombres en libertad, y los preparaba para obtener la ciudadanía de los Estados Unidos de América.

- La Agencia les ayudaba a los afroamericanos a encontrar un trabajo de sueldo.

- La Agencia ayudaba a proveer instalaciones educativas para los afroamericanos.

- La Agencia se encargaba de los juicios militares de las personas que violaban los derechos de las personas liberadas.

¿Qué opinaron los blancos acerca de la Agencia de los Hombres Liberados?

- Al principio, muchos blancos norteños pensaban que el trabajo de la Agencia de los Hombres Liberados era importante. A medida que pasaron los años, sin embargo, más y más blancos norteños sintieron que el trabajo de la Agencia no justificaba su alto costo.

- Desde el principio, los blancos sureños resintieron la Agencia de los Hombres Liberados. Pensaban que era un instrumento de los republicanos para obtener el apoyo de los afroamericanos para el Partido Republicano del Sur.

- Gracias a la resistencia de los sureños y la indiferencia de los norteños, la Agencia de los Hombres Liberados cerró sus puertas en 1872.

¿Cuál fue el logro más importante de la Agencia de los Hombres Liberados?

Los esfuerzos realizados por la educación fueron logros de más larga duración. Para 1870, la Agencia de los Hombres Liberados había contribuido con el establecimiento de más de 3,000 escuelas, 70 colegios, universidades y escuelas técnicas vocacionales para maestros, para los afroamericanos. Muy a menudo, la agencia proveía los edificios mientras que ciertas organizaciones privadas ofrecían a los maestros.

PREGUNTAS DE REPASO

Instrucciones: contesta cada pregunta en el espacio adecuado

1. ¿Cuál era el nombre completo de la Agencia de los Hombres Liberados?

   _____

   _____

   _____

2. ¿Cuál fue la meta principal de la Agencia de los Hombres Liberados?

   _____

   _____

   _____

3. ¿Cuál fue el logro de mayor duración de la Agencia de los Hombres Liberados?

   _____

   _____

   _____

Nombre _____ Clase _____ Fecha _____

Los derechos civiles

¿Qué son los derechos civiles?, y ¿cómo los extendió el Congreso a los afroamericanos durante la Reconstrucción?

Los derechos civiles son derechos que le dan a las personas libertades básicas, incluyendo aquellos otorgados por la Constitución, las Leyes de Derecho y otras leyes del Congreso. Durante la Reconstrucción, el Congreso les otorgó los derechos civiles a los afroamericanos a través de las siguientes leyes y enmiendas:

• La Decimotercera Enmienda abolió la esclavitud.

• La Ley de los Derechos Civiles de 1866 prohibió a los estados sureños de pasar leyes que restringieran los derechos de los hombres liberados.

• Las Leyes de Reconstrucción dividieron a los estados del Sur en cinco distritos militares con tropas militares allí, para mantener en vigor las leyes federales y proteger los derechos de los liberados.

• La Decimocuarta Enmienda otorgó la ciudadanía de los Estados Unidos de América a todos los afroamericanos. Y estipuló que ningún estado podía limitar los derechos civiles de ningún ciudadano. Como resultado, esta enmienda prohibió la discriminación racial.

• La Decimoquinta Enmienda otorgó el derecho al voto a todos los hombres afroamericanos.

El Congreso pensó que los representantes futuros tratarían de cambiar las leyes que otorgaban los derechos constitucionales a los afroamericanos. Como resultado, el Congreso decidió otorgar los derechos en enmiendas a la Constitución, las cuales son más difíciles de cambiar que otros tipos de leyes.

¿De qué manera hicieron resistencia los blancos sureños a la Reconstrucción?

• Los blancos sureños formaron organizaciones secretas, tales como el Ku Klux Klan, que usaban métodos de violencia y de miedo para prevenir que los liberados votaran o ejercieran otros derechos civiles.

• Los gobiernos estatales requirieron que la gente pagara impuestos de *casilla,* y que aprobaran pruebas de alfabetización, antes de poder votar. Ya que muchos afroamericanos eran analfabetas o demasiado pobres para pagar los impuestos, estos dos requerimientos previnieron que muchos afroamericanos votaran.

• Los gobiernos estatales aprobaron cláusulas de los "abuelos". Estas cláusulas mencionaban que aquellas personas que votaron antes de 1867, y sus descendientes, podían votar sin tener que pagar el impuesto de casilla ni tomar el examen de alfabetización. Ya que los afroamericanos no pudieron votar antes de 1867, estas cláusulas les otorgaran el derecho al voto a los blancos de bajos recursos y analfabetas, pero no a los afroamericanos.

• Los gobiernos estatales aprobaron las leyes "Jim Crow", las cuales requirieron la segregación, o separación, entre los blancos y los afroamericanos. Estas leyes prevenían a los afroamericanos de gozar de los mismos derechos y servicios que los blancos.

- La Suprema Corte apoyó la segregación con sus decisiones en los casos de derechos civiles *Civil Rights Cases*. En 1883, la Corte decidió que la Decimocuarta Enmienda protegía a los ciudadanos de la discriminación racial por los gobiernos estatales, pero no a la discriminación por los individuos privados. Gracias a esta decisión, las compañías privadas pudieron segregar sus instalaciones. En 1896, en el caso de *Plessy v. Ferguson,* la Corte decidió que la segregación no era anticonstitucional, siempre y cuando las instalaciones o servicios, provistos para los afroamericanos, fueran "separados pero iguales". Sin embargo, en realidad las instalaciones separadas de los afroamericanos no eran iguales a las de los blancos. La decisión de la Corte, restaureció la supremacía de los blancos por todo el Sur. Para mayor información sobre el razonamiento de la Suprema Corte en cuanto a su decisión, consulta *The Plessy v. Ferguson Source Reading* on the *Exploring America's Past* CD-ROM.

¿Qué fue el Acuerdo de 1877?, y ¿cómo afectó los derechos civiles de los afroamericanos?

En la elección presidencial de 1876, entre el demócrata Samuel J. Tilden y el republicano Rutherford B. Hayes, los resultados se debatieron. Más gente votó por Tilden, quien también recibió más votos electorales. Sin embargo, algunos de estos votos fueron puestos en duda. Si se le otorgaran todos los votos a Hayes, éste ganaría la presidencia. El Congreso Republicano nombró una comisión de 8 republicanos y 7 demócratas para decidir cuál de los dos candidatos debía recibir los votos en disputa. La comisión votó 8 a favor y 7 en contra para que Hayes los recibiera, y así ganó Hayes. Los demócratas se sintieron engañados, y amenazaron con pelear la presidencia de Hayes. Para resolver el problema los líderes llegaron a un acuerdo, conocido como el Acuerdo de 1877. Este Acuerdo le dio la presidencia a Hayes, a cambio de remover las tropas federales que todavía estaban en el Sur. Por esta razón terminó la Reconstrucción. Aunque los demócratas sureños prometieron garantizar los derechos de los afroamericanos, aprobaron leyes de segregación que limitaron esos derechos. Los sureños pudieron lograr eso porque la opinión pública del Norte ya no se interesaba en los asuntos del sur, y porque muchas de estas leyes de segregación tenían el apoyo de las varias decisiones de la Suprema Corte de Justicia.

PREGUNTAS DE REPASO

Instrucciones: contesta cada pregunta en el espacio adecuado

1. ¿Por qué estableció el Congreso norteamericano las Decimocuarta y Decimoquinta Enmiendas?

   _____

   _____

2. ¿Cómo se aseguraron los sureños blancos de que los blancos pobres y analfabetas pudieran votar?

   _____

   _____

3. ¿Por qué terminó la Reconstrucción?

   _____

   _____

3

Los líderes afroamericanos

¿Qué obstáculos tuvieron que enfrentar los líderes afroamericanos durante y después de la Reconstrucción?

• Los líderes afroamericanos tuvieron que lidiar con el establecimiento de los Códigos para los Negros y las leyes "Jim Crow". Los Códigos fueron aprobados por las legislaturas sureñas, manejadas por los antiguos confederados, justo al terminar la Guerra Civil. Estas leyes limitaban tanto el empleo y la conducta de los afroamericanos que entonces quedaban en una posición inferior. En respuesta, casi todos los norteños empezaron a apoyar planes más estrictos para la Reconstrucción, y de esta manera se rechazaron los códigos para los negros. Al terminar la Reconstrucción en 1877, los antiguos estados confederados empezaron a aprobar las leyes "Jim Crow". Estas leyes establecieron un sistema legal tan estricto de segregación, que afectó todas las ramas de la vida. La segregación era la separación de las instituciones y servicios para los afroamericanos y los blancos. Los sureños pudieron aprobar las leyes "Jim Crow" porque los norteños ya estaban cansados de los asuntos de la reforma, sureña y ahora se interesaban más en los asuntos económicos nacionales.

• Los líderes afroamericanos también tuvieron que enfrentar leyes que limitaban la posibilidad de que los afroamericanos votaran. La Decimocuarta Enmienda había logrado que todos los afroamericanos se convirtieran en ciudadanos norteamericanos, y la Decimoquinta Enmienda les otorgó a todos los hombres el derecho al voto. Sin embargo, los antiguos confederados del Partido Demócrata aprobaron leyes para que fuera imposible para muchos afroamericanos votar. Dentro de esas leyes existían los impuestos de casilla, los cuales requerían que la gente pagara un impuesto antes de votar. Muchos afroamericanos sureños eran campesinos de bajos recursos que no podían pagar esos impuestos. Por otro lado, a los demócratas blancos y de bajos recursos, se les permitía votar sin pagar, y a veces el impuesto ya había sido pagado por otros. Además, la gente tenía que pasar las pruebas de alfabetización antes de poder votar. Muchos antiguos esclavos no podían leer ni escribir, entonces no podían pasar las pruebas. Los demócratas blancos que no sabían leer ni escribir podían votar gracias a las cláusulas de "abuelo". Estas cláusulas promulgaban que cualquier hombre que pudo votar antes de 1867 y sus descendientes no tenía que tomar la prueba, ni pagar el impuesto de casilla. Ya que ningún afroamericano pudo votar antes de 1867, ninguno estaba incluido en las cláusulas.

• Los líderes afroamericanos también tuvieron que enfrentarse a las tácticas terroristas de grupos como el Ku Klux Klan. El Klan y otras organizaciones emplearon medidas de terror y de violencia contra los afroamericanos. Su intención era de asustarlos para que no votaran y para que aceptaran ser ciudadanos de segunda clase, sin derechos iguales y sin las mismas oportunidades. Eventualmente el Klan vencido derrumbado por fuerzas federales. Pero durante el período justo después de la Reconstrucción, los afroamericanos que no obedecieran las leyes "Jim Crow" tenían que vivir con la amenaza de la violencia.

¿Quién fue Booker T. Washington? ¿De qué se trató el discurso del Acuerdo de Atlanta?

Booker T. Washington fue el líder afroamericano más famoso de su época. Nació dentro de una familia de esclavos. Pero al terminar la Guerra Civil, se convirtió en líder de la comunidad afroamericana, y fundó el Instituto Tuskegee en Alabama. Este instituto entrenaba y educaba a los afroamericanos. En varias ocasiones, Washington dijo que los afroamericanos tenían que educarse por sí mismos para ser ciudadanos competentes, antes de poder recibir derechos iguales. Sin embargo, al mismo tiempo trabajó en secreto con los republicanos y los demócratas por los derechos de los afroamericanos. En 1895, Washington dio un discurso a una gran audiencia de blancos en Los Estados de Algodón y Exposición Internacional. A través del discurso, Washington pidió paz entre las razas. Les pidió a los afroamericanos que aceptaran el sistema de segregación, y que trabajaran arduamente para obtener sus metas. También les pidió a los sureños que fueran más justos, y que las facilidades y servicios de los afroamericanos fueran realmente iguales a las de los blancos. Para mayor información sobre cómo otro líder afroamericano se enfrentó ante la segregación, consulta la biografía de Ida B. Wells-Barnett en el *Exploring America's Past* CD-ROM.

PREGUNTAS DE REPASO

Instrucciones: contesta cada pregunta en el espacio adecuado

1. ¿Cómo pensó Booker T. Washington que los afroamericanos podían obtener derechos iguales?

   _____

   _____

   _____

2. ¿Qué eran los Códigos para los Negros y las leyes "Jim Crow"?

   _____

   _____

   _____

3. ¿Qué eran los impuestos de casilla, las pruebas de alfabetización y las cláusulas de "abuelo"?

   _____

   _____

   _____

4. ¿Qué fue lo que pidió Booker T. Washington en su discurso del Acuerdo de Atlanta?

   _____

   _____

   _____

La educación de los afroamericanos

¿Cuáles fueron los adelantos en la educación que obtuvieron los afroamericanos durante la Reconstrucción?

- Con la abolición de la esclavitud, los hombres liberados pudieron obtener la libertad para educarse. Antes de la Guerra Civil, era ilegal enseñarles a los esclavos a leer y a escribir.

- La Agencia de los Hombres Liberados abrió escuelas públicas para los afroamericanos. Para 1870, casi 250.000 afroamericanos atendían a las escuelas. Los estudiantes eran niños y adultos que no se les permitió aprender a leer ni a escribir mientras que eran esclavos.

- Se establecieron varias universidades y colegios para los afroamericanos.

¿Cuáles fueron algunas de las universidades de los afroamericanos?

- **Instituto Tuskegee:** Escuela privada en Tuskegee, Alabama, para hombres y mujeres. Fundada por Booker T. Washington en 1881, el instituto hacía enfatizaba la educación práctica.

- **Universidad Fisk:** Esta universidad en Nashville, Tennessee, empezó como Fisk Free School en 1866. Sus fundadores fueron miembros de la Asociación Americana de Misioneros y la Agencia de los Hombres Liberados. Abrieron la escuela con el propósito de entrenar a los afroamericanos como maestros. W.E. Du Bois, un líder afroamericano muy importante, se graduó de Fisk.

- **Colegio Morehouse:** esta escuela se fundó como el Instituto de Augusta, en Augusta, Georgia en 1867, pero se mudó a Atlanta en 1879.

- **Universidad Hampton:** En 1868, se abrió esta escuela en Hampton, Virginia, por un antiguo comandante de las tropas afroamericanas de la Guerra Civil. La universidad empezó siendo un instituto para maestros y agrónomos. El estudiante más famoso de allí fue Booker T. Washington.

- **Colegio Médico Meharry:** Al principio, el departamento de la escuela de medicina del Colegio Central Tennessee, Meharry, fue fundado por la Sociedad de Ayuda de la Agencia de Hombres Liberados, en Nashville, Tennessee, en 1876.

- **Universidad Estatal Jackson:** American Home Baptist Mission Society fundó esta escuela estatal en Natchez, Mississippi, en 1877. Esta escuela para hombres y mujeres se mudó a Jackson en 1882.

- **Colegio Spelman:** Fundado en Atlanta, Georgia, en 1881, Spelman fue el primer colegio en los Estados Unidos de América para mujeres afroamericanas.

¿Cómo afectó la segregación a la educación afroamericana?

Aunque la Suprema Corte de Justicia decidió en *Plessy v. Ferguson* que las instalaciones de los afroamericanos debían ser separadas pero iguales a las de los blancos, los afroamericanos muy a menudo recibieron educación inferior. Al final de los años 1870, unos líderes nuevos blancos, conocidos como los redentores, tomaron los cargos gubernamentales de los republicanos, en los estados sureños. Por todo el Sur, ellos cortaron el presupuesto de muchas escuelas afroamericanas. Hacia 1895, el estado de South Carolina había gastado sólo una tercera parte del presupuesto en la educación de los niños afroamericanos en comparación con la de los niños blancos. Los afroamericanos no solamente tenían menos escuelas, sino también pocas escuelas con los grados más avanzados. Además, los edificios y los útiles escolares eran también inferiores.

PREGUNTAS DE REPASO

Instrucciones: contesta cada pregunta en el espacio adecuado

1. ¿Qué tipo de localizaciones educatines creó la Agencia de los Hombres Liberados?

   _____

   _____

   _____

2. ¿En qué forma abusaron los gobiernos sureños de la doctrina "iguales pero separados" en relación a la educación?

   _____

   _____

   _____

El Nuevo Sur

¿Qué fue el sistema de embargo a la cosecha?

Ya que no existía la labor de los esclavos, los agricultores sureños del Nuevo Sur no tenían suficientes trabajadores, pero al mismo tiempo, muchos esclavos en libertad no encontraban trabajo. La aparcería les resolvió estos dos problemas. Un propietario de una hacienda les proveía los trabajadores ciertas cosas, tales como casas, herramientas y otras provisiones, a cambio de pasarle al propietario una parte de la cosecha. Aunque la aparcería empezó entre los esclavos en libertad, muy poco tiempo después, la mitad de los aparceros eran blancos. Desgraciadamente, la aparcería creó problemas financieros tanto para los aparceros como para los propietarios. No Hasta que los cultivos se vendieran, ni el propietario ni el aparcero recibían ingresos. Tenían que comprar lo básico a crédito, en la tienda principal. Para asegurarse de que ambos pagaran su deuda, los acreedores, siendo muy a menudo banqueros o comerciantes, tenían un reclamo, o sistema de embargo a la cosecha, sobre la futura cosecha. Si no se pagaban las deudas, el acreedor podría tomar posesión de la cosecha. En este sistema, los acreedores a veces cobraban hasta un interés altísimo del 50 por ciento.

El sistema de embargo a la cosecha tuvo un impacto muy negativo. Muy a menudo, los acreedores requerían que los aparceros cosecharan solamente algodón, porque existía un mercado mundial muy grande. Pero el algodón le quita los nutrientes a la tierra muy rápidamente. Entonces hay que ponerle fertilizantes para que ésta no se volviera improductiva. La tierra permanecería sana si se cosechara una variedad de cultivos. Además Tanto algodón se cultivó durante algunos años, que su precio se desplomó por algún tiempo. Para leer acerca de las memorias de los aparceros en este sistema laboral, consulta A Sharecropper's Story Source Reading on the *Exploring America's Past* CD-ROM.

¿Quiénes fueron los redentores?

Después del Acuerdo de 1877, los sureños blancos tomaron el control de sus gobiernos estatales. En muchos estados, estas personas se llamaban redentores, por creer que estaban restaurando su posición en la sociedad sureña. Querían que su clase social volviera a obtener el poder y el control que tuvieron antes de la Reconstrucción. Algunas veces, los redentores veían la economía hacia el futuro. Algunos a trataron de industrializar al Sur, y mejorar las téchnicas agrícolas. Otros ayudaron a diversificar las cosechas, y les pidieron a los agricultores que usaran fertilizantes. Los redentores tuvieron éxito especialmente en crear una industria textil. Ya que el Sur producía mucho algodón, y habían muchos que trabajaban por un salario muy bajo, la manufactura del hilo de algodón y de la tela de algodón emergió. Entre 1880 y 1900, el número de trabajadores textiles en el Sur aumentó de 17,000 a 88,000. Sin embargo, de estos trabajos, pocos estaban disponibles para los afroamericanos. Es más, las políticas de los redentores lastimó a los afroamericanos de muchas maneras, incluyendo el corte de presupuesto para su educación.

PREGUNTAS DE REPASO

Instrucciones: contesta cada pregunta en el espacio adecuado

1. ¿Cómo afectó a la sociedad sureña el sistema de embargo a la cosecha?

   _____

   _____

   _____

2. ¿Qué significa aparcería?¿Cómo ayudó a los hombres liberados?

   _____

   _____

   _____

3. ¿Cuáles fueron los planes de algunos de los redentores para la sociedad sureña?

   _____

   _____

   _____

4. Describe tres maneras en que el Nuevo Sur se distingue del Viejo Sur.

   _____

   _____

   _____

CAPÍTULO

Los indígenas de las Grandes Llanuras

¿Cómo eran físicamente las Grandes Llanuras?

- Las Grandes Llanuras incluían una gran área de tierra plana cubierta de pasto. Se extendía desde el oeste del río Mississippi hasta las montañas Rocallosas Rocky, y desde el norte de Texas hasta Canadá.

- Ya que los ríos y el agua eran escasos, poca vegetación crecía allí, salvo por el césped. Sin que hubieran montañas ni árboles que las rodearan por completo, había fuertes vientos constantemente.

- Los grandes búfalos peludos parecían dominar las Llanuras. Alrededor de 12 millones habitaban esas praderas antes de 1800.

¿Cómo cambió la cultura indígena cuando los europeos trajeron los caballos?

- Una de las formas más importantes del cambio de vida de los indígenas por los europeos fue la introducción del caballo en Norte America. Antes de eso, pocos indígenas habitaban en las Llanuras. Antes de tener un caballo, los indígenas cazaban en las montañas y bosques que rodeaban las Llanuras, o cultivaban la tierra a lo largo de los ríos.

- Antes de tener un caballo, los indígenas habían cazado búfalos solamente cuando las manadas se acercaban a sus hogares. Pero al tener caballos, las tribus se volvieron nómadas, y perseguían las manadas por grandes distancias. Los cazadores a caballo eran más hábiles para matar bufalos que los cazadores a pie. El caballo fue tan útil para los indígenas que la mayoría aprendió a montarlo muy bien, desde que eran niños.

- la riqueza de los indígenas se media por el número de caballos que poseían, y algunos los usaban como dinero. Los ataques entre tribus a menudo ocurrían para robarse los caballos de los otros.

¿Por qué fue importante el búfalo para los indígenas de las Grandes Llanuras?

Al seguir y cazar las manadas de búfalos, las tribus nómadas se abastecían de comida, ropa y albergue. Para asegurarse de su sobrevivencia, los indígenas de las Llanuras utilizaban casi todo el animal que cazaban. El búfalo les daba sus alimentos principales. Además de comer carne fresca, los indígenas la secaban al sol para comer carne machacada. Y procesaban la grasa para usarla después. Utilizaban la piel del animal, la cual secaban al sol, para hacer el cuero. Las piezas las cosían luego para construir sus tepees, o tiendas típicas, las cuales eran las casas donde habitaban los indígenas. Usaban pedazos de cuero para coser su ropa y sus mantos. Y con resistol pegado a las pieles, los cueros se convertían en escudos. Los huesos los usaban para hacer armas y herramientas. Y hervían las pezuñas para hacer resistol.

¿Cómo era la guerra indígena?, y ¿por qué era importante para la sociedad de los indígenas de las Grandes Llanuras?

La guerra era una parte central de la vida de los hombres indígenas. Peleaban contra otras tribus para defenderse, para proteger sus territorios de cacería o sus territorios sagrados, y para obtener honor y gloria.

- Los hombres podían avanzar dentro de la sociedad al hacer la guerra. Se hacían más ricos si capturaban caballos, y ganaban la gloria si peleaban con valor y si llegaban a tocar al enemigo, o a quitarle su arma.

- Unos grupos pequeños de guerreros, conocidos como bandas de soldados, servían como un tipo de policía para la tribu. Protegían su campamento, castigaban a los delincuentes, y encabezaban los grupos de cazadores.

- Las guerras indígenas consistían casi siempre de ataques y escaramuzas. Grupos pequeños de guerreros atacaban al enemigo por sorpresa y retrocedían rápidamente. Muy raras veces iban las mujeres a los ataques, pero siempre defendían su territorio si eran atacadas.

¿Cómo eran las creencias religiosas de los indígenas de las Grandes Llanuras?

Las religiones de los indígenas de las Llanuras tenían aspectos en común.

- Algunas tribus creían en un ser supremo o un dios principal.

- Para muchas tribus, la Danza del Sol era la ceremonia anual más importante. La Danza del Sol duraba muchos días, y le daba prestigio y honor a una tribu. Durante la Danza del Sol, los guerreros practicaban pruebas físicas para probar su valor.

PREGUNTAS DE REPASO

Instrucciones: Marca una V si la oración dice la verdad, o una F si es falsa. Corrige las oraciones falsas cambiando las palabras o frases subrayadas. Escribe la nueva oración en el espacio adecuado.

____1. Las Grandes Llanuras son <u>áreas de pasto muy extendidas con pocos ríos y árboles.</u>

____2. Cuando importaron los caballos, muchos indígenas se convirtieron en <u>campesinos.</u>

____3. Los indígenas de las Grandes Llanuras viajaban para <u>seguir a los búfalos.</u>

____4. La cosa traída por los europeos que más cambió la vida de los indígenas fue <u>la pistola.</u>

____5. Los indígenas de las Grandes Llanuras cazaban al búfalo <u>solamente para comerse la carne.</u>

____6. Las guerras indígenas consistían más que nada <u>en asaltos y escaramuzas.</u>

CAPÍTULO

4

Los tratados y las guerras indígenas

¿Cuáles fueron los cambios que amenazaron con terminar la manera tradicional de vivir de los indígenas?

La expansión occidental de los colonizadores da habla inglesa, los mineros y los ganaderos obligó a los indígenas norteamericanos a alterar muchas partes de su cultura.

• Con la construcción de los ferrocarriles transcontinentales a través de las Grandes Llanuras, el número de colonizadores allí empezó a incrementar. Estos colonizadores cultivaron las tierras de los indígenas, cortaron los escasos árboles que habían, y mataron muchos animales de los cuales dependían las tribus. Pero además, los colonizadores requirieron que el gobierno los protegiera de los indígenas.

• Al descubrir el oro y otros minerales, llegaron muchos mineros y exploradores del oro a áreas muy remotas. Cuando agotaban sus minas, buscaban otras en territorios indígenas. Los mineros requirieron que el gobierno los protegiera de los indígenas.

• Después de la Guerra Civil, los colonizadores y los cazadores mataron a casi todos los búfalos. Ya que las tribus de las Llanuras sobrevivían del búfalo para su ropa, comida y albergue, tenían que buscar otros medios de subsistencia.

• Al ir extinguiendo el búfalo, los ganaderos empezaron a arrear su ganado hacia los territorios de los indígenas.

¿Cómo intentó el gobierno norteamericano de proteger a los indígenas americanos?

Aunque el gobierno federal aprobó muchas leyes y firmaron varios tratados, no pudo prevenir que los colonizadores se mudaran a los territorios indígenas.

• En los primeros tratados, tal y como el Tratado de Fort Laramie de 1851, los indígenas de las Grandes Llanuras aceptaron que los colonizadores pasaran a través de su territorio. En tratados posteriores, los indígenas aceptaron vivir y cazar sólo en ciertas áreas. El gobierno aceptó pagar para remunerar a los indígenas de los daños ocasionados por los ciudadanos norteamericanos.

• Cuando el gobierno se dio cuenta que no podía prevenir que los ciudadanos norteamericanos se mudaran a los territorios de los indígenas, creó reservaciones, o tierras federales en las cuales podían vivir los indígenas. los indígenas no debían salir de las reservaciones, aún para cazar búfalos. Y a cambio, el gobierno les proporcionaría dinero y abastecimientos.

• El gobierno norteamericano estableció la Agencia de Asuntos Indígenas para gobernar las reservaciones y distribuir la comida y el dinero a las tribus.

¿Cuáles fueron los ataques y las batallas principales entre los soldados norteamericanos y los indígenas de las Grandes Llanuras?

• En 1864, el coronel John M. Chivington encabezó las tropas de voluntarios en Colorado, para atacar un grupo de cheyennes pacíficos acampando cerca de el arroyo Sand. En la Matanza del Arroyo Sand, las tropas de Chivington mataron a 200 hombres, mujeres y niños. Aunque los cheyennes se rindieron, Chivington ordenó que las tropas los atacaran.

- En 1866, unos guerreros sioux bajo el liderazgo del jefe Red Cloud, fueron sorprendidos y mataron a una tropa de soldados norteamericanos encabezados por el capitán W. J. Fetterman. La tropa protegía el Camino Bozeman, que pasaba por el territorio de cacería de los sioux.

- En la Batalla de Little Big Horn de 1876, el coronel George Custer encabezó a una tropa de 250 soldados hacia un campamento grande de los sioux. Los sioux, bajo el liderazgo de Crazy Horse y Gall, mataron a todos los soldados de la tropa de Custer.

- En 1890, tropas norteamericanas mataron a casi 300 sioux desarmados, los cuales habían salido de su reservación cuando la policía mató a Sitting Bull. Sitting Bull fue un sioux chamán, u hombre médico, quien le pidió de urgencia a su tribu que no aceptara las propuestas del gobierno, y que resistiera ser movida de su territorio

¿Qué fue la Danza del Aparecido?, y ¿por qué trataron de prevenirla los funcionarios del gobierno de los Estados Unidos de América?

La Danza del Aparecido era un resurgimiento religioso que rápidamente se extendió entre las reservaciones en 1889. El movimiento empezó con un indígena paiute profeta, llamado Wovoka, quien predijo que un líder indígena se levantaría para regresar a los búfalos, sacar a los colonizadores de los territorios indígenas, y unirlos con sus antepasados. Ciertos agentes indígenas, dentro de las reservaciones, se preocuparon de que la Danza del Aparecido trajera violencia a los colonizadores, y pidieron ayuda al ejército. Con la Matanza de Wounded Knee empezó a desaparecer la Danza del Aparecido.

PREGUNTAS DE REPASO

Instrucciones: Escribe el nombre adecuado de la persona bajo la oración que la describe

John M. Chivington   Red Cloud
Crazy Horse   Wovoka

1. Profeta paiute que inventó una ceremonia para que regrese el búfalo y para que los blancos se salgan del territorio indígena

   _____

2. Oficial militar que mandó matar a hombres, mujeres y niños Cheyenne, aún cuando se rindieron

   _____

3. Jefe sioux que guió a los guerreros en ataques para proteger los territorios de cacería de los Sioux

   _____

4. Jefe sioux que guió a los guerreros en la Batalla de Little Big Horn

CAPÍTULO

La minería y la ganadería

¿Cuáles fueron los nuevos desarrollos que cambiaron la minería del oro y de la plata en el Oeste?

Las minas originales eran minas de superficie, que los exploradores escarbaban con herramientas de mano como la pala y el piquete. Lavaban la piedra y la tierra en un molde para encontrar oro y plata. Pero las venas de oro y plata, descubiertas en 1849 en las montañas del Sierra Nevada de California, y 10 años después en el filón Comstock, estaban enterradas muy profundamente, en capas de cuarzo. Para remover los metales preciosos, se requería un equipo mucho más complejo y tecnología que los exploradores no podían pagar. Cuando terminaron de escarbar las superficies, los exploradores solitarios vendieron en varias ocasiones sus minas a corporaciones que tenían mucho dinero para invertir. Ya que estaban enterrados profundamente los minerales, las corporaciones desenterraron la mayor parte de las riquezas mineras.

- Para desentarrar las rocas se necesitaba equipo pesado y costoso, sondas a vapor y palas grandes de vapor.

- En California los mineros usaban mangueras de alta presión que lavaban colinas enteras, descubriendo los metales preciosos.

- Se construyeron en otros lugares máquinas para moler las piedras y hornos para derretir los metales.

- Los ferrocarriles se construyeron para que llegasen hasta las minas, para traer el carbón para los hornos, o para la carga de los minerales metálicos en Denver y otras ciudades.

- Aún más gente se mudó al Oeste para ganar el salario alto que pagaban las compañías mineras. Esos mineros trabajaban bajo condiciones peligrosas y tenian que protegerse contra explosiones y sofocaciones de gases mortales.

¿Cómo se expandió la ganadería a través de las Grandes Llanuras?

Parte del ganado introducido a México por los exploradores españoles y los pioneros, era salvaje. A mediados de los años de 1800, había aproximadamente 5 millones de reses en Texas, que se adaptaron al agua y a los pastos de la región. La carne era cara en el Este. Hasta la década de los años de 1870, no se había podido transportar el ganado a esta ciudades fácilmente. Hasta que un comerciante ganadero construyó un centro en Abilene, Kansas, de donde se pudo transportar el ganado por ferrocarril hacia el Este. Los ganaderos empezaron a arrear su ganado a través del camino Chisolm, a Abilene. Otros caminos surgieron a lo largo de los ferrocarriles.

¿Quiénes fueron los vaqueros?

Los vaqueros tejanos y mexicano-americanos reunían su ganado en zonas abiertas para arrearlo junto hacia el Norte. Ellos usaban ropa, equipo y herramientas especiales para su arduo trabajo. Casi todo el equipo fue inventado por los vaqueros mexicano-americanos e indígenas norteamericanos. Usaban la reata para reunir y marcar su ganado. Los sombreros anchos y los pañuelos los protegían del polvo, y de la lluvia mientras que las chaparreras de cuero protegían sus piernas de los cactus.

¿Qué fue la zona abierta?, y ¿cómo terminó?

Al extinguirse el búfalo, el ganado tuvo poca competencia para pastorear en las Grandes Llanuras. Muchas tierras de las Llanuras les pertenecían al gobierno norteamericano. Los ganaderos podían pastorear su ganado allí, sin tener que pagar. Sin embargo, el ganado necesitaba agua. Muchos conflictos se crearon sobre los derechos de agua, o derechos en las zonas abiertas. Al hacerse propietarios de tierra junto a un río o manantial, los ganaderos podían tener el control de las praderas públicas. Sin tener acceso al agua, la pradera no servía de nada. Hacia 1880, tanto ganado pastoreaban, que se empezó a acabar el pasto. Por tanto ganado que se vendía, bajaron los precios y bajaron las ganancias. Rancheros de cabras y agricultores competían con los ganaderos por las mejores praderas y por el agua. Para proteger sus cultivos, empezaron a poner cercas en sus tierras, y así inventaron las cercas de púas. Durante dos inviernos severos, de los años 1886-87 y 1887-88 muchas reses murieron en las zonas abiertas. Los ganaderos cercaron para asegurarse de que podían alimentar su ganado para que éste sobreviviera durante el invierno. El ganado ya no pudo andar libre por las praderas, y los días de las zonas abiertas terminaron.

PREGUNTAS DE REPASO

Instrucciones: Completa la oración con la frase adecuada

____**1.** Compañías grandes de minería fueron más exitosas que los mineros individuales porque
   a. los metales más preciados se encontraron en depósitos de la superficie.
   b. los ferrocarriles se rehusaron en construir vías en el Oeste.
   c. a la mayoría de los mineros no les importaba ganar dinero.
   d. podían pagar por tecnologías más modernas para la minería.

____**2.** Todas las siguientes razones contribuyeron a fomentar la ganadería en las Grandes Llanuras, <u>con la excepción de</u>
   a. el desarrollo de centros ferroviarios en Kansas.
   b. el bajo costo de la carne de res.
   c. el incremento en la agricultura.
   d. la introducción española del ganado a México.

____**3.** Todas las siguientes razones ayudaron a desvanecer la ganadería en zona abierta, <u>con la excepción de</u>
   a. las dificultades para encontrar pasto en las Llanuras.
   b. la competencia para obtener los derechos sobre el agua.
   c. la competencia entre campesinos y ganaderos.
   d. los inviernos tan duros que mataban el ganado.

CAPÍTULO

4 La vida del vaquero

¿Cómo era la vida del vaquero?

- La vida real de los vaqueros fue muy diferente a la representada en los libros y películas de hoy en día.

- Los vaqueros fueron importantes durante las redadas que comenzaron al final de los años de la decada de 1860. Aunque su número empezó a bajar cuando terminó la zona abierta, en los años de la década de 1890, todavía existen los vaqueros.

- La vida del vaquero fue casi siempre difícil y aburrida. Los vaqueros casi siempre trabajaron solos todo el día, afuera, y en cualquier clima. Pasaron casi todo el tiempo reuniendo el ganado. Comían lo mismo y poco todos los días, y no tenían albergue por las noches.

- El número de muertes de los vaqueros era muy alto, causadas principalmente por las estampidas, accidentes, o climas peligrosos. Casi todos se iban en busca de otros trabajos después de sólo unos años de ser vaqueros.

- A pesar de los riesgos que se manifestaban, los salarios eran muy bajos. Casi todos los vaqueros ganaban menos que los obreros de las fábricas.

¿Quiénes se convirtieron en vaqueros?

- Probablemente un tercio de los vaqueros eran mexicano-americanos y afroamericanos.

- Los vaqueros originales fueron los mexicano-americanos e indígenas norteamericanós de Texas. Ellos crearon casi toda su ropa, su equipo, y costumbres que los vaqueros por todo el Oeste adoptaron para todas las áreas. Costumbres como el reunir y marcar al ganado comenzaron en Texas y en el norte de México. Sillas altas para montar ayudaron a los vaqueros a quedarse montados en sus caballos mientras que usaban reatas para atar las reses salvajes. Los sombreros anchos, los pañuelos, y pantalones de cuero, o chaparreras, protegían a los vaqueros del clima severo y de las espinas.

- Los ganaderos necesitaban trabajadores expertos, y casi todos estaban dispuestos a contratar esclavos tejanos liberados para reunir el ganado. Aunque les permitieron a pocos encabezar la redada, tal vez casi una cuarta parte de todos los vaqueros eran afroamericanos.

- Los veteranos de la Guerra Civil de bajos recursos, que se mudaban hacia el Oeste, encontraron muchas oportunidades de trabajo en la compra y venta del ganado. Casi todos los vaqueros eran jóvenes, con más ganas de trabajar por poco dinero que los viejos.

PREGUNTAS DE REPASO

Instrucciones: Marca una V si la oración dice la verdad, o una F si es falsa. Corrige las oraciones falsas cambiando las palabras o frases subrayadas. Escribe la nueva oración en el espacio adecuado.

____**1.** Gracias, en parte, a los riesgos que se manifestaban, los vaqueros <u>se mantenían en ese trabajo de por vida.</u>

_____

_____

____**2.** Una gran desventaja para el vaquero era <u>que muchos se morían.</u>

_____

_____

____**3.** Los vaqueros eran casi siempre <u>hombres jóvenes ricos que trataban de aprender todo lo que podían sobre la ganadería.</u>

_____

_____

____**4.** Pocos vaqueros se necesitaban <u>después del fin de la ganadería en zona abierta en los añõs de la decada de 1890.</u>

_____

_____

____**5.** <u>Hombres de todas las razas</u> se convirtieron en vaqueros.

_____

_____

____**6.** Los vaqueros inventaron su <u>ropa y equipo.</u>

_____

_____

____**7.** Los ganaderos eran <u>tan racistas</u> que no contrataban a los afroamericanos como vaqueros.

_____

_____

____**8.** Muchos <u>veteranos pobres de la Guerra Civil,</u> que iban en marcha hacia el Oeste, se convirtieron en vaqueros.

_____

_____

Los ferrocarriles trascontinentales

¿Cómo fomentaron el crecimiento del Oeste los ferrocarriles y el gobierno de Estados Unidos de América?

La construcción de los ferrocarriles hacia el Oeste fue de suma importancia para la economía de la nación. A causa de la Guerra Civil, se comprobó que los ferrocarriles eran también importantes para la seguridad militar de los Estados Unidos de América

- En 1862, El Congreso aprobó el Decreto del Ferrocarril del Pacífico, para estimular el crecimiento de las líneas férreas. Cada compañía que prometía construir una línea, recibía inmediatamente, del gobierno, tierras en donde construirla, y tierras a lo largo de ella. Las compañías podían vender partes de la tierra para financiar la construcción, o guardarlas para cuando tuvieran más valor. El gobierno también ayudó a las compañías prestándoles dinero a intereses bajos.

- Al construir las líneas, las compañías empezaron a venderles tierras a los colonizadores, y pasajes baratos, o gratis, para que se pudieran transportar a sus tierras. Las compañías cubrieron los costos de la construcción de la línea, y trajeron negocio para sus ferrocarriles.

¿Por qué fue necesario tener un ferrocarril transcontinental en la decada de los años de 1860?

- Gracias a que la minería del Oeste estaba en auge, particularmente la Fiebre del Oro de 1849, muchos colonizadores llegaron a establecerse en la costa del Pacífico. Este incremento en la población creó un nuevo mercado de bienes para el Este, que en cambio deseaba minerales, madera, cultivos y materias crudas.

- En 1862, el Decreto Homestead ofreció tierras gratis a los colonizadores. Muchos se mudaron al Oeste para tomar ventaja de esta oportunidad. Y muchos se mudaron después de la Guerra Civil.

- Antes de que el ferrocarril transcontinental estuviera completo, la jornada del Este a la costa del Pacífico era muy larga. Las caravanas tomaban muchos meses en llegar. También los barcos, que tenían que navegar por 2 meses o más, cruzando por América del Sur para llegar al Pacífico. Cuando se terminó de construir la línea transcontinental, en Promontory, Utah, el 10 de mayo de 1869, los pasajeros pudieron viajar de costa a costa en una semana.

¿Quién hizo el trabajo de construir los ferrocarriles?

- Los propietarios de las compañías dueñas de los ferrocarriles se convirtieron en comerciantes de mucho dinero. Sin embargo, los obreros que hicieron el trabajo difícil de montar las vías férreas ganaron muy poco.

- La mayoría de los obreros de las líneas eran inmigrantes inexpertos que necesitaban el trabajo desesperadamente. El Union Pacific que empezó en el Este, empleó en su mayoría a irlandeses, mientras que el Central Pacific que empezó en la costa del Pacífico, empleó en su mayoría a los chinos.

¿Cómo mejoraron gradualmente la comunicación y los viajes a través del continente?

- Porque las colonizaciones crecieron en California y otras regiones del Oeste, se necesitaban medios de comunicar las noticias más rápidos.

- En 1857, a la compañía Overland se le concedió el contrato de llevar el correo a través del continente. La jornada tomaba 25 días, tomando el camino de Texas y Arizona.

- Tres años más tarde, en 1860, una compañía de carga creó el correo Pony Express, que pasaba a través de las Llanuras. El Pony Express podía llevar el correo en 10 días, de Missouri a California, pero a un precio más elevado. La ruta de 2, 000 millas del Pony Express tenía estaciones cada 10 o 15 millas para que los jinetes cambiaran de caballo, y así continuar a alta velocidad. Cada jinete cubría de 35 a 70 millas y le pasaba el correo a un nuevo jinete descansado.

- En 1837, Samuel Morse inventó un sistema de mandar mensajes, en cables, con códigos de punto y raya. En 1861, cables de telégrafo cruzaron el continente de una costa a la otra. Cuando se terminó la construcción del telégrafo transcontinental, el Pony Express cerró.

PREGUNTAS DE REPASO

Instrucciones: Describe la cronología de estos eventos marcando con una A para el primer suceso, una B para el segundo, una C para el tercero, una D, E y para el último, una F.

____**1.** El correo Pony Express tardaba un poco más de 10 días en llevar las cartas a California.

____**2.** La gente empezó a mudarse al Oeste, y a habitar la tierra ofrecida por el Decreto Homestead.

____**3.** Las líneas férreas de Union Pacific y Central Pacific se juntaron en Promontory, Utah.

____**4.** El telégrafo transcontinental se terminó de instalar.

____**5.** Empezó la fiebre de oro en California.

____**6.** El correo de Overland llevaba las cartas a California en 5 días.

Nombre _____ Clase _____ Fecha _____

CAPÍTULO

 4

La colonización de las Grandes Llanuras

¿Qué tipos de gente se mudaron hacia el Oeste para cultivar la tierra de las Grandes Llanuras?

Las tierras enormes de las praderas occidentales trajeron a los colonizadores de todas partes de los Estados Unidos de América y de muchas partes de Europa.

- Agricultores de Nueva Inglaterra querían tierras más productivas y menos empedradas, mientras que los del occidente medio buscaban haciendas más grandes y más baratos.

- En 1879, Benjamin Singleton encabezó a 20,000 afroamericanos, llamados "Exodusters", hacia el Oeste, para escapar del prejuicio y la violencia de los estados sureños.

- Veteranos de la Guerra Civil, tanto del Norte como del Sur, se mudaron al Oeste para comprar tierras baratas.

- Inmigrantes de Irlanda, Alemania, Rusia y Escandinavia, y de otras partes de Europa, fueron al Oeste norteamericano en busca de tierra y para escapar de condiciones malas.

¿Cómo era diferente la vida agricultora en las Llanuras de la del Este?

- Eran escasos los árboles en las Llanuras, así que los colonizadores a menudo construyeron sus casas con lo que encontraron a su disposición, de terrón. Cortaron el terrón en formas de ladrillo para construir las paredes. Las únicas partes de madera eran los techos. También, la maquinaria y las provisiones eran caras porque había que mandarlas desde el Este.

- Tareas difíciles, como ordeñar a las vacas y plantar jardines, eran iguales que en el Este. Sin embargo, porque muchas granjas de las Llanuras eran de mayor tamaño, había más trabajo. Y el labrar la tierra a través de raíces y terrones era un trabajo pesado y largo. Las mujeres con frecuencia tenían mucho más trabajo, a parte de su trabajo tradicional del hogar. Los niños también tenían demasiadas tareas.

- Las condiciones del clima eran más extremosas en las Llanuras que en el Este. Los veranos eran más calurosos y los inviernos más fríos. El viento soplaba constantemente, y casi no llovía. Algunos cultivos, como el maíz y los frijoles, que crecían bien en los estados donde llovía más, no crecían en las Llanuras secas occidentales.

¿A qué peligros se enfrentaron los colonizadores en las Grandes Llanuras?

A parte de los problemas usuales y de los accidentes ocurridos en las granjas, las familias occidentales tuvieron otras experiencias negativas.

- A veces, por falta de agua, los cultivos se secaban antes de la cosecha.

- Masas de insectos, especialmente grillos, destruían los cultivos en grandes proporciones.

- Los tornados pasaban con mucha más frecuencia que en los estados del Este.

PREGUNTAS DE REPASO

Instrucciones: Contesta cada pregunta en el espacio adecuado. Marca con una E las oraciones que representan la agricultura del Este, con una O las que representan la del Oeste, y con una D las que representan a las dos.

____**1.** Las tierras eran gratis o muy baratas.

____**2.** La tierra frecuentemente era pobre o vocosa.

____**3.** Había que ordeñar a las vacas diario.

____**4.** Labrar la tierra era muy difícil.

____**5.** Vientos muy fuertes soplaban todo el día, diariamente.

____**6.** Los frijoles y el maíz se cosechaban muy bien.

____**7.** Había suficiente agua.

____**8.** Los grillos destruían a veces la cosecha entera.

CAPÍTULO

La agricultura en las Grandes Llanuras

¿Cuáles fueron los nuevos problemas a los que se enfrentaron los agricultores de las Grandes Llanuras?

Entre 1860 y 1900, como 80 millones de acres norteamericanos fueron arados. En 1890, ya no quedaban grandes extensiones de tierras no colonizadas, y la Nueva Frontera había terminado.

- Los problemas mayores de los agricultores de las Llanuras, especialmente al Oeste de éstas, era sin duda la falta de lluvia. El promedio era de 15 a 20 pulgadas por año. En algunos lugares, el trigo era el único cultivo que crecería sin irrigación. Pero, además, por la sequía de muchos años pocas cosechas se dieron.

- El clima era más extremoso que en el Este. Durante los veranos muy calurosos se secaban los pozos de agua, y se quemaban las cosechas. Los tornados e incendios arruinaban las cosechas. Los inviernos eran largos y fríos, y en tempestades de nieve se moría el ganado, y a veces hasta la gente.

Además las masas de grillos, tan grandes que parecían nubes de tempestad, se comían todo.

¿Qué métodos más modernos desarrollaron para resolver los nuevos problemas de la agricultura?

Al mudarse 5 millones de colonizadores a la Llanuras antes de 1900, nuevas máquinas y tecnologías se desarrollaron rápidamente.

- El cultivo en seco fue inventado por un agricultor de Dakota, para crecer las cosechas en zonas de poca lluvia. El sistema requería que se arara la tierra con frecuencia, y lo más profundo posible, para que la poca lluvia penetrara más fácilmente la tierra. Nuevas variedades de trigo crecieron con este método. Para 1900, las Grandes Llanuras eran las zonas de más producción de trigo en el mundo.

- Entre 1870 y 1900, se inventaron nuevos tipos de maquinaria para la agricultura. Un arador de hierro más grande y pesado podía hacer mejor el trabajo. Una empacadora de ramas ayudó en la cosecha al atar el trigo. La nueva tecnología ahorró tiempo, pero costó muchísimo dinero. El incremento del costo en la agricultura fue de $271 millones de dólares en 1870 a $750 millones al finalizar el siglo.

¿Cómo cambió el sistema de agricultura al final del siglo XIX?

Corporaciones se metieron al negocio de la agricultura, y dominaron algunas áreas. Los ranchos más espectaculares quedaban en el valle del río Red de North Dakota y Minnesota. Estos ranchos bonanza cultivaban miles de acres, y en los años buenos daban grandes ganancias para los inversionistas. Pero por su tamaño, los ranchos bonanza sufrían ciclos de auge y pérdidas. En clima severo, los inversionistas perdieron mucho dinero. Entonces muchos se salieron de la inversión, y pocos quedaron después de la década de los años de 1890. Los ranchos y granjas pequeños que podían sobrevivir bajo cosechas pequeñas, remplazaron los ranchos bonanza.

PREGUNTAS DE REPASO

Instrucciones: Contesta cada pregunta en el espacio adecuado

1. ¿Cuáles problemas recientes tuvieron los agricultores de las Grandes Llanuras?

    _____

    _____

    _____

2. ¿Qué máquinas inventaron los agricultores para ahorrarse tiempo y energía?

    _____

    _____

    _____

3. ¿Qué es le cultivo en seco?

    _____

    _____

    _____

4. ¿Por que no tomaron toda la región los agricultores de bonanza?

    _____

    _____

    _____

Nombre _____ Clase _____ Fecha _____

CAPÍTULO

5

La segunda revolución industrial

¿Cuáles fueron algunos de los más importantes avances industriales depués de la guerra civil, y por qué fueron éstos importantes?

En el período comprendido entre los años de 1865 y 1900, la Segunda Revolución Industrial transformó a los Estados Unidos. Lo que anteriormente fuera una nación de pequeñas y aisladas comunidades agrícolas, se transformaría luego en una nación industrial con grandes ciudades y fabricantes. Los más importantes avances incluyeron

- El desarrollo del proceso Bessmer que era un método económico de producción de acero. En los últimos años del siglo XIX el acero era usado para la elaboracion de clavos, alambre cables, vías de ferrocarril, edificios de gran altura, puentes, maquinaria industrial, tubería para agua y drenaje, y redes para gas y electricidad.

La fabricacion de vías de acero para la industria del ferrocarril. Estas vías eran más fuertes, más flexibles y de mayor duración que aquellas fabricadas de hierro. Además, estas nuevas vías eran capaces de resistir el paso de trenes más pesados y de alta velocidad. En el año de 1865 la red nacional de vías de ferrocarril cubría un total de 35,000 millas; para el año de 1900 esta red se había ampliado hasta cubrir 193,000 millas. La extensión de la red ferroviaria ayudó al crecimiento de la economía nacional al proveerla de un fácil, rápido y económico medio de transporte de bienes a través de largas distancias. Esto generó miles de empleos en el sector ferrocarrilero, así como también en el de industrias relacionadas como la de la fabricación de carros de ferrocarril.

- El uso generalizado del petróleo, o el petróleo crudo, como combustible y lubricante. El petróleo se refinó hasta transformarse en aceite para lubricar la maquinaria industrial, en kerosene para la calefacción en el hogar, y en gasolina o diesel para la activación de máquinas de combustión interna.

¿Cuáles fueron algunos inventos de los nuevos durante este período, y por qué fueron significativos?

Los nuevos inventos expandieron las oportunidades comerciales a través del mejoramiento de las antiguas industrias y la creación de otras nuevas. Algunos inventos hicieron posible el poder viajar más rápido, y más lejos ayudando, de esta manera, a comunicar las diferentes regiones de los Estados Unidos. Otros inventos hicieron la vida un poco más facil y placentera. Entre los inventos más significativos de este período se encuentran el fonógrafo, la luz eléctrica, el teléfono, los generadores eléctricos, el telégrafo rápido, el elevador, las herramientas mecánicas, los frenos de aire, el carro de carga refrigerado, el vagón dormitorio Pullman, la máquina de coser, el linotipo para el periódico, la máquina de escribir, la película cinematografica y los calentadores de vapor. Otros inventos perfeccionados antes del año 1900 incluyeron la pluma fuente, la máquina registradora, el rollo de película flexible y la cámara Kodak, la bicicleta y el motor de gasolina.

¿Quiénes fueron los inventores importantes en estos años?

Thomas Alva Edison y Alexander Graham Bell fueron dos de los más importantes inventores del período.

- En el año de 1876 Graham Bell inventó el teléfono. Este aparato llegó a ser rápidamente una parte esencial para la industria y para la sociedad al permitirle a la gente la comunicación a larga distancia.

- Edison patentó más de 1,000 inventos en su vida, y de estos muchos les ahorraron tiempo y dinero a los americanos. Edison no sólo fue el primero en inventar la útil bombilla eléctrica, sino que también construyó plantas de energía para proveer de electricidad a las ciudades. Al perfeccionar varios usos para la electricidad, dejó sentadas las bases para una sociedad moderna. El también mejoró el teléfono e inventó la máquina de coser eléctrica, el fonógrafo y el telégrafo cuádruple, el cual podía enviar múltiples mensajes al mismo tiempo a través de un solo cable.

Para mayor información, consulta los perfiles de Alexander Graham Bell, Andrew Carnagie, Cornelius Vanderbilt, Elijah McCoy, Granville Woods y Thomas Edison en el CD-ROM **Exploring America's Past.**

PREGUNTAS DE REPASO

Instrucciones: Responde a cada una de las preguntas en los espacios asignados.

1. Nombra tres avances industriales que ocurrieron entre los años de 1865 y 1900.

_____

_____

_____

2. ¿Quién inventó la lámpara eléctrica?

_____

_____

3. ¿Cómo ayudó la producción masiva de acero a la industria durante los últimos años del siglo XIX?

_____

_____

_____

4. ¿Cómo ayudó la expansión de las redes ferroviarias al crecimiento de la economía?

_____

_____

_____

El crecimiento de las grandes empresas

Por qué fueron diferentes las corporaciones de las formas anteriores de organización empresarial?

La corporación, un nuevo tipo de empresa de finales del siglo XIX, presentó muchas características particulares.

- En lugar de tener uno o dos propietarios, una corporación vendía acciones las cuales eran llamadas certificados de valores. Los inversionistas, esto es, quienes compraban las acciones, llegaban a ser los dueños de la corporación. Debido a esta estructura, era posible que un pequeño grupo de inversionistas controlara la corporación si tenía en su poder la mayoría de las acciones.

- El capital monetario podía ser recolectado fácilmente a través de la venta de las acciones para el arranque, la expansión o la operación de la compañía, lo que les permitía a las corporaciones invertir en nuevas tecnologías que mejoraran los procesos de fabricación

- Los inversionistas en las corporaciones sólo arriesgaban el dinero que habían pagado por las acciones, y no eran económicamente responsables de ningún otro tipo de deuda en que éstas incurrieran. Además, los inversionistas recibían dividendos cuando la corporación operaba bien.

Qué nuevas prácticas comerciales desarrollaron los líderes corporativos?

- Las corporaciones frecuentemente poseían o controlaban las fuentes de abasto de sus materias primas. Estas también trataban de controlar los servicios empresariales tales como la compra, producción , distribución y venta al mayoreo. La integración vertical se refiere al sistema por el cual la corporación adquiere las compañías que proveen de materiales y servicios a sus fábricas.

- Las corporaciones también practicaban la integración horizontal, la cual se refería a la compra de todas las compañías de determinada área de producción. Como un ejemplo de esto se puede mencionar el intento de la compañía Standard Oil, propiedad de John D. Rockefeller, de comprar todas las compañías refinadoras de petróleo en los Estados Unidos

- Muchos líderes corporativos formaron asociaciones de compañías industriales con otras corporaciones con el propósito de eliminar la competencia en una determinada área industrial. Las asociaciones se formaban cuando un mismo grupo de directores controlaba varias compañías. Estas asociaciones después ejercían monopolio o controlaban por completo una actividad industrial. Mucha gente desconfiaba de los monopolios y pensaba que éstos destruirían a las empresas pequeñas y engañarían a los consumidores con sus precios excesivamente altos. Por esta razón, el Congreso aprobó el Acta Sherman anticarteles (Antitrust) en el año de 1890.

Quiénes fueron los mayores empresarios de finales del siglo XIX, y cuáles fueron sus mayores logros?

Muchas altas figuras empresariales contribuyeron grandemente en la Segunda Revolución Industrial después de la Guerra Civil. Los empresarion eran y siguen siendo personas que arriesgan su dinero al operar o iniciar una empresa. Algunos de estos hombres de negocios de la época posterior a la Guerra Civil llegaron a ser llamados los "barones ladrones", debido a la idea generalizada de que sus inmensas fortunas fueron amasadas a consecuencia de prácticas empresariales injustas. A pesar de todo esto, los empresarios también expandieron la industria y crearon nuevos empleos con el desarrollo de nuevas formas de organización y obtención de dividendos económicos. Estos empresarios, además de practicar la integración vertical y horizontal, también desarrollaron las primeras grandes corporaciones y el monopolio.

- Andrew Carnegie, un inmigrante escocés, construyó un vasto imperio de acero. A través de la práctica de integración vertical, Carnegie compró empresas que producían hierro, mineral y carbón para, de esta manera, alimentar sus molinos productores de acero. El, además, compró ferrocarriles para poder transportar sus materias primas a sus fábricas. Carnegie se hizo el hombre más rico del mundo cuando vendió sus compañías en el año de 1901.

- John D. Rockefeller fue el empresario que más usó la estrategia de integración horizontal para el control de la rama industrial de refinamiento de petróleo. Su compañía, Standard Oil, obligó a los ferrocarriles a darle tarifas preferenciales bajo la amenaza de contratar los servicios de compañías competidoras. Rockefeller también forzó a muchas empresarios a que le vendieran sus compañías,o, si esto no ocurría, él mismo llevaba a banca rota a esas compañías. El formó una de las primeras grandes asociaciones de compañias y monopolios en los Estados Unidos. A finales de la década de 1870, él controlaba casi el 90 por ciento del negocio del petróleo.

- Otros importantes empresarios de este período son Cornelius Vanderbilt y Jay Cooke, quienes se hicieron millonarios con el negocio de los ferrocarriles; John Jacob Astor, quien era propietario de empresas mercantiles; y Jay Gould y Jim Fisk, quienes eran especuladores en Wall Street.

Para mayor información, consulta los perfiles de Andrew Carnagie, Cornelius Vanderbilt y John Rockefeller en el CD-ROM de **Exploring America's Past.**

PREGUNTAS DE REPASO

Instrucciones: Selecciona la mejor de las opciones para cada una de las preguntas.

_____**1.** Las corporaciones se distinguieron de las formas previas de organización empresarial
    a. porque usaron nuevas tecnologías.
    b. porque principalmente querían ganar dinero.
    c. porque tenían numerosos propietarios llamados accionistas.

_____**2.** Los inversionistas se beneficiaron de las corporaciones porque
    a. ellos conocieron a otros hombres de negocios.
    b. ellos eran individualmente responsables de todas las deudas de la corporación.
    c. ellos tenían responsabilidad limitada y solamente arriesgaban el dinero que habían pagado por las acciones.

_____**3.** La integración vertical es
    a. el control de todas las fuentes que proveen de materiales y servicios a una compañía.
    b. el intento de poseer todas las compañías en una rama de producción determinada.
    c. la organización de todos los inversionistas corporativos dentro de un sistema estricto.

_____**4.** Los monopolios se formaron cuando
    a. muchos accionistas acordaron vender sus acciones al mismo tiempo.
    b. la integración vertical se derrumbó.
    c. algunas corporaciones operaron de manera conjunta para controlar una industria entera.

Publicidad y mercadeo masivo

¿Por qué los americanos comenzaron a comprar más bienes de consumo a finales del siglo XIX?

El gasto en el consumo aumentó dramáticamente en los Estados Unidos en el período comprendido entre los años 1876 y 1915. Esto se debió, por un lado, a que la gente tenía más dinero para la compra de bienes de consumo, y, por el otro lado, a que había más bienes de consumo en el mercado. Durante este período de tiempo florecieron nuevos tipos de tiendas y también de publicidad. Las grandes y poderosas corporaciones ayudaron a traer estos cambios, los cuales estaban diseñados para hacer aumentar el número de sus consumidores.

¿Cuáles fueron algunas de las nuevas oportunidades de compra que se hicieron accesibles a los consumidores durante este período?

Las máquinas que aceptaban monedas de cinco y diez centavos comenzaron a operar en las tiendas rurales, ofreciendo a los clientes artículos envueltos individualmente y de marcas promovidas nacionalmente. Esto contrastaba notoriamente con el comercio tradicional que vendía los productos por bulto o por unidades mayores.

- Las tiendas de departamentos abrieron en las ciudades grandes. Estas nuevas tiendas trataban de abastecerse con todo tipo de mercancías que pudiera necesitar o interesar el consumidor. Estas tiendas también trataron de atraer, particularmente, a las amas de casa de la clase media y a las trabajadoras jóvenes. Algunas de estas grandes tiendas fueron R.H. Macey's y Gimbel en Nueva York; Marshall Field's, y Meyer y Schlesinger en Chicago; Wanamaker's en Filadelfia; y Jordan Marsh y Filene's en Boston.

- Las ventas por correo también crecieron inmensamente durante este período de tiempo. Como la mayoría de los americanos vivía en áreas rurales y en pequeños pueblos, las ventas por correo les permitieron la oportunidad de comprar una amplia variedad de productos sin tener que ir a las ciudades grandes. El mejoramiento en el correo y en el sistema de ventas por correo ayudó a hacer aún más atractivas estas últimas. Dos de las compañías más exitosas de ventas por correo fueron fundadas por Montgomery Ward en 1872 y por Richard Sears en 1886.

- Las cadenas de tiendas también aparecieron durante esta época. La popularidad de éstas se debió a que vendían bienes de consumo a precios más bajos que los ofrecidos por otras tiendas. Woolworth's, una cadena de tiendas que abrió en la década de 1870, atrajo a muchos consumidores con su variedad de artículos y sus precios muy bajos.

¿Cuáles fueron algunos de los métodos publicitarios que se crearon?

Durante este período la publicidad creció y también cambió como consecuencia del uso de comerciales rápidos, imágenes realistas y convincentes, y lemas con lenguaje cotidiano los cuales llamaban la atención de los consumidores. Unos ejemplos de estos últimos son el lema de la compañía Kodak que rezaba "Usted oprime el botón; nosotros hacemos el resto", y el de la compañía Uneeda " Conoce usted el bizcocho Uneeda?"

• Las compañías también expandieron el número de comerciales que los consumidores veían durante esta época. Las revistas y periódicos publicaban con mayor frecuencia páginas enteras de anuncios, mientras que la publicidad en exteriores se extendía al utilizar anuncios en carteleras, carros de ferrocarril, taxis, y camiones repartidores. El número de revistas también creció durante los últimos años del siglo XIX.

PREGUNTAS DE REPASO

Instrucciones: Escribe una C si la idea expresada es cierta, o una F si es falsa. Si la idea es falsa, corríjela cambiando la palabra o palabras subrayadas en las líneas correspondientes.

____**1.** En el período comprendido por los años 1876 y 1915, el gasto en el consumo <u>disminuyó</u> mientras la cantidad de bienes disponibles se incrementó.

____**2.** Las corporaciones ayudaron a traer cambios en las compras al <u>incrementar el número de consumidores que compraban sus productos</u>.

____**3.** Las tiendas de departamentos intentaron <u>especializarse en un número limitado de productos</u>.

____**4.** Algunas de las primeras compañías que tuvieron mucho éxito en las ventas por correo fueron fundadas por <u>R.H Macey's y Gimbel's</u>.

____**5.** Las cadenas de tiendas eran populares porque <u>vendían bienes de consumo a precios más bajos</u> que muchas otras tiendas.

____**6.** El número de revistas <u>se incrementó</u> durante los últimos años del siglo XIX, al igual que el número de anuncios que aparecía en cada revista.

5

Mano de obra, sindicatos y huelgas

¿Cómo fueron las condiciones de trabajo en la industria a finales del siglo XIX?

En el período comprendido entre los años de 1865 y 1900, el número de trabajadores empleados en la industria manufacturera aumentó grandemente, lo cual contrastó con el empeoramiento de las condiciones de trabajo.

- El trabajo en las fábricas estaba rigurosamente controlado. Por lo general, era contrario a los reglamentos que los trabajadores se tomaran descansos y también que hablaran con sus compañeros.

- Muchos propietarios de fábricas insistían en la especialización de las tareas, lo cual significaba que cada trabajador tenía que hacer la misma tarea una y otra vez. Los trabajadores también usaban cada vez más máquinas, lo que hacía que sus tareas fueran menos interesantes. Además, las compañías rechazaban todo tipo de pago de cuentas médicas a los trabajadores y también cualquier tipo de ayuda a los trabajadores accidentados durante sus jornadas. En cada año del período comprendido por los años 1880 y 1890, 35,000 trabajadores del ferrocarril murieron y más de 500,000 se accidentaron.

¿Qué hicieron los trabajadores para mejorar sus difíciles condiciones de trabajo?

Los trabajadores organizaron sindicatos a finales del siglo XIX.

- Los Caballeros del Trabajo, uno de los primeros sindicatos que empezaron a operar después de la Guerra Civil, fue fundado por el sastre Uriah Stephen en el año de 1869. En un principio, los Caballeros admitían únicamente a trabajadores especializados de la raza blanca, pero cuando Terence V. Powderly fue el oficial más importante del sindicato los Caballeros comenzaron a admitir a afro-americanos, mujeres, algunos inmigrantes europeos y a trabajadores sin adiestramiento. Powderly abogó por la jornada laboral de ocho horas y por la regulación estricta de las asociaciones de compañias industriales. Los Caballeros ganaron algunas huelgas importantes en contra de las campañia ferrocarrileras durante la década de 1880. Después de algunas huelgas infructuosas y del Disturbio de Haymarket, en el cual se culpó injustamente a los Caballeros, este sindicato perdió popularidad entre los trabajadores.

- La Federación Americana del Trabajo (AFL) fue fundada en el año de 1881 por un número de sindicatos de artesanos. A diferencia de los Caballeros, la Federación admitía solamente a trabajadores especializados, tales como impresores, plomeros y albañiles. El primer presidente de la Federación fue un fabricante de cigarros que se llamaba Samuel Gompers. El exigió salarios más altos, jornadas más cortas y mejores condiciones de trabajo. Gompers creía en el uso de la estrategia del pacto colectivo en las negociaciones con los empleadores. El pacto colectivo requería que los empleadores negociaran con los sindicatos los salarios y las condiciones de trabajo, en vez de hacerlo individualmente con los trabajadores.

¿Por qué fue significativa la huelga de Homestead?

Una de las huelgas más violentas en la historia americana fue la huelga de Homestead. Esta huelga involucró al poderoso sindicato AFL y a la Asociación Amalgamada de Trabajadores del Hierro y el Acero, la cual contaba con más de 24,000 miembros. Cuando los trabajadores de la planta de acero de Andrew Carnagie en Homestead, Pennsylvania,se fueron a huelga para protestar por la reducción de sus salarios, el ejecutivo de nombre Henry Clay Frick contrató esquiroles para reemplazar a los trabajadores huelguistas. El también, contrató un cuerpo policiaco privado para proteger a los esquiroles. Cuando llegaron 300 policías armados a Homestead, los huelguistas usaron la fuerza para enfrentarse a ellos. Al término de la riña, siete policías privados y nueve huelguistas habían muerto. Como resultado a estos hechos, el gobernador de Pennsylvania envió a 8,000 soldados de la Guardia. Nacional para mantener la paz. Los huelguistas se mantuvieron sin retroceder en sus demandas por más de cuatro meses, pero finalmente acordaron aceptar los términos establecidos por la compañía acerera. No obstante la huelga inspiró a muchos trabajadores, ésta también puso en evidencia lo difícil que era para los sindicatos el ganarle a una empresa grande cuando el gobierno apoya decididamente a empresas como éstas.

Para mayor información, consulta las Huelgas Laborales, 1870-1890, y el Mapa Atlas en el CD-ROM de **Exploring America's Past.**

¿Quién fue Mary "Madre" Jones, y por qué fue muy influyente?

La Madre Jones fue una organizadora de sindicatos para los Caballeros del Trabajo por muchos años. Era particularmente conocida por sus disahsos inspiradores La Madre Jones se gano este sobrenombre por su calidez, por su trato siempre de apoyo a los trabajadores y por su fuerte liderazgo. Para mayor información, vea la biografía de Mary "Madre" Jones en el CD-ROM.

PREGUNTAS DE REPASO

Instrucciones: Responde a cada una de las preguntas en los espacios asignados.

1. Menciona dos condiciones difíciles de trabajo que tenían que enfrentar los trabajadores a finales del siglo XIX.

   _____

   _____

2. ¿Quién fue Terence V. Powderly, y por qué fue una figura importante?

   _____

   _____

3. ¿Qué es el pacto colectivo y qué líderes sindicales impulsaron?

   _____

   _____

4. ¿Cómo respondió el gobierno ante los hechos de la huelga de Homestead,y que demostró esta respuesta?

   _____

   _____

CAPÍTULO

5

Nuevos inmigrantes

¿Por qué la gente emigró a los Estados Unidos a finales del siglo XIX?

Muchos inmigrantes llegaron a los Estados Unidos para buscar trabajo. El crecimiento industrial en los Estados Unidos les ofreció a los inmigrantes más oportunidades de trabajo que aquéllas de sus países de origen. Otros inmigrantes dejaron sus hogares para escapar de los problemas políticos, religiosos o económicos. Como ejemplo está el del grupo étnico de los judíos, el cual padeció persecuciones religiosas en muchos de los países de Europa Oriental.

¿Quiénes fueron los inmigrantes de finales del siglo XIX?

Muchos de los inmigrantes de finales del siglo XIX vinieron de países como Italia, Polonia, Hungría, Grecia y Rusia, esto es, del sur y del este de Europa. En contraste con los inmigrantes de principios del mismo siglo, quienes fueron primordialmente protestantes y que vinieron de la Gran Bretaña, Irlanda, Alemania y los países Escandinavos, los nuevos inmigrantes pertenecían a distintos grupos religiosos y hablaban diferentes lenguas. Algunos nuevos inmigrantes también vinieron de Asia y se establecieron en la Costa Occidental del país. La mayoría de los inmigrantes asiáticos provenían de la China, pero había también grupos que provenían del Japón.

¿Cuáles fueron las primeras experiencias que tuvieron los nuevos inmigrantes en los Estados Unidos?

- Muchos europeos recién llegados entraron por la Isla Ellis en el Puerto de Nueva York, mientras que los inmigrantes asiáticos pasaron por la Isla Angel en el Puerto de San Francisco. Los centros de procesamiento de nuevos inmigrantes eran bulliciosos, insuficientes para el volumen de inmigración y, sobre todo, tenebrosos. Los oficiales ahí entrevistaban a los nuevos inmigrantes y les hacían revisión médica con el propósito de detectar enfermedades. A muchos inmigrantes que tenían nombres de difícil pronunciación para los oficiales se les cambiaba o reducía su nombre al autorizarse su entrada a los Estados Unidos.

- Algunos de los nuevos inmigrantes creían que habían llegado a la tierra de las oportunidades ilimitadas. Otros extrañaban sus países de origen y se cuestionaban la calidad de vida en Estados Unidos al ver las barriadas sucias y sobrepobladas que serían sus nuevos hogares.

- Muchos de los nuevos inmigrantes tenían escasa educación, poca preparación para los trabajos especializados y no sabían hablar inglés. Todo esto les hacía a ellos más difícil el encontrar trabajos que no fueran los más mal pagados. Era muy frecuente entre los inmigrantes que familias enteras se vieran en la necesidad de buscar trabajo.

¿Por qué el gobierno de los Estados Unidos intentó limitar la inmigración?

- A muchos americanos que habían nacido en los Estados Unidos les irritaban los nuevos inmigrantes de finales del siglo XIX. Estos nativistas, que era el nombre que se les daba, pensaban que era malo para el país este grupo culturalmente diferente y de escasa educación, porque iba a provocar una caída en el nivel de los Estados Unidos. Por otra parte, los trabajadores resentían la disposición de los inmigrantes a aceptar largas jornadas de trabajo a cambio de bajos salarios, y además temían que la nueva situació en el mercado de trabajo dejara sin empleo a los trabajadores nacidos en los Estados Unidos. Todos estos temores cristalizaron en medidas legislativas que afectaron a los nuevos inmigrantes.

- Después de que una depresión castigó a los Estados Unidos, los habitantes de California manifestaron su preocupación de que los inmigrantes chinos se quedaran con sus trabajos. Por esta razón, el Congreso aprobó el Acta de Exclusión de los Chinos en el año de 1882, la cual prohibía la entrada de trabajadores chinos a los Estados Unidos por diez años. Esta prohibición se extendió después hasta el siglo XX, y provocó una disminución considerable de la población china en los Estados Unidos.

- En la década de 1890, un grupo de nativistas formó la Liga a Favor de la Restricción de la Inmigración. Este grupo pedia una ley que negara el ingreso a los Estados Unidos de los inmigrantes que no supieran leer ni escribir. En el año de 1897, el Congreso aprobó una ley que forzaba a los inmigrantes a pasar una prueba de conocimientos básicos del inglés. Pero, el presidente Grover Cleveland vetó esta propuesta de ley, argumentando que el país de los Estados Unidos debía continuar siendo un lugar de refugio para las masas de pobres y perseguidos del mundo.

Para mayor información, consulta las Fuentes de Lecturas de las Voces de los Inmigrantes en el CD-Rom de **Exploring America's Past.**

PREGUNTAS DE REPASO

Instrucciones: Responde a las preguntas en los espacios asignados.

1. Nombra dos aspectos en los cuales los "nuevos inmigrantes" eran diferentes a los ciudadanos nacidos en los Estados Unidos.

   _____

   _____

2. ¿Qué les pasaba frecuentemente a los inmigrantes en los centros de procesamiento de Nueva York y de San Francisco?

   _____

   _____

3. ¿Por qué la mayoría de los inmigrantes sólo conseguía el trabajo de menor paga?

   _____

   _____

El surgimiento de la ciudad moderna

¿Por qué las ciudades crecieron vertiginosamente a finales del siglo XIX?

Las ciudades de los Estados Unidos crecieron vertiginosamente a finales del siglo XIX por diversas razones económicas, geográficas y tecnológicas.

• Las ciudades más grandesise desarrollaron debido al crecimiento de sus industrias. La tendencia en este crecimiento urbano se observó mayormente en las regiones del Noreste, la Costa Occidental y el Medio Oeste junto a los Grandes Lagos.

• El aumento en el uso del ferrocarril, y los inventos del telégrafo y el teléfono hicieron más fáciles el comercio y el intercambio entre ciudades separadas por distancias considerables. El intercambio comercial a través de ferrocarril transcontinental fue de importancia especial para las ciudades de Chicago, San Luis, Denver, Seattle y Los Angeles, esto es, para ciudades del Oeste y del Medio Oeste del país.

• Algunas ciudades como Minneapolis y Memfis crecieron debido a sus industrias basadas en productos agrícolas y ganaderos regionales.

• Además de la inmigración proveniente de Europa Oriental y de Asia, hubo también una fuerte inmigración de americanos nacidos en este país hacia las ciudades, quienes buscaban trabajo en el sector industrial. A esta inmigración, también hay que agregarle la de los afro-americanos de las regiones agrícolas de sur, quienes iban hacia las ciudades del norte debido a la escasés de trabajos en su región después de la guerra civil. Otro grupo considerable de inmigrantes lo constituían los campesinos de raza blanca que también emigro hacia las ciudades.

Para mayor información, consulte las Ciudades más Grandes y el Mapa Atlas 1900 en el CD-ROM de **Exploring America's Past.**

¿Cuáles fueron algunos de los problemas asociados con el crecimiento rápido de las ciudades?

El hacinamiento ocasionó muchos problemas serios relacionados con la salud y la seguridad pública en las ciudades.

• Las características de vivienda fueron una de las principales causas del hacinamiento. Las viviendas eran edificios de apartamentos de cinco o seis pisos, los cuales estaban tan cerca entre si que impedían la ventilación y bloqueaban la luz del sol. La mayoría de los apartamentos no tenía ventanas y, por lo general, dos o más familias tenían que compartir un sólo baño que estaba ubicado en un estrecho corredor.

• Las enfermedades infecciosas se propagaban rápidamente en las hacinadas zonas habitacionales de las ciudades. Eran comunes entre éstas, las enfermedades como la bronquitis, la cólera, el tifus y la tifoidea. Algunas de estas epidemias eran causadas por las aguas sucias, el excremento equino en las calles, y por la basura acumulada en los desordenados "túneles de aire que separaban los edificios de vivienda.

• Los incendios eran una amenaza seria para las zonas habitacionales debido a que la mayoría de los edificios estaban construidos de madera y se podían quemar fácilmente. Muchos de los residentes de estas zonas habitacionales estaban en peligro constante de quemarse o de morir quemados si ocurría un incendio, porque los edificios tampoco tenían salidas alternativas.

- La mayoría de las ciudades carecía de servicios públicos básicos. La policía y la protección contra incendios eran inadecuados en la mayoría de las ciudades, mientras que los servicios de recolección de basura, cuando existían, eran infrecuentes. Los drenajes abiertos también eran un peligro constante para la población y para la salud ya que frecuentemente estaban atestados de basura y se desbordaban por las calles.

¿Cómo respondió la gente a los problemas urbanos?

Mucha gente estaba inconforme con la falta de servicios urbanos y por los problemas que los pobres padecían en las ciudades sobrepobladas. Los reformadores sociales como Jacob Riis instaban a los habitantes de las ciudades a exigir mejorar sus condiciones de vida. Riis fue una figura de gran influencia en su tiempo debido a que su libro, "How the Other Half Lives", exponía imagenes realistas y conmovedoras de las terribles condiciones de vida con las cuales tenían que enfrentarse los pobres en las ciudades americanas. Para mayor información, consulta Jacob Riis y las fuentes para las lecturas de Reforma Urbana en el CD-ROM.

PREGUNTAS DE REPASO

Instrucciones: selecciona la mejor respuesta para cada caso.

____1. Las ciudades más grandes crecieron por su industria y tendían a localizarse
   - **a.** sólo en Nueva Inglaterra
   - **b.** sólo en el Sur y en el Oeste
   - **c.** en el Noreste, en el Este y junto a los Grandes Lagos

____2. Los ferrocarriles transcontinentales fueron especialmente importantes en el dessarrollo de las ciudades como
   - **a.** Minneapolis y Memfis
   - **b.** Nueva York y Boston
   - **c.** Chicago, San Luis, Denver, Seattle y Los Angeles

____3. La población en las ciudades creció rápidamente como consecuencia de
   - **a.** la inmigracion de extranjeros, campesinos blancos y afro-americanos hacia las ciudades.
   - **b.** la venta de las granjas pequeñas a las compañías grandes por parte de sus dueños, y la subsecuente inmigración de estos últimos hacia las ciudades.
   - **c.** el cambio de la arquitectura en este período.

____4. Las zonas habitacionales eran lugares peligrosos para vivir debido a
   - **a.** la existencia de pandillas juveniles y grupos violentos
   - **b.** la caída frecuente de niños por las ventanas
   - **c.** su suciedad, hacinamiento, falta de ventilación, y por la alta propensión a las epidemias.

____5. El libro de Jacob Riis "How the Other Half Lives" intentó
   - **a.** controlar monopolios
   - **b.** describir como el ferrocarril transcontinental ayudo al crecimiento de las ciudades
   - **c.** mejorar, a través de la reforma social, las terribles condiciones de vida que los pobres tenían que padecer en las ciudades.

CAPÍTULO

Esparcimiento a finales del siglo XIX

Por qué muchos estadounidenses tenían más tiempo para el esparcimiento a finales del siglo XIX?

Hacia finales del siglo XIX, se desarrolló en los Estados Unidos una clase media con suficiente tiempo para el esparcimiento, el cual lo dedicaba a actividades recreativas. Mucha gente en los Estados Unidos prosperó a medida que las industrias crecían. Las nuevas tecnologías en el trabajo y en el hogar ahorraron tiempo e hicieron las tareas más fáciles. Las nuevas empresas e industrias necesitaban más gerentes con mejores sueldos, lo que provocó que la clase media aumentara de tamaño. Mucha gente también comenzó a trabajar a horarios regulares lo que resultó en una mayor cantidad de tiempo para el esparcimiento, principalmente, por las noches y los fines de semana.

¿Cuáles eran algunas de las diferentes maneras en las que los americanos pasaban su tiempo de esparcimiento?

- Los libros y las revistas se hicieron más populares a finales del siglo XIX debido a que el aumento en la educación publica produjo una vasta audiencia de lectores. Las novelas rosas, dirigidas al público femenino, estuvieron en las listas de los libros más vendidos en el siglo XIX. Los escritores británicos como Charles Dickens, George Elliot y Jane Austen, también gozaron de popularidad en los Estados Unidos.

- Los miembros de la clase media también disfrutaron de atracciones culturales como las nuevas bibliotecas públicas y museos, así como también, funciones de teatro con obras de Shakespeare, óperas y comedias musicales de Gilbert y Sullivan.

- Las familias en sus casas se entretenían con los juegos de cartas y de mesa como el Bridge, Veinte Preguntas y la Carambola. También las familias se entretenían con juegos al aire libre como el Croquet, la Arquería y el Tenis en cancha de pasto.

- Las salidas de los citadinos y residentes suburnanos incluían comidas campestres, fiestas, bodas, y reuniones en los pargues, el campo y en los caminos rurales. Mucha gente también iba a los espectáculos de Vaudeville, las ferias campestres, el circo y los parques recreativos. A finales del siglo XIX, los días festivos de verano y las vacaciones se habían hecho comunes para los trabajadores de la clase media. Muchos de estos trabajadores se iban a los centros de aguas termales y de salud, o a las orillas del mar. Tres lugares de visita para los neoyorquinos eran Coney Island, la Costa Sur de Brooklin, y Ocean Grove y Atlantic City en Nueva Jersey.

- El patinaje y el ciclismo también se hicieron muy populares entre la clase media. La bicicleta, aunque ya se había usado por décadas, modificó y mejoró su diseño lo que la hizo más fácil de maniobrar tanto para los hombres como para las mujeres. El patinaje sobre ruedas se originó en la década de 1860 entre los neoyorquinos ricos, y se difundió por el país en la década siguiente con la construcción de pistas para patinar.

- El interés por el acondicionamiento físico atrajo a muchos americanos quienes se inscribían en equipos deportivos, acudían a los gimnasios o comían alimentos saludables. Los reformadores de la salud apoyaban los nuevos ideales de la dieta adecuada. Por ejemplo, ellos hacían énfasis en los beneficios que representaba comer los cereales fríos, los cuales estaban muy por encima de los obtenidos por las dietas tradicionales de desayuno como el huevo, la carne, el jamón y las papas fritas. La educación física se hizo parte regular de los programas de estudio en los institutos masculinos y femeninos, y esto ayudó al surgimiento de los deportes intercolegiales.

• Los deportes con espectadores también se hicieron muy populares durante esta época. A los americanos les gustaba asistir a las competencias de pista y campo, a los eventos de boxeo, y a los partidos de fútbol y béisbol.

Para mayor información, consulta las Actividades de Esparcimiento, More of the Story Reading and the Mark Twain's Criticisms Literature Reading en el CD-ROM de **Exploring Amerina's Past.**

PREGUNTAS DE REPASO

Instrucciones: Escribe una C si la aseveración es cierta y una F si es falsa. Si la aseveración es falsa, corríjela cambiando la palabra o palabras subrayadas en las líneas asignadas,

____1. Mucha gente tenía más tiempo para el esparcimiento debido a <u>las tecnologías ahorradoras de tiempo en el trabajo, y al aumento de puestos gerenciales</u>.

_____

_____

____2. Los libros y revistas se hicieron más populares a finales del siglo XIX porque <u>a la gente le gustaba ver fotografías bonitas.</u>

_____

_____

____3. Los miembros de la clase media disfrutaban de atracciones culturales como <u>las funciones de teatro con obras de Shakespeare, producciones teatrales de las obras de Gilbert y Sullivan, las óperas, las bibliotecas públicas y los museos.</u>

_____

_____

____4. Las salidas de los <u>Habitantes de las áreas rurales aisladas</u> incluían comidas campestres, fiestas, bodas, reuniones en parques, campos y caminos rurales.

_____

_____

____5. Aunque la bicicleta ya se había usado por varias décadas, los nuevos y mejores diseños facilitaron <u>solo al hombre</u> la participación en el ciclismo.

_____

_____

____6. A los americanos les encantaba asistir <u>a las competencias de pista y campo, los eventos de boxeo, y los partidos de fútbol y béisbol</u>.

_____

_____

Agricultura y populismo

¿Por qué los agricultores se involucraron más activamente en la política a finales del siglo XIX?

A finales del siglo XIX, los desesperados agricultores del Sur y del Oeste del país estaban furiosos. Las depresiones de los años 1873 y 1893 junto con los severos inviernos, las sequías y el agotamiento de la tierra habían provocado la disminución de la producción agrícola, y aumentado el monto de la deuda de los agricultores. Estos últimos culpaban a los fenómenos naturales, al ferrocarril, al monopolio de los succionadores de granos y al patrón oro por sus inumerambes penurias.

¿A qué nuevas organizaciones se adhirieron los agricultores para resolver sus problemas?

Como respuesta a los problemas que frecuentemente enfrentaban, los agricultores del Oeste formaron la Granja Nacional en 1867, la Alianza de Agricultores en 1874, y el Partido Populista a principios de la década de 1890.

- La Granja Nacional comenzó como un club social, pero pronto se transformó en una organización política a finales de la década de 1860 y principios de la siguiente. Las sucursales de la Granja comenzaron a abrirse por el país y, en especial, en el Medio Oeste. La organización estableció bancos, hizo campañas en favor de políticos locales y organizó cooperativas que ayudaban a los agricultores a comprar sus provisiones a precios más bajos.

- La Alianza de Agricultores fue fundada en Texas y después se expandió hacia el Sur y el Medio Oeste. Esta organización se transformó rápidamente en una fuerza política e hizo campaña en contra de las altas tasas de flete ferroviario e interés bancario.

- El Partido Populista fue formado por miembros de la Alianza de Agricultores y de los sindicatos de trabajadores. En su primer a convención nominativa en el año de 1892, los delegados del Partido Populista pidieron la estatización de los ferrocarriles y de las redes de teléfono y telégrafo. Ellos también apoyaron un impuesto federal sobre la renta, préstamos gubernamentales a los agricultores, restricciones a la inmigración, y la jornada de trabajo de ocho horas diarias. Los populistas también apoyaron la libre e ilimitada acuñación de monedas de oro y plata, el cual era un plan que exigía al gobierno acuñar todas las monedas de oro y plata posibles.

¿Por qué los agricultores apoyaron un cambio en el patrón oro?

Todo el papel moneda impreso por la Tesorería de los Estados Unidos era respaldado por un monto determinado de oro. Los agricultores pensaban que si la plata y el oro se acuñaban se podría incrementar la oferta monetaria. Siguiendo este razonamiento, los agricultores confiaban que la mayor oferta monetaria generaría inflación y, por lo tanto, precios más altos por sus productos agrícolas.

¿Por qué había gente que se interesaba en la reforma al servicio civil?

A finales del siglo XIX, la práctica de otorgar servicios civiles (trabajos en el gobierno) a los partidarios políticos se había hecho muy común entre los políticos, incluyendo a los presidentes.

Muchos de los funcionarios nominados en la administración del presidente Grant se habían visto involucrados en prácticas corruptas. Los estadounidenses apoyaban la reforma al servicio civil, esperando que ésta pusiera fin a la corrupción pública. James Garfield, que fue electo presidente en el año de 1880 y después fuera asesinado, apoyó la reforma al igual que su sucesor Chester Arthur. Este último aprobó el Acta de Servicio Civil Pendelton, la cual establecía la implementación de exámenes de competitividad para los aspirantes a a lgunos puestos públicos.

¿Qué papeles desempeñaron el Partido Populista y la propuesta de libre acuñación en las elecciones presidenciales de 1892 y 1896?

• Las elecciones presidenciales del año de 1892 las ganó el demócrata Grover Cleveland, quien se opuso a la libre acuñación del oro y la plata. El candidato populista James B. Weaver obtuvo más de un millón de votos, lo que era en realidad una cifra grande para un candidato de un tercer partido. El Partido Populista también obtuvo victorias en muchas contiendas locales.

• Para la elección presidencial de 1896, los populistas ya habían ganado muchos simpatizantes con su propuesta de la libre acuñación. Los demócratas se dieron cuenta que si escogian a Cleveland quien defendía el patrón oro, perderían a los demócratas que apoyaban la libre acuñación de la plata. Por eso, los demócratas nominaron a William Jennings Bryan, un candidato que también apoyaba esta última propuesta. En vista de que tanto los demócratas como los populistas coincidían en muchos puntos claves, los populistas decidieron apoyar a Bryan. A pesar de esto, el candidato republicano William McKinley ganó la presidencia con el apoyo de los trabajadores de la industria en el Este, quienes estaban convencidos que la libre acuñación era mala para la economía.

Para mayor información, consulta las Regiones Agrícolas, 1900, el Mapa Atlas y los perfiles de Benjamín Harrison, Grover Cleveland, William Jennings Bryan, y William Mckinley en el CD-ROM de **Exploring America's Past.**

PREGUNTAS DE REPASO

Instrucciones: Respond a cada una de las preguntas en los espacios asignados.

1. ¿Por qué se involucraron activamente los agricultores en la política de finales del siglo XIX?

   _____

   _____

2. ¿Qué grupos organizaron el Partido Populista y qué cambios exigían?

   _____

   _____

3. ¿Qué esperaban los agricultores que provocara la libre acuñación?

   _____

   _____

4. ¿Por qué había gente que creía necesaria la reforma al servicio civil?

   _____

   _____

Nombre _____ Clase _____ Fecha _____

CAPÍTULO

Movimiento progresista

¿Qué clase de condiciones sociales llevó al movimiento progresista?

A finales del siglo XIX, serios problemas sociales preocupaban a muchos estadounidenses. La economía industrializada era dominada por grandes corporaciones y por carteles que absorbían a las compañías pequeñas y entonces creaban monopolios poderosos. Estas compañías grandes controlaban y subían los precios. Los trabajadores para estas compañías grandes usualmente trabajaban en fábricas que no eran seguras ni saludables y eran pagados salarios muy bajos.Los reformadores creían que los dueños millonarios de las grandes corporaciones tenían demasiado poder económico y político y que eran responsables por las condiciones horribles de trabajo y vida de sus empleados. También estaban preocupados por la corrupción y prácticas anti-democráticas en el gobierno. Las máquinas polítcas controlaban los gobiernos de las ciudades y los estados en muchas partes de Estados Unidos. A algunos reformadores también les molestaba la discriminación social y legal contra las mujeres, afroamericanos, inmigrantes y otras minorías.

¿Qué clases de personas se conviertieron en progresistas, y cuáles eran sus metas?

Muchos de los progresistas vinieron de la creciente media clase en las ciudades, y ellos por lo general estaban preocupados por los problemas urbanos. Muchos eran profesionales tales como: maestros, ministros, trabajadores sociales, y abogados. El progresivismo fue un punto de vista sobre la sociedad y la política, no el programa de una organización o partido político. Los progresistas trabajaron por muchas diferentes causas, ellos eran miembros de muchos diferentes grupos sociales y religiosos, y ambos vinieron de partidos políticos mayores. No estaban unidos en un movimiento, pero ellos apoyaron metas comunes. Éstas incluyeron regular a las grandes corporaciones y los monopolios; reformar las prácticas y poderes de las máquinas políticas; crear un gobierno más democrático y promover mejores condiciones para los trabajadores, los ancianos, las mujeres y las minorías.

¿Qué métodos usaron los progresistas para alcanzar sus metas?

Algunos progresistas se convirtieron en políticos para así poder cambiar las leyes y el papel del gobierno en políticos. Algunos se convirtieron en trabajadores sociales para mejorar directamente la vida de los pobres. Otros eran escritores que describieron varias de las injusticias en Estados Unidos para que el público se diera cuenta de éstas.

• **Samuel M. "Golden Rule" Jones** — Samuel Jones hizo una fortuna manufacturando equipo para la industria de petróleo. Su lema era, "Házle a otros como a tí te gustaría que otros te hicieran a tí." Él construyó un parque para sus empleados y estableció un día de trabajo de ocho horas, vacaciones pagadas y otros beneficios. Él se convirtió en alcalde de Toledo en 1897 y extendió el día de ocho horas de trabajo para muchos empleados de la ciudad. También proveyó kindergarten para los niños.

- **Robert M. "Fighting Bob" La Follette** — Como gobernador de Wisconsin, La Follette estableció un programa político conocido como la Idea de Wisconsin, que fue muy popular entre los progresistas a través de la nación. Él hizo posible que candidatos políticos en Wisconsin fueran seleccionados por los votantes directamente, en vez de que fueran seleccionados en reuniones privadas entre los políticos. También limitó la cantidad de dinero que podía ser gastado en las campañas políticas y puso restricciones a los cabilderos que representaban intereses especiales. La Follette empleó expertos para determinar las tasas de impuestos y para regular los ferrocarriles y bancos. Muchas de sus ideas fueron adoptadas en otros estados, incluyendo los plebiscitos, los cuales dieron al público el poder de votar por ciertas propuestas de leyes y colectar firmas, los cuales permitían a los votantes remover a oficiales electos.

- **Jane Addams** — En 1889 la trabajadora social Jane Addams fundó la Casa Hull en Chicago para ayudar a los pobres a aprender a cómo mejorar sus vidas. La Casa Hull y otras casas, ofrecieron servicios como guarderías y clases de inglés para los inmigrantes. Estas casas estaban localizadas en las comunidades que servían.

- **Muckrakers** — Muckrakers fueran algunos de los más famosos progresistas. Eran periodistas quienes, según un político, veían "el sucio en el piso" y "lo raspaban para exponer las ruindades." La meta de ellos era cambiar la opinión pública al publicar las condiciones peligrosas del trabajo, la corrupción del gobierno y el comercio, y otras injusticias.

Para más información, consulta a Jane Addams, Ida Tarbell, Lincoln Steffens, y Jacob Riis Profiles en el CD-ROM *Exploring America's Past* y Upton Sinclair's *The Jungle* en American Letters en el libro de texto.

PREGUNTAS DE REPASO

Instrucciones: Marca con una *X* cada oración que contesta correctamente la pregunta. Cada pregunta puede tener más de una respuesta.

1. ¿Cuáles problemas preocupaban a los progresistas?

    ____**a.** el aumento en carteles, monopolios, y "super compañías"

    ____**b.** las condiciones de vida y trabajo de los empleados de las grandes corporaciones

    ____**c.** máquinas políticas corruptas en las ciudades

2. ¿De cuáles de estos grupos vinieron los progresistas?

    ____**a.** gente viviendo en las ciudades

    ____**b.** los dueños de carteles y grandes corporaciones

    ____**c.** la clase media

3. ¿En cuáles de las siguientes formas los progresistas trabajaron para obtener sus metas?

    ____**a.** entrando en la política y siendo un funcionario gubernamental

    ____**b.** guiando a los trabajadores de las fábricas "devuelta a la tierra"

    ____**c.** escribiendo libros y artículos que exponían ruindades como la corrupción e injusticia

Nombre _____ Clase _____ Fecha _____

Regulando a las empresas grandes

¿Qué practicas comerciales preocupaban más a los progresistas?

Los progresistas estaban particularmente preocupados con la formación de carteles y monopolios. Los carteles fueron formados cuando varias compañías en industrias relacionadas, se juntaron para controlar la competencia y los precios. Esto permitió a sus compañías tener ganancias más altas. Los monopolios eran creados cuando una compañía forzaba a su competencia quebrar. Esto permitió a una empresa controlar a toda una industria y entonces establecer los precios, las condiciones de trabajo y los salarios.

¿Cómo el trabajo de los progresistas reguló las prácticas de las empresas grandes?

- Como funcionarios electos y ciudadanos privados, los progresistas trabajaron para regular y restringir las prácticas peligrosas e injustas de las empresas. En todos los niveles del gobierno se emitieron leyes que controlaban la labor de los niños, el largo de un día laboral, el estandarte en cuanto a salud en el trabajo, y otros tópicos. Cuando estas leyes fueron retadas en la corte por las grandes empresas, políticos progresistas y abogados progresistas las defendieron.

- Las ciudades tomaron control sobre ciertos servicios que operaban las empresas privadas. Éstos habían sido el agua, el gas, la transportación pública y la electricidad que servían a toda la comunidad. Los progresistas disputaban que la posesión privada había resultado en cargos altos e ineficiencia y las posesiones de la ciudad proveerían a todos los ciudadanos con el mejor servicio posible.

- Una de las causas progresistas más importantes fue el esfuerzo de pasar la legislación "trust-busting," leyes que regularían o disolverían los carteles y monopolios y previnirían la formación de otros nuevos. Para pasar legislaciones efectivas contra los carteles, los progresistas tuvieron que acudir al gobierno federal.

¿Cómo el gobierno federal actuó para regular las prácticas comerciales?

- Theodore Roosevelt tomó un interés más activo en la legislación progresista que ningún otro presidente que estuvo antes que él. Bajo él el gobierno federal se convirtió en más activo en "trust busting" y en regular prácticas injustas de comercio. Roosevelt utilizó la Ley Antimonopolios Sherman para acabar con los carteles "malos" y para asegurar la salud y bienestar de los trabajadores y el público. La Ley de Comida y Drogas Puras (Pure Food and Drug Act) de 1906 fue un paso mayor tomado para establecer estandartes de salud y seguridad. Esta legislación, junto con las leyes de inspección de carne inspiradas por *The Jungle* de Upton Sinclair, trajo envolvimiento directo del gobierno en las empresas. Por primera vez, los inspectores de comida y drogas investigaron las prácticas de las empresas para proteger la salud pública.

- William Howard Taft se convirtió en presidente después de Roosevelt. Trató de continuar con las políticas progresistas al apoyar la Comisión de Comercio Interestatal (Intestate Commerce Commission) y atacar a los carteles. Sin embargo, muchos progresistas pensaban que él estaba muy influenciado por los polítcos conservadores.

- Woodrow Wilson, quien tomó el poder en 1913, continuó la práctica de Roosevelt de pasar legislaciones progresistas. La Ley de Reserva Federal fue emitida para regular la banca, y la Ley Clayton de Anticarteles prohibió a los directores de las corporaciones de encabezar otras compañías en la misma industria. El congreso también estableció la Comisión de Comercio Federal. Esta comisión investigó a las grandes corporaciones. Si encontraba una corporación que estuviera actuando injustamente, la ordenaba a parar esta actividad.

PREGUNTAS DE REPASO

Instrucciones: Marca con una *X* cada oración que conteste la pregunta correctamente. Cada pregunta puede tener más de una contestación correcta.

1. ¿Cuáles prácticas de las corporaciones preocupó a los progresistas?

  ____**a.** la formación de carteles y monopolios

  ____**b.** el movimiento de agricultores que dejaban sus tierras para ir a las ciudades y las fábricas

  ____**c.** condiciones de trabajo no seguras ni saludables para los empleados de las fábricas

2. ¿Cuáles fueron los pasos que tomaron los progresistas para reformar y regular las grandes empresas?

  ____**a.** Las ciudades tomaron control de todas las industrias locales.

  ____**b.** Leyes fueron pasadas para regular las horas de trabajo y el uso laboral de niños.

  ____**c.** La legislación "trust-busting" se emitió para disolver a los carteles y monopolios.

3. ¿Cómo el Presidente Theodore Roosevelt ayudó a regular los negocios?

  ____**a.** El usó las leyes existentes de anticarteles y pasó unas nuevas para disolver a los carteles y monopolios.

  ____**b.** Ayudó a pasar la Ley de Comida y Drogas Puras para establecer estandartes de salud y seguridad y protegió al público.

  ____**c.** Usó las leyes de "trust-busting" para romper los carteles "malos" que no actuaban por el bien del público.

4. ·¿Cuáles fueron algunas de las medidas tomadas más tarde para regular los negocios?

  ____**a.** la creación de la Comisión Federal de Comercio para regular a las grandes corporaciones

  ____**b.** la Ley Clayton de Anticarteles, prohibió a los directores de las corporaciones de encabezar otras compañías en la misma industria

  ____**c.** creación de la Ley de la Reserva Federal, para regular a la banca

CAPÍTULO

Reforma política

¿Durante la Época Progresista por qué había la necesidad de tener una reforma política y administrativa en el gobierno estadounidense?

Había problemas serios de corrupción a todos los niveles del gobierno estadounidense al final del siglo pasado. Muchos de los gobiernos de las ciudades estaban bajo la influencia de o hasta estaban controlados por máquinas políticas operadas por jefes políticos corruptos. La administración del gobierno era ineficiente por la falta de un personal entrenado. Algunos funcionarios electos tales como los senadores de los E.U. no eran responsables hacia el público porque eran electos por las legislaturas estatales y no el público general. Muchos estadounidenses no tenían derecho al voto. Las mujeres no podían votar en las elecciones nacionales o en la mayoría de las elecciones estatales y locales. Algunos hombres, mayormente afroamericanos y otras minorías, fueron prevenidas de utilizar su derecho al voto.

¿Cuáles reformas políticas y gubernamentales los progresistas alcanzaron?

• Los progresistas trataron de hacer el gobierno local y estatal más práctico y eficiente. Las ciudades compraron los servicios públicos, tales como las compañías de electricidad y agua, en un esfuerzo para mejorar el servicio a toda la comunidad. Las ciudades contrataron a gerentes profesionales para administrar las operaciones diarias de estos servicios, y el departamento de policía y otras divisiones del gobierno de la ciudad. El gobernador de Wisconsin, Robert La Follette, contrató a expertos para determinar las tasas de impuestos y regular los banco y ferrocarriles, una práctica que fue adoptada en otros estados. Algunas medidas similares fueron adoptadas por el gobierno federal.

• La Follette y otros progresistas trabajaron para acabar con la corrupción en el gobierno. Las leyes fueron pasadas para regular los gastos en las campañas y el cabildeo político. Muchos estados empezaron a escoger candidatos políticos a través de las elecciones de las primarias en vez de dejar a los líderes de los partidos escoger. Algunos estados pasaron leyes que permitieron recolectar firmas, que podían remover a oficiales electos de sus cargos antes de que se acabaran sus términos. Otros esfuerzos democráticos para envolver a los votantes incluyó el plebiscito, que permitió a los votantes votar en asuntos en relación a ciertas leyes or nuevos impuestos. Nacionalmente, la Enmienda Septuagésima a la Constitución, fue ratificada en 1913, y dio a la gente el derecho de votar directamente por sus senadores.

¿Por qué el movimiento de sufragio para la mujer fue una parte importante de la Época Progresista?

Muchos progresistas de ambos sexos creían que era importante para la mujer votar. Muhca gente creían que negar el voto a muchas personas mostraba una falta de realmente poder alcanzar la democracia. Sin embargo, los progresistas en general no estaban de acuerdo entre si mismos en cuanto esta cuestión. Lentamente, la esfuerzos de reforma tuvieron resultado.

Para 1918 las mujeres habían ganado el derecho de sufragio en quince estados. Finalmente en 1919 el Congreso paso la Enmienda Decinonovena, que específicamente garantizaba el derecho del voto a la mujer. Fue ratificada el año próximo.

PREGUNTAS DE REPASO

Instrucciones: Marca con una *C* las oraciones ciertas y con *F* a las falsas. Corrije las oraciones falsas cambiando la palabra o palabras subrayadas.

____**1.** Los progresistas <u>no estaban muy preocupados</u> en hacer al gobierno menos corrupto y más democrático.

_____

_____

____**2.** Los progresistas a veces les <u>pedían a los gobiernos de la ciudad a que tomaran poder sobre las compañías de transportación</u> y energía para hacerlas más eficientes y responsables en cuanto a las necesidades públicas.

_____

_____

____**3.** Los progresistas apoyaron la idea de <u>plebiscitos,</u> que dejaba que los votates removieran a los oficiales electos de sus cargos antes de que terminaran sus términos si había una buena causa para hacerlo

_____

_____

____**4.** Los progresistas creían que era bueno <u>emplear a algunas personas con destrezas especiales para mejorar las operaciones del gobierno,</u> tales como gerentes de la ciudad y expertos para tratar con los impuestos.

_____

_____

____**5.** Los progresistas estaban <u>unidos</u> en su apoyo al movimiento de sufragio de las mujeres.

_____

____**6.** La <u>Enmienda Dieciochoava</u> finalmente garantizó el derecho del voto de la mujer.

_____

_____

PROGRESSIVES AND REFORM / **STUDY GUIDE**

Presidentes progresistas

¿Quiénes fueron los presidentes progresista y qué tenían en común?

Tres fueron presidentes durante la Época Progresista: Theodore Roosevelt, William Howard Taft, y Woodrow Wilson. Cada uno en su forma diferente, trató de alcanzar algunas de las metas de los progresistas. Roosevelt y Taft fueron republicanos, y Wilson fue demócrata. En el 1912 Roosevelt guio a un tercer partido en las elecciones presidenciales, el Progresivo o el Partido Bull Moose. Los tres hombres tenían personalidades diferentes. Roosevelt era extrovertido, energético y le gustaban las afueras. Él sirvió en la Guerra entre Estados Unidos y España y como gobernador de Nueva York. William Howard Taft fue más tranquilo, a lo mejor por su estado de salud. Él fue un hombre genial pero con menos de la naturaleza de un político como Roosevelt. Woodrow Wilson era un académico, un profesor de leyes que sirvió como presidente de la Universidad de Princeton y gobernador de Nueva Jersey antes de convertirse en presidente. Todos estos hombres tenían personalidades y opiniones distintas en muchas áreas, pero todos trabajaron por un sin número de las metas de los progresistas. Sin embargo, sus medios para alcanzar esas metas variaron así como sus alcances.

¿Cómo la presidencia de Theodore Roosevelt ayudó a alcanzar las metas progresistas?

Cuando Roosevelt fue electo presidente, el movimiento progresista ganó un partidario de mucho valor para sus metas en la Casa Blanca. Él creía que el presidente debía estar activo en el gobierno y que el gobierno debía jugar un rol activo en la sociedad. Él compartió muchas de las metas básicas de los progresistas. Sin embargo, él pensaba que "buenos" carteles podían servir los intereses del público si se regulaban apropiadamente los carteles "malos" que enriquecían a unos pocos individuos a base del resto de las sociedad. Él utilizó las leyes existentes y pasó nuevas para atacar a los carteles "malos" en las industrias del ferrocarril, petróleo, tabaco y empacamiento de carnes. Él también introdujo la inspección de comida y drogas para proteger la salud pública. También un conservador fuerte, Roosevelt creó el sistema de Parques Nacionales para proteger la herencia natural de Estados Unidos.

¿Cómo Howard William Taft continuó los esfuerzos progresistas, y cuánto éxito tuvo él?

Roosevelt se retiró después de su segundo término y ayudó a elegir a William Howard Taft como presidente. Taft no tenía las destrezas políticas de Roosevelt. Apoyó el aumento de poder de la Comisión de Comercio Interestatal, una agencia importante reguladora, y continuó con el trabajo de Roosevelt de "trust-busting" en donde le parecía apropiado. Pero sus acciones no parecían obtener los mismos resultados que Roosevelt, y muchos progresistas pensaron que él estaba demasiado influenciado por los intereses especiales a cuales ellos se oponían. Cuando Taft se postuló para su reelección en 1912, él fue retado por todas partes.

¿Qué efecto tuvo la elección de 1912 en las situación política y la agenda progresista?

En la elección de 1912 Taft buscó de nuevo la nominación republicana, pero los progresistas en el partido apoyaron a Roosevelt en vez de a él. A pesar de que en el pasado Roosevelt apoyó a Taft, para 1912 él pensó que era necesario tener un nuevo presidente. Cuando Taft ganó la nominación republicana, Roosevelt se convirtió en el candidato del tercer partido, el Progresista o el Partido Bull Moose. Los demócratas escogieron a Woodrow Wilson, el gobernador de Nueva Jersey, como candidato. La elección fue apretada, pero con la división del voto republicano entre Roosevelt y Taft, Wilson ganó. Wilson como Roosevelt, apoyó las metas progresistas y trabajó para alcanzarlas.

¿Cómo Woodrow Wilson alcanzó las metas de los progresistas, y cuánto éxito tuvo?

Wilson impulsó tarifas más bajas para aumentar el comercio extranjero, y en el 1913 el congreso emitió la Tarifa Underwood. Ganancias perdidas fueron reemplazadas con dinero del nuevo impuesto federal, autorizado por la Decimosexta Enmienda. También en el 1913, la Ley de Reserva Federal creó la Junta de Reserva Federal para administrar el suministro de dinero de la nación a través de de la regulación de la tasa de intereses. Otra medida "trust-busting" fue la Ley Clayton de Anticarteles de 1914 que no dejó a los directores de una corporación servir como directores en otras compañías en la misma industria. Wilson demandó la creación de la Comisión Federal de Comercio, para asegurar que las corporaciones grandes siguieran las leyes. Las medidas de Wilson tuvieron resultados diferentes, pero representaron un continuo esfuerzo para poner en práctica los ideales progresistas.

PREGUNTAS DE REPASO

Instrucciones: Escribe *R* para las oraciones correctas sobre Roosevelt, *T* para esas correctas sobre William Howard Taft, y *W* para esas ciertas sobre Woodrow Wilson. Cada oración puede tener más de una contestación.

_____ **1.** Le caía bien a la gente, pero no era considerado un gran político.

_____ **2.** Un líder conservador, creó el sistema de Parques Nacionales

_____ **3.** Trabajó para pasar la Ley de Comida y Drogas Puras y la ley de inspección de carne

_____ **4.** Ayudó a crear la Comisión Federal de Comercio y el sistema de Reserva Federal.

_____ **5.** Fue un presidente republicano.

_____ **6.** Un soldado y atleta, fue gobernador de Nueva York antes de ser presidente.

_____ **7.** Conocido por "trust-busting", lidió con las industrias de petróleo, tabaco y ferrocarriles.

_____ **8.** Apoyó y ayudó a ratificar la Decimosexta Enmienda, que creó un impuesto federal.

_____ **9.** Después de perder la nominación de otro partido en 1912, él fue el candidato del Partido Progresista.

_____**10.** Fue un académico y pasado presidente de la Universidad de Princeton.

La reforma social

¿Qué clases de condiciones de vida y trabajo los progresistas trataron de mejorar?

Los progresistas estaban preocupados por los problemas de los pobres en la ciudad. Más condiciones de trabajo no seguras ni sanitarias le hicieron daño a muchas personas y todos los trabajadores trabajaban largas horas por poco dinero. La condiciones de vivienda en las ciudades eran también pobres. La mayoría de los trabajadores de las fábricas, junto con los inmigrantes, minorías, y pobres de la ciudad, vivieron en cuadras de apartamentos pobremente construídos que se llamaban "tenements." Por lo regular los tenements eran tan peligrosas como los lugares del trabajo, con cañerías o ventilación mala o no existente. La tasa de muerte infantil, la pobre dieta, el crimen, y otros problemas también hicieron la vida difícil para los pobres en la ciudad.

¿Qué reformas impulsaron los progresistas para cambiar estas condiciones?

- La ciudades tomaron control de los servicios públicos y alguna de la transportación pública para proveer mejor servicio a todos. La Ciudad de Nueva York y más de otras 40 pasaron leyes regulando tales como los códigos de los edificios, la cañerías, y la ventilación. Leyes estatales y federales fueron emitidas para regular las horas de trabajo y la labor de niños. Las leyes de inspección de comida y drogas pasadas durante la presidencia de Theodore Roosevelt ayudaron a proteger la salud pública.

- Los progresistas tales como Jane Addams establecieron casas en los vecindarios pobres. Addams comenzó con la Casa Hull en Chicago como un centro comunitario para ayudar a los pobres a mejorar sus vidas a través de la educación y entrenamiento. Los reformadores de la Casa Hull eran mayormente mujeres jóvenes graduadas de la universida que apoyaban el cambio social y vivían en las casas para convertirse en parte de la comunidad. La Casa Hull mostró nuevas formas de trabajar para la reforma y traer la consciencia pública los problemas de los pobres. La casas fueron establecidas en otras grandes ciudades.

¿Por qué pasaron por alto a los afroamericanos los progresistas?

La preocupación de los progresistas de mejorar a la sociedad no se extendía a todos los grupos. Algunos progresistas estaban en contra del sufragio para la mujer, y muchos tenían prejuicios contra los inmigrantes y las minorías.

- Algunos progresistas culpaban a los inmigrantes por apoyar a las máquinas políticas en las ciudades grandes. Otros temían que los inmigrantes destruyeran lo que era considerado el estilo de vida americano. Algunos progresistas trabajaron para atrasar or poner fin a la inmigración.

- Algunos progresistas también tenían prejuicios contra los grupos minoritarios, particularmente los nativos norteamericanos, asiáticos-americanos, y afroamericanos. Ellos estaban protegidos por las leyes y el gobierno pero en realidad no podían participar en el proceso político.

¿Qué clases de problemas los afroamericanos progresistas tuvieron que sobrepasar?

Los afroamericanos estaban profundamente preocupados con el amplio prejuicio y discriminación social y racial. La violencia era un problema; linchamiento, o asesinato por una multitud, aterrorizó a los afroamericanos y otras minorías. Durante la Época Progresista alrededor de un 80 por ciento de las personas que fueron linchadas eran afroamericanos.

- Booker T. Washington, ya una figura importante, trabajó para establecer las reformas. Recaudó fondos para las escuelas afroamericanas y trabajó privadamente para pelear contra la discriminación y para conseguir trabajos políticos para los afroamericanos. Él pensaba que la mejor forma de acabar con la discriminación era para los afroamericanos aprender destrezas y vocaciones para que así pudieran obtener buenos trabajos y mejorar sus condiciones de vida. Sólo así tendrían una base para obtener igualdad total.

- W.E.B. Du Bois fue un líder joven que tenía un grado doctoral en historia de la Universidad de Harvard y estaba orgulloso de su origen y cultura afroamericana. En su opinión los afroamericanos jamás alcanzarían a tener igualdad hasta que demandaran por sus derechos y presentaran la justicia racial como un problema político nacional.

- Du Bois y algunos otros líderes afroamericanos fundaron el Movimiento Niágara en una reunión en las Cataratas de Niágara, en Cánada en el 1905. Demandaron la igualdad económica y oportunidades educacionales, el fin de la segregación racial, y protección del derecho al voto. En 1909, Du Bois se unió a unos progresistas blancos, como Jane Addams, en la fundación de La Asociación Nacional para el Avance de la Gente de Color (National Association for the Advancement of Colored People) (NAACP). Du bois fue el editor de la revista, Crisis. El NAACP trabajó para acabar con el linchamiento y para mejorar las condiciones para los afroamericanos, estableció la base para victorias futuras en la reforma de los derechos civiles.

PREGUNTAS DE REPASO

Instrucciones: Contesta las pregunts en el espacio proveído.

1. ¿Cuál fue el propósito de las casas como la de Jane Addams en Chicago? ¿Cómo se llamaba esta casa famosa de Chicago?

   _____

   _____

2. ¿Por qué muchos progresistas pensaban que los inmigrantes le hacían daño a la sociedad estadounidense?

   _____

   _____

3. Nombra a dos progresistas afroamericanos, y describe sus enfoques en sus luchas contra la discriminación racial.

   _____

   _____

CAPÍTULO

Las voces de reforma

¿Cómo los "muckrakers" trataron de implementar sus reformas, y cuál fue el impacto de sus efuerzos en el éxito del movimiento progresista?

- Los Muckrakers fue un grupo pequeño de escritores e investigadores progresistas. Estaban determinados a hacer sus ideales progresistas conocidos a todos los estadounidenses. Los muckrakers trabajaron para traer la reforma sistemáticamente investigando y exponiendo a una gran variedad de problemas, incluyendo la corrupción del gobierno, las condiciones peligrosas y poco sanitarias de las fábricas, vivienda pobre, e injusticia social. Hicieron detalladas investigaciones, nombraron nombres, y copilaron y publicaron hechos.

- El reportaje Muckraker apareció en una amplia variedad de periódicos y revistas. *La Revista McClure* publicó artículos por dos famosos muckrakers, Ida Tarbell y Lincoln Steffens. Estos artículos alcanzaron a un público amplio a través de todo el país.

- La información de los muckrakers proveyó ayuda en el cambio de la opinión pública y creó una demanda para la reforma. Los progresistas pudieron conseguir votos de las personas que apoyaban sus metas. El nivel de preocupación del público general sobre estos puntos en disputa fue alzada, y los progresistas encontraron que entonces les fue más fácil convencer al gobierno y a los ciudadanos privados de que estas reformas eran malamente necesitadas.

¿Quién fue Upton Sinclair, cuál fue su trabajo más famoso, y cuál fue su propósito?

Upton Sinclair fue un escritor profesional que escribió novelas, artículos y panfletos que no tuvo mayor éxito en la mayor parte de su carrera. Al principio del siglo XX, sin embargo, decidió investigar la industria de empaque de carnes de Chicago para publicar las condiciones horribles. En 1906 él publicó The Jungle, un trabajo de reporte investigativo disfrazado como novela. Describió las condiciones de trabajo de los inmigrantes que no eran justas ni sanitarias en las fábricas de empaque de carnes. Sinclair esperaba que la novela mostrara las actividades peligrosas y opresivas de la industria corrupta y el peligro a que estaban expuestos los trabajadores y el público.

¿Cuál fue el efecto de *The Jungle* en el público, y qué clase de reformas inspiró?

La novela de Sinclair tuvo un éxito instantáneo. El público lector estaba sorprendido, si no en la forma de que Sinclair esperaba. En sus propia palabras, "Yo intenté llegar al corazón del público y en vez di con su estómago." Las terribles condiciones de trabajo y la corrupción económica y política que apoyaba la industria de empaque de carnes causó preocupación, especialmente entre los progresistas. Los trabajadores usaban químicos peligrosos tales como ácidos, que causaban gran daño. Trabajadores también murieron en accidentes. El público en general, sin embargo, se escandalizó más con las terribles descripciones de la carne y productos de carnes sucios. Los empacadores pagaban sobornos a los inspectores del gobierno para dejar que los animales con enfermedades fueran aprobados y procesados en la comida.

Hubo un clamor del público, guiado por lectores como el presidente Roosevelt, que resultó en la creación de la Ley de Comida y Drogras Puras y además la ley de inspección de carne. Los inspectores federales tenían que ahora comprobar que los productos de carne y comida estaban a la par con los estandartes de la salud general, y se emitieron nuevas leyes para también regular la operación de los mataderos.

PREGUNTAS DE REPASO

Instrucciones: Marca con una *C* las oraciones ciertas y con una *F* las falsas.

____**1.** Los Muckrakers trabajaron para traer cambio a través de la publicación de artículos, libros y otros materiales que mostraron la corrupción, lo ilegal, y comportamientos injustos, particularmente por parte del gobierno y el comercio.

____**2.** Ida Tarbell y Lincoln Steffens publicaron muchos artículos famosos de muckraking en *Harper's Weekly.*

____**3.** Upton Sinclair fue un profesor universitario antes de publicar *The Jungle.*

____**4.** *The Jungle* expuso las condiciones en la industria de empaque de carnes en Chicago.

____**5.** Tomó varios años para *The Jungle* ser ampliamente leída y tener éxito.

____**6.** Los lectores estuvieron más escandalizados por las condiciones terribles de vida de los inmigrantes que trabajaron en las plantas empacadoras de carne.

____**7.** El presidente Theodore Roosevelt respondió al clamor del público sobre las industrias de procesamiento de comidas pasando una ley de inspección de carne y regulando los mataderos.

CAPÍTULO

Expansión e Imperialismo

¿Qué significa aislacionismo, expansionismo e imperialismo?

- **Aislacionismo** – cuando una nación evita alianzas o cualquier relación internacional de tipo político o económico.

- **Expansionismo** – cuando una nación busca activamente ganar mayor extensión territorial.

- **Imperialismo** – cuando una nación busca expandir el poder nacional por medio de la adhesión de colonias o por medio del incremento de control sobre la política y la economía de otras naciones, similar a lo que hicieron las naciones europeas en Asia y África.

¿De qué manera las ideas expansionistas e imperialistas afectaron la participación de Estados Unidos en asuntos internacionales a finales de 1800?

En la segunda mitad del siglo XIX, varios acontecimientos contribuyeron a incrementar la participación de los Estados Unidos en asuntos internacionales.

- Para 1850 los Estados Unidos se habían extendido desde la costa del Atlántico a la del Pacífico, y empezaron a considerar la posibilidad de expandirse hacia otras partes del mundo.

- A medida que los Estados Unidos se convertían en una potencia económica, algunos norteamericanos consideraron ventajoso extender sus actividades económicas a otros países.

- Durante este período, las naciones europeas estaban aumentando sus imperios en ultramar. Algunos norteamericanon creían que los Estados Unidos también debían convertirse en una potencia global, con bases navales y marinas estacionadas a través del globo.

- Algunos norteamericanos sintieron la responsabilidad moral de propagar el Cristianismo a regiones del mundo donde la gente practicaba religiones consideradas de "retraso".

- Los aislacionistas creían que someter a otros pueblos al control estadounidense iba en contra de los principios de la democracia norteamericana. Se originó un debate entre aislacionistas y expansionistas a finales de 1800 y principios de 1900.

¿Cuáles son algunos de los resultados de la expansión norteamericana durante este período?

En los años que siguieron a la Guerra Civil, los Estados Unidos gradualmente extendieron su influencia hacia la región del Pacífico.

- En 1867 Rusia vendió Alaska a los Estados Unidos y estos últimos se beneficiaron de la pesca, pieles y madera que poseía la región. Posteriormente se descubrieron depósitos de oro, petróleo y gas natural.

- En 1867 los Estados Unidos anexaron las islas Midway del océano Pacífico a su territorio.

- Para 1870, los norteamericanos ya llevaban décadas de habitar a las islas Hawaianas. La influencia económica y política que los Estados Unidos tenían sobre estas islas aumentaba a medida que prosperaban las plantaciones de caña de azúcar. A principios de 1890, los norteamericanos que vivían en Hawaii iniciaron una revolución y se tomaron las islas con el apoyo de los Estados Unidos.

¿Cómo reaccionó la gente frente a la expansión norteamericana en Alaska y Hawaii?

Mucha gente reaccionó energéticamente a la expansión norteamericana y presentaron sus opiniones en cartas, libros, periódicos y discursos.

- El senador Henry Cabot Lodge creía que la expansión era parte del destino de la nación. Argüía que el presidente Washington tenía la intención de centrar su atención en el Oeste cuando les dijo a los norteamericanos que era prudente mantenerse apartados de los asuntos europeos.

- A los hawaianos les preocupaba la presencia norteamericana en sus islas. Temían que su cultura fuera consumida.

- Los periódicos norteamericanos en Hawaii alababan los cambios que los norteamericanos habían relizado en las islas. Anotaban que se había construido casas de madera, que se cultivaba caña de azúcar en tierras que antes no producían y que los indios hawaianos habían salido del nivel de pobreza.

- La escritora Julie McNair Wright describió a Alaska como a una tierra llena de belleza natural y de oportunidades económicas, pero también como una tierra que necesitaba religión, educación y leyes.

- En su obra *The Lust for Empire,* George Hoar manifestaba que los Estados Unidos no tenían el derecho de forzar a otros pueblos a que aceptaran su sistema de gobierno e ideas de libertad.

Para mayor información refiéreste a Puntos de Vista: Alaska y Hawaii en el CD ROM *Explorando el pasado de norteamérica.*

PREGUNTAS DE REPASO

Instrucciones: Indica si la oración es un ejemplo de expansionismo, imperialismo o aislacionismo.

a. expansionismo   **b.** imperialismo   **c.** aislacionismo

____**1.** Despúes que los Estados Unidos se habían expandido desde el Atlántico hasta el Pacífico, varios norteamericanos querían adquirir nuevos territorios en otros lugares.

____**2.** George publicó su libro *Lust of Empire* en el que sostenía que los Estados Unidos no debían imponer sus ideas de libertad en otros pueblos.

____**3.** Las naciones europeas establecieron colonias en Asia y África.

____**4.** Algunos norteamericanos opinaban que el deseo de dominar a un país extranjero atentaba contra los principios de la democracia.

____**5.** Rusia vendió Alaska a los Estados Unidos.

La guerra entre Estados Unidos y España

¿Qué acontecimientos que tuvieron lugar en Cuba y Puerto Rico condujeron a la guerra?

Cuba y Puerto Rico se contaban entre las pocas colonias que todavía no se habían independizado de España a principios de 1800. Sin embargo, la gente de estas islas venía reclamando su independecia desde 1860 y 1870. Los españoles exiliaron a los escritores patriotas José Martí de Cuba y Lola Rodríguez de Tió de Puerto Rico. Los dos se mudaron a los Estados Unidos y empezaron a trabajar conjuntamente para conseguir la libertad de sus compatriotas. A partir de 1868, los cubanos lanzaron una serie de revueltas fallidas. En 1895, Martí y un grupo de patriotas cubanos pelearon en una guerra de guerrillas para derrocar al gobierno español. En 1897 ganaron control de gran parte del área rural de Cuba. Sin embargo, los españoles recuperaron el control y enviaron a unos 500.000 cubanos a campos de concentración, donde miles de ellos murieron. Revueltas similares ocurrieron en Puerto Rico y en las islas Filipinas.

¿Qué acontecimientos provocaron la guerra entre Estados Unidos y España?

A finales de 1800, la mayoría de los norteamericanos reaccionaron energéticamente frente a los acontecimientos que tenían lugar en Cuba, y muy pronto, los Estados Unidos declararon la guerra a España.

• Los periódicos norteamericanos contribuyeron a inclinar la opinión pública en favor de Cuba. Publicaron los contundentes artículos de Martí y durante meses reportaron alarmantes historias de la crueldad española en contra del pueblo cubano.

• En febrero de 1898 un periódico norteamericano publicó una carta personal del embajador de España en los Estados Unidos en la cual éste insultaba al Presidente McKinley. Posteriormente, cuando, *Maine,* un buque de guerra norteamericano explotó en un puerto cubano, los norteamericanos acusaron a España del desastre y reclamaron la guerra.

• El presidente McKinley trató de negociar un arreglo pacífico en Cuba pero ni España ni los rebeldes cubanos lo aceptaron. Presionado por el Congreso, la prensa y la opinión pública, McKinley exigió que España aceptara el acuerdo. España rehusó y se declaró la guerra en abril de 1898.

¿Cuáles fueron los principales acontecimientos de la guerra?

La guerra se peleó en dos frentes, el Caribe y las islas Filipinas. La milicia norteamericana ganó tanto en tierra como en mar y la guerra solamente duró desde abril hasta agosto de 1898.

• **Abril de 1898** Un buque de guerra norteamericano bajo el mando de George Dewey salió desde Hong Kong con destino a Manila, la capital filipina y allí destruyó a la flota española el 31 de abril.

• **Mayo de 1898** Buques de guerra norteamericanos bloquearon el puerto de Santiago en Cuba y acorralaron a la flota española. Ésto permitió que las fuerzas terrestres norteamericanas pudieran navegar sin peligro desde la Florida para invadir Cuba.

• **Junio de 1898** Tropas norteamericanas desembarcaron en la costa Sur de Cuba, al Este de Santiago. Con la ayuda de rebeldes cubanos, avanzaron hasta Santiago donde se toparon con una fuerte resistencia española.

- **Julio de 1898** La flota española trató de escapar del bloqueo en el puerto de Santiago pero fue destruída en su intento. Mientras tanto, tropas norteamericanas tomaron la colina de San Juan y los españoles que estaban estacionados cerca de Santiago se rindieron. En los días subsiguientes también se rindió el resto del ejército español y los norteamericanos consumaron la ocupación de Puerto Rico.

- **Agosto de 1898** Las fuerzas norteamericanas y los rebeldes filipinos tomaron Manila con lo que el ejército español basado en las Filipinas se rindió.

- **Febrero de 1899** El Senado de los Estados Unidos aprobó el tratado que ponía fin a la guerra entre Estados Unidos y España. En dicho tratado, España reconocía la independencia de Cuba y transfería el territorio de Puerto Rico, Guam y las Filipinas a los Estados Unidos a cambio de 20 millones de dólares. El tratado resultó ser controversial y muchos norteamericanos desaprobaban que los Estados Unidos ganaran un imperio como botín de guerra. Sin embargo otros opinaban que conservar el territorio filipino contribuiría a incrementar el poder que Estados Unidos tenía en Asia.

¿Quiénes fueron los "Rough Riders" y qué papel desempeñaron en la guerra?

Los "Rough Riders" fueron un regimiento de caballería voluntario comandado por Theodore Roosevelt. Roosevelt renunció a su cargo de Subsecretario de la Fuerza Naval con la finalidad de organizar dicha unidad y luchar en la guerra. El regimiento de los "Rough Riders" estaba conformado por estudiantes universitarios, agentes de policía, atletas, vaqueros, mineros e indios norteamericanos. Durante un ataque célebre, los "Rough Riders" conjuntamente con tropas afroamericanas tomaron posesión de la colina de San Juan que era un punto estratégico. Para muchos, los "Rough Riders" simbolizaban la defensa de la libertad, razón por la cual los Estados Unidos peleaban la guerra. Para mayor información refiérese a la lectura sobre los "Rough Riders" en el CD ROM *Exploring America's Past.*

PREGUNTAS DE REPASO

Instrucciones: Escribe una *V* si la oración es verdadera o una *F* si es falsa.

_____**1.** Las revueltas cubanas en contra del dominio español tuvieron su inspiración en revueltas similares que se llevaron a cabo en Puerto Rico y las Filipinas.

_____**2.** José Martí y Lola Rodríguez de Tió fueron dos escritores que lucharon para independizar a Cuba y Puerto Rico de España.

_____**3.** Aunque simpatizante de la causa cubana, la prensa norteamericana no ejerció ninguna influencia en la opinión pública.

_____**4.** La explosión de, *Maine,* un buque de guerra norteamericano en la Bahía de Manila en las Filipinas llevó a los Estados Unidos y a España al borde de la guerra.

_____**5.** Las fuerzas terrestres norteamericanas no se podían transportar sin peligro a Cuba sin que antes se bloqueara a la flota española en el puerto de Santiago.

_____**6.** Los "Rough Riders" fueron un regimiento conformado por afroamericanos que participaron en la victoria norteamericana en la colina de San Juan.

_____**7.** El tratado que terminó con la guerra entre Estados Unidos y España gozaba de popularidad entre los norteamericanos porque le otorgó a los Estados Unidos un imperio en ultramar.

Nombre _____ Clase _____ Fecha _____

Periodismo amarillista

¿Qué se entiende por periodismo amarillista y por qué se llama así?

El término *periodismo amarillista* se refiere a un estilo de reportaje de noticias mediante el cual se manipula la verdad con determinados propósitos y se enfatiza los aspectos dramáticos y sensacionalistas de la historia. Su objetivo es atraer lectores más que reportar fielmente la verdad. De hecho, las historias pueden ser exageradas o contener información falsa con la única finalidad de incrementar las ventas.

- En 1890, Joseph Pulitzer, dueño del *World* de New York y su rival periodístico William Randolph Hearst, dueño del *New York Journal* se enfrentaron en una lucha por mejorar la circulación de sus respectivos periódicos. Cada uno intentó ganar lectores a través de diferentes métodos.

- Pulitzer tuvo la idea de publicar una edición dominical que contenía artículos originales y tiras cómicas. Las primeras tiras cómicas impresas a color se publicaron en el *World* de New York. El personaje principal se llamaba "El niño amarillo" porque vestía ropa amarilla que se asemejaban a un costal. La rivalidad llegó a su punto máximo cuando Hearst persuadió a Richard Outcault, el dibujante de la tira cómica, de también publicarla en el *New York Journal*. El término prensa *amarillista,* y posteriomente periodismo *amarillista,* tuvo su origen en esta tira cómica.

- El *New York Journal* se volvió inmensamente popular durante la guerra entre Estados Unidos y España y llegó a vender un millón de copias por día, con lo que se extendió su estilo periodístico.

¿Qué impacto tuvo el llamado periodismo amarillista en la guerra entre Estados Unidos y España?

- En 1895, los patriotas cubanos lanzaron una rebelión para independizarse de España. Hearst, quien creía que los Estados Unidos debían ayudar a la rebelión por medio de una declaración de guerra a España, envió a Cuba al artista Frederic Remington. Remington fue con la misión de dibujar escenas del conflicto con el propósito de mostrar la crueldad con la que los españoles trataban a los rebeldes cubanos. Sin embargo, luego de su llegada a Cuba, Remington le escribió a Hearst indicándole que no había podido encontrar señales de revolución. Hearst le replicó con un telegrama que decía, "POR FAVOR QUÉDESE. UD. ME PROPORCIONA LAS FOTOS Y YO PROPORCIONO LA GUERRA".

- Hearst ayudó a volcar la opinión pública en contra de España mediante la publicación de una carta privada que había sido interceptada por un espía cubano. En dicha carta, el embajador de España en Estados Unidos se refería al presidente McKinley como un "aprendiz de político", lo que enfureció al pueblo norteamericano.

- Cerca de una semana más tarde, el periódico de Hearst publicaba el siguiente encabezado "LA DESTRUCCIÓN DEL BUQUE DE GUERRA MAINE FUE UN TRABAJO DEL ENEMIGO". Este titular, que se refería a la explosión del buque *USS Maine,* reforzó la sospecha de que España era responsable de la explosión. Luego de esto, un mayor número de norteamericanos apoyaban la idea de un enfrentamiento bélico. Sin embargo, hasta la actualidad se desconoce la razón de la explosión.

PREGUNTAS DE REPASO

Instrucciones: Contesta a cada prgunta en el espacio correspondiente.

____**1.** ¿Cuál de las siguientes oraciones es verdadera con respecto al periodismo *amarillista*?
   a. Está diseñado para captar el interés de los lectores.
   b. Exagera los hechos y provee información falsa.
   c. Comenzó durante la lucha entre dos diarios de Nueva York por ganar circulación.
   d. Todas las alternativas antes indicadas.

____**2.** ¿De dónde se origina el nombre de periodismo *amarillista*?
   a. del nombre que el embajador de España en los Estados Unidos empleó para referirse a McKinley
   b. del nombre del movimiento cubano que luchaba por independizarse de España.
   c. del nombre de un personaje en las primeras tiras cómicas a color
   d. del nombre del buque norteamericano que explotó en el puerto de la Habana

____**3.** ¿Qué circunstancias influyeron para que el estilo periodístico del "periodismo amarillista" se expandiera?
   a. El periódico de Hearst vendía cerca de un millón de copias diarias.
   b. Los reporteros a través de la nación creían que las historias exageradas representaban una lectura más interesante.
   c. Muchos de los miembros del Congreso leían el periódico de Hearst.
   d. Las denuncias que se presentaron en el periódico de Hearst resultaron ser veraderas.

____**4.** ¿Qué efecto tuvo el periodismo "amarillista" en la lucha por la independencia cubana?
   a. Volcó a los norteamericanos en contra de los patriotas cubanos.
   b. Logró que los norteamericanos apoyaran la idea de un conflicto armado en contra de España.
   c. Resultó en la destrucción de *Maine*.
   d. Todas las alternativas antes indicadas.

La Literatura de rebelión

¿Qué acontecimientos que tuvieron lugar en Cuba y Puerto Rico precedieron a la guerra entre Estados Unidos y España?

Cuba y Puerto Rico se encontraban entre las pocas colonias de España que todavía no se habían independizado a principios de 1800. En 1868 los cubanos empezaron una revuelta que duró 10 años, hasta que España logró reprimirla. La lucha de los cubanos por su independencia inspiró a revolucionarios en Puerto Rico. En 1895 patriotas cubanos volvieron a rebelarse y pelearon una guerra de guerrillas en la que primaba el ataque y retirada, y el sabotaje. Los rebeldes cubanos atacaban a pequeños grupos de militares españoles en el campo y en 1897 los rebeldes tenían control de la mayor parte del área rural cubana. Las autoridades españolas lanzaron una campaña feroz para recuperar el control y encerraron a unos 500.000 cubanos en campos de concentración.

¿Quién fue José Martí y qué papel desempeñó en la revolución cubana?

José Martí era un escritor que se convirtió en el líder de la lucha por la independencia cubana. Él nació en Cuba en 1853, de padres españoles. A los 18 años fue exiliado por sus discursos en contra de España. Los años subsiguientes los vivió en España, México y Guatemala donde completó su educación y trabajó como periodista. En 1878 regresó a Cuba y retomó sus actividades revolucionarias. Fue exiliado por segunda vez y en 1881 se mudó a la ciudad de Nueva York. En los Estados Unidos publicó poesía y ensayos persuasivos que reclamaban la independencia de su tierra. En 1895 Martí regresó a Cuba para ayudar a liderar la revolución. Poco tiempo después de su arribo murió en un enfrentamiento contra las tropas españolas. Su prolongada partcipación en el movimiento independentista y las circunstancias de su muerte convirtieron a Martí en un héroe cubano. Si deseas una muestra de la poesía de Martí consulta el artículo Fighting Spanish Imperialism Literature Reading en el CD ROM *Exploring America's Past*.

¿Quién fue Lola Rodríguez de Tió y cuál fue su participación en el movimiento independentista de Puerto Rico?

Lola Rodríguez de Tió nació en Puerto Rico en 1823. Al igual que José Martí, fue escritora y patriota. Publicó su primer libro de poemas en 1876 cuando tenía 53 años de edad. Su obra abogaba por la independencia del dominio español y un número cada vez mayor de gente la leía. En 1877, las autoridades españolas la desterraron de la isla. Rodríguez de Tió se mudó a Venezuela pero muy pronto retornó a la isla donde continuó publicando más poemas y se unió al movimiento independentista de Puerto Rico. Nuevamente fue desterrada y se mudó a Cuba en 1889. Sin embargo, las autoridades españolas inmediatamente la exilaron de Cuba también. En 1892 fue a Nueva York donde ayudó a Martí a formar el Partido Revolucionario Cubano cuyo objetivo era liberar a Cuba y Puerto Rico del dominio español.

PREGUNTAS DE REPASO

Instrucciones: Escribe una *V* si la oración es verdadera o una *F* si es falsa.

____ **1.** Rodríguez de Tió fue desterrada de los Estados Unidos a causa de sus poemas que abogaban por la independencia de Puerto Rico.

____ **2.** Martí regresó a Cuba luego de su exilio en España, México y Guatemala.

____ **3.** La revuelta cubana de 1868 duró 10 años.

____ **4.** Rodríguez de Tió luchó en contra del dominio español en Puerto Rico pero a favor de España en Cuba.

____ **5.** Se desterró a Rodríguez Tió de Puerto Rico luego que publicara su primer libro de poemas.

____ **6.** Las autoridades españolas detuvieron a unos 500.000 cubanos y los llevaron a campos de concentración.

____ **7.** Luego de vivir en los Estados Unidos, Martí regresó a Cuba para ayudar a dirigir la revolución.

____ **8.** Martí se mudó a los Estados Unidos donde encabezó un movimiento a favor de incrementar la inmigración cubana a los Estados Unidos.

____ **9.** Martí fue exiliado de Cuba y se convirtió en periodista.

____**10.** Rodríguez de Tió se convirtió en líder revolucionaria en Venezuela.

____**11.** Martí y Rodríguez de Tió organizaron el Partido Revolucionario Cubano.

Nombre _____ Clase _____ Fecha _____

CAPÍTULO

Expansión en el Pacífico

¿Cuál fue la politica exterior de los Estados Unidos en el Pacífico al final del siglo XIX y a principios del siglo XX?

La combinación de acontecimientos acaecidos en el interior de los Estados Unidos como tambén aquellos del exterior influenciaron la política de los Estados Unidos en Asia y el Pacífico. La meta principal de la política exterior de los Estados Unidos era mejorar las posibilidades comerciales en esa región, particularmente en China.

- Después de la conquista del Oeste estadounidense, algunos americanos esperaban que la expansión de la nación continuara en otras regiones del continente americano y de las islas del Pacífico. Un ejemplo de tal interés expansionista fue la adquisición de Alaska en 1867, así como la anexión de Hawaii en 1898.
- Los Estados Unidos por mucho tiempo habían estado interesados en incrementar el intercambio comercial con Asia. En la década de 1850 habían abierto las puertas de Japón para el comercio, pero los europeos y japoneses se hallaban monopolizando los negocios en China. El ganar colonias en el Pacífico iba a permitir a los Estados Unidos poseer una base desde la cual podría dirigir el aumento de su intercambio comercial con Asia.
- Como resultado de la guerra Estado Unidense-Española de 1898, España cedió sus territorios del Pacífico -Guam y las Filipinas- a los Estados Unidos. Estas islas, junto con Hawaii, proveyeron a este país con territorio cercano a China. Así, el proteger este imperio de la amenaza de rivales en el Pacífico, tales como Japón, pasó a ser la meta prioritaria de la política exterior estadounidense.

¿De qué manera los Estados Unidos llevaron a cabo su política exterior en Asia y en el Pacífico? ¿Cuáles fueron los resultados de sus acciones?

Los Estados Unidos utilizaron su poderío económico y militar para llevar a cabo su política exterior. Sin embargo, los resultados no siempre fueron lo que el gobierno estadounidense hubiera esperado o deseado.

- **Japón** En 1853, una flota de buques americanos visitó estas islas en una demostración de fuerza. Japón aceptó terminar su aislamiento y abrir sus puertas al comercio con los Estados Unidos. En 1868, sin embargo, el temor de Japón al dominio extranjero incentivó su desarrollo industrial acelerado. En la década de 1890, Japón ganó control sobre algunas regiones de China y Corea y, en 1905, derrotó a Rusia, convirtiéndose así en una potencia en el continente Asiático. Los Estados Unidos empezó a preocuparle que Japón se convirtiera en una amenaza para su nuevo imperio del Pacífico. En 1907, una segunda flota de buques americanos visitó Japón, esta vez, a fin de hacerles una advertencia.
- **Filipinas** Este grupo de islas del Pacífico Suroeste habían sido parte del imperio español por varios siglos. Cuando la guerra Hispano-estadounidense se desató, los filipinos decidieron ayudar a los Estados Unidos creyendo que ello les ayudaría a obtener su independencia. En lugar de ello, el gobierno americano, interesado en tener una base cerca a China, convirtió a las Filipinas en la primera colonia de su imperio del Pacífico. Esto se concretó, sin embargo, una vez que tropas americanas derrotaron un movimiento independentista Filipino.
- **Hawaii** Estadounidenses habían estado viviendo y sembrando caña de azúcar en estas islas del Pacífico Central desde mediados del siglo XIX. A medida que estos hacendados se iban haciendo ricos, su poder político crecía. En 1893, los mencionados hacendados iniciaron la revolución cuando la reina de Hawaii intentó recuperar el control de su gobierno. El representante estadounidense en Hawaii ayudó a los

revolucionarios trayendo infantes de marina los cuales estaban visitando a otra tierra estadounidense. Finalmente, Hawaii fue anexado a los Estados Unidos en 1898. Para más información, consulte la bibliografía Liluokalani del CD-ROM.

- **China** Mientras los estadounidenses creaban, de manera forzada, lazos económicos con Japón, varias naciones europeas desarrollaban esferas de influencia en regiones de la China donde el comercio y recursos naturales se hallaban bajo el control de una de las potencias extranjeras. A finales del siglo XIX, los Estados Unidos temía ser marginado comercialmente de China, el país más grande de Asia. John Hay, el Secretario de Estado estadounidense, propuso la Política de Puertas Abiertas de 1899 mediante la cual todas las naciones tendrían igual influencia y oportunidades en China. Mientras tanto, algunos ciudadanos chinos lanzaron lo que se conoció como la Rebelión de Boxer en contra de todos los extranjeros. Tanto los Estados Unidos como las naciones europeas enviaron tropas para derrotar a los Boxers, pero John Hay decidió enmendar su Política de Puertas Abiertas a fin de garantizar la independencia de China.

¿Qué pensaban los estadounidenses con respecto a la política exterior del gobierno en el Pacífico?

La opinión de los ciudadanos estadounidenses se hallaba dividida con respecto al nuevo imperio del Pacífico, y especialmente en lo referente a Hawaii y las Filipinas. Algunos creían que la nación estaba destinada a expandirse y sostenían que era responsabilidad de los Estados Unidos cuidar de países menos desarrollados. Otros mantenían que era incorrecto, desde el punto de vista moral, y antiamericano gobernar pueblos sin su consentimiento. Esta controversia dilató la anexión de Hawaii hasta 1898, lo cual también fue motivo para que el tratado que finalizaba la guerra Hispano-estadounidense y la cesión de las Filipinas a los Estados Unidos fueran aprobados en el Congreso con un margen de solamente un voto.

Para mayor información al respecto de la expansión de los Estados Unidos en el Pacífico, consulta Opening of Japan y Treaty Fight More of the Story Readings en el CD ROM *Exploring America's Past.*

PREGUNTAS DE REPASO

Instrucciones: Escribe una H en las oraciones relacionadas con la política exterior de los Estados Unidos en Hawaii, una F en el caso de que la oración se refiera a la política hacia las Filipinas, una J para oraciones relacionadas con la política hacia Japón, y una C para las oraciones relacionadas con la política exterior hacia China. Las respuestas podrían incluir más de una nación.

_____ **1.** Los Estados Unidos utilizaron una demostración de fuerza a fin de iniciar relaciones comerciales con esta nación.

_____ **2.** La meta principal de la política exterior de los Estados Unidos en Asia era generar mayor intercambio comercial y más oportunidades de negocio con esta nación.

_____ **3.** Esta nación fue parte del imperio estadounidense en el Pacífico

_____ **4.** Los Estados Unidos utilizaron la fuerza o amenazas a fin de obtener sus metas en esta nación.

_____ **5.** Los Estados Unidos temían ser marginados comercialmente de esta nación.

_____ **6.** Algunos americanos se oponían a hacer de esta nación una parte del imperio americano.

_____ **7.** Los Estados Unidos se hallaban preocupados por el crecimiento de esta nación.

_____ **8.** El control sobre esta nación permitió a los Estados Unidos tener una base buena para el comercio con Asia.

La política latinoamericana

¿Cuál fue la relación de los Estados Unidos con América Latina a finales de 1800 y principios de 1900?

A finales de 1800, los Estados Unidos se limitaron a mantener inversiones y comercio únicamente con Cuba y México. Sin emabrago, varios acontecimientos que tuvieron lugar en Cuba, México y Panamá expandieron el rol que los Estados Unidos desempeñaba en Latino América.

- Los Estados Unidos adquirieron Puerto Rico como resultado de la guerra contra España. También asumió el papel de protector de Cuba y por algunos años sirvió de consejero del gobierno de dicha nación.
- Los Estados Unidos demostraban un inmenso interés en lo que ocurría en México debido a las inversiones que tenían allí y a causa de ello se involucraron en la revolución mexicana de 1910.
- A medida que la actividad comercial norteamericana se expandía por todo el mundo, los Estados Unidos se interesaron en construir un canal a través de Centroamérica con la finalidad de acortar el viaje entre el océano Atlántico y el Pacífico. En 1904 los norteamericanos empezaron a trabajar en el canal de Panamá y el gobierno de los Estados Unidos desarrolló políticas para protegerlo.

¿Cuál fue la política que los Estados Unidos adoptaron para enfrentar los acontecimientos que estaban tomando lugar en Latinoamérica?

- **La Presidencia de McKinley (1897–1901)** Los Estados Unidos se enfrentaron en una guerra contra España para ayudar a que Cuba obtuviera su independencia. Durante la guerra, las tropas norteamericanas se apoderaron de Puerto Rico y la isla se convirtió en territorio norteamericano después de la guerra. El ejército norteamericano gobernó Cuba hasta 1902 y posteriormente limitó su independencia por varios años.
- **La Presidencia de Roosevelt (1901–1909)** El presidente Theodore Roosevelt participó activamente en los asuntos Latinoamericanos y anunció el Corolario Roosevelt a la Doctrina Monroe. En éste se advertía a las naciones europeas que se mantuvieran fuera de la América Latina. También se indicaba que los Estados Unidos cobrarían cualquier deuda de los países latinoamericanos antes de permitir que las naciones europeas lo hicieran por la fuerza.
- **La Presidencia de Taft (1909–1913)** William Howard Taft no favorecía la política de intervención militar directa en los asuntos de otras naciones con la finalidad de proteger los intereses norteamericanos. Creía que la mejor manera de conseguir gobiernos y economías más estables en esta región era por medio de la inversión. A su política se la bautizó con el nombre de "la diplomacia del dólar" en contraste con la de Roosevelt a la que se le llamaba "diplomacia del cañón".
- **La Presidencia de Wilson (1913–1921)** La Revolución mexicana fue un asunto de política eterior de mayor reto que tuvo que confrontar Woodrow Wilson debido a que ponía en peligro las inversiones norteamericanas en México. Al mismo tiempo que los líderes mexicanos luchaban por conseguir el control de su propio gobierno, Wilson apoyó a aquellos que le parecían más democráticos. El ejército norteamericano tomó la ciudad de Veracruz en un intento de derrocar a un dictador. Posteriormente, ordenó que las tropas norteamericanas se adentraran hasta el norte de México con la finalidad de capturar a un líder rebelde. Ninguna de estas demostraciones de fuerza no ayudó a que México resolviera sus problemas.

¿De qué manera afectó la política exterior norteamericana a los países latinoamericanos?

A pesar de que algunos países latinoamericanos acogieron con beneplácito la intervención norteamericana en sus asuntos, la gran mayoría la rechazó por considerarla imperialista.

- **Puerto Rico** Durante la Guerra entre España y Estados Unidos las Fuerzas norteamericanas capturaron a Puerto Rico de los españoles y la mantuvieron como territorio estadounidense.
- **Cuba** En 1902, los oficiales norteamericanos redactaron la Enmienda Platt y forzaron al gobierno cubano a añadirla a su Constitución. Según esta enmienda, Cuba debía solicitar permiso de los Estados Unidos antes de negociar ningún tratado con otras naciones. Esta enmienda también autorizaba la intervención norteamericana para preservar la independencia cubana.
- **Panamá** En 1903 la República de Colombia rechazó el tratado que permitiría que los Estados Unidos construyera un canal a través de Panamá. Como respuesta, los Estados Unidos apoyaron una revolución en Panamá, impidieron que las fuerzas colombianas controlaran la revuelta y los Estados Unidos firmaron el mismo tratado con el nuevo gobierno de Panamá. Para mayor información refiérase al atlas Panama Canal Zone Atlas Map está en el CD ROM *Exploring America's Past.*
- **México** La mayoría de mexicanos se resintieron la toma de la ciudad de Veracruz en 1914, incluyendo al líder rebelde a quien pretendían ayudar. También la invasión del norte de México en 1916 para capturar a Pancho Villa molestó a las oficiales mexicanos que luchaban contra éste.

PREGUNTAS DE REPASO

Instrucciones: Escribe el nombre del presidente que fue el responsable de la política y las acciones indicadas. Luego indica si la nación latinoamericana afectada favorecería o rechazaría la política o acción y ¿por qué?

1. Empleó la diplomacia del dólar para influir en el desarrollo de Latinoamérica.

_____
_____

2. Intentó ayudar a los rebeldes mexicanos a derrocar a un dictador por medio del envío de tropas para tomar la ciudad de Veracruz.

_____
_____

3. Apoyó a la revolución en Panamá para conseguir el permiso para construir el Canal de Panamá.

_____
_____

4. Afirmó que los Estados Unidos tenían el derecho de intervenir en las naciones latinoamericanas que no podían pagar sus deudas.

_____
_____

⭐ 7   El Canal de Panamá

¿Por qué quería Estados Unidos construir un canal a través del istmo de Panamá?

• El interés por construir el canal empezó en la década de 1840 y 1850. Debido a que los norteamericanos empezaron a cruzar el continente para establecerse en Oregón y California, la gente empezó a explorar una manera de acortar el viaje oceánico entre las costas del Atlántico y el Pacífico. En esa época, los barcos que hacían dicha travesía tenían que navegar alrededor del extremo sur de Sudamérica.

• El interés estadounidense en construir un canal aumentó después de la guerra contra España. Durante la guerra, los buques de guerra norteamericanos estacionados en la costa Oeste del país tenían que navegar 12,000 millas para participar en la guerra en Cuba, lo cual les tomaba 68 días. Un canal a través del istmo de Panamá hubiera acortado el viaje a 4,000 millas.

¿Qué problemas se originaron durante la construcción del Canal de Panamá y cómo se los superó?

• **Obstáculos políticos** En la década de 1880 una compañía francesa inició la construcción del canal pero enfrentó problemas financieros y la construcción progresó muy poco. Dicha compañía vendió sus derechos para terminar la obra por 40 millones de dólares. En esa época, Panamá formaba parte de la República de Colombia y el gobierno colombiano rechazó un tratado según el cual se permitía que los Estados Unidos construyeran el canal. Inmediatamente después de reunirse con el presidente Roosevelt, un miembro de la compañía francesa que estaba a cargo de la construcción del canal organizó una revolución en Panamá. Cuando las tropas colombianas llegaron para controlar la revuelta, la armada norteamericana las obstaculizó. Luego, los Estados Unidos reconocieron la independencia de Panamá y firmaron el tratado del canal con esta nueva nación.

• **Obstáculos en la construcción** El istmo de Panamá tenía una extensión de 40 millas. Para que los barcos pudieran cruzarlo, 40.000 hombres trabajaron en la construcción de un canal de 40 millas de largo, 100 yardas de ancho y 41 pies de profundidad. Adicionalmente, tuvieron que excavar canales submarinos adicionales de cinco millas de largo, uno a cada extremo del gran canal. Se necesitaron 10 años para concluir el proyecto. En un lugar, los trabajadores inundaron un río para crear un gran lago. En otro, tuvieron que abrirse camino a través de nueve millas de roca sólida. Tuvieron que construir inmensas cerraduras en varios puntos a lo largo del canal, ésto permitía hacer elevar o descender los barcos para que pudieran pasar a través de áreas de diferente altitud. Al final del proyecto, los trabajadores habían removido 100 millones de yardas cúbicas de tierra por medio del uso de alrededor de 6 millones de libras de dinamita cada año. Para mayor información consulta Building of the Panama Canal Media Bank Video en el CD ROM *Exploring America's Past.*

• **Obstáculos de salud** Toda el área del canal estaba infestada de mosquitos que propagaron la malaria y la mortal fiebre amarilla. Estas enfermedades se convirtieron en los peores obstáculos que enfrentaron los trabajadores que participaron en la construcción del canal. Con la finalidad de combatir el problema, el Coronel William Gorgas del Cuerpo Médico del ejército estadounidense fue a Panamá. En dos años, el Coronel Gorgas eliminó la fiebre amarilla y puso bajo control la propagación de la malaria por medio de la destrucción de las zonas de reproducción de mosquitos y manteniendo a los pacientes separados. Para mayor información consulta Fighting Mosquitoes in Panama Media Bank Image en el CD ROM.

PREGUNTAS DE REPASO

Instrucciones: Escribe una *V* si la oración es verdadera o una *F* si es falsa. En caso de que la oración sea falsa, corrija la información que está subrayada.

____**1.** El interés por construir un canal a través de Centroamérica empezó <u>cuando los comerciantes querían una ruta más corta desde la costa del Atlántico a Japón y China.</u>

____**2.** El Coronel William Gorgas del Cuerpo Médico del ejército de los Estados Unidos ayudó a controlar la propagación de la malaria y de la fiebre amarilla <u>por medio de la destrucción de las zonas de reproducción de los mosquitos.</u>

____**3.** Los Estados Unidos le compraron el derecho de construir el Canal de Panamá a <u>una poderosa familia colombiana</u> por 40 millones de dólares.

____**4.** Cuando el <u>gobierno de Panamá</u> rehusó firmar el tratado que permitiría que los Estados Unidos construyeran el canal, las fuerzas norteamericanas ayudaron a la revolución en Panamá.

____**5.** Se necesitaron <u>unos 40.000 trabajadores</u> durante un período de 10 años para construir el Canal de Panamá, el mismo que tenía 40 millas de largo, 100 yardas de ancho y 41 pies de profundidad.

Estalla la Guerra

¿Cuáles fueron las causas principales de la Primera Guerra Mundial?

- **Nacionalismo** Antes de la Primera Guerra Mundial, diferentes grupos étnicos en Europa sentían un gran orgullo o lealtad hacia su país o hacia su propia lengua o costumbres comunes. Este nacionalismo resultó en que los estados alemanes debilmente entrelazados, se unieran formando el Imperio Alemán. Así mismo, Austria y Hungría formaron el Imperio Austro-húngaro, que reinó sobre grandes áreas de la Europa oriental, patria de muchos grupos étnicos minoritarios. Mas a muchos de estos grupos minoritarios también los motivaba el nacionalismo, y ellos querían determinar su propio futuro y formar sus propias naciones. Este choque de intereses creó fuertes tensiones y eventualmente culminó en el asesinato, en 1914, del archiduque austríaco Franz Ferdinand por un nacionalista de la Europa oriental.

- **Imperialismo** Varios países europeos practicaban el imperialismo, o sea que controlaban a la fuerza a vastos imperios de ultramar. Otras naciones europeas, como Alemania, sintiendo envidia por no tener procurar tales posesiones, establecer sus propios imperios. Estos intentos, sin embargo, las puso en conflicto con países como Francia y Bretaña que ya controlaban mucho de Asia y Africa.

- **Militarismo** Alemania intentó aumentar su influencia construyendo el ejército más poderoso de Europa. Este reforzamiento militar les dio miedo a otros países europeos, por eso aumentaron sus ejércitos también. Se dependía cada vez más del militarismo—la idea que había que usar la fuerza militar para resolver los problemas mundiales—para resolver cuestiones europeas.

- **Alianzas** Para protegerse, las principales naciones europeas se agruparon en una serie de alianzas militares. Alemania, Austria-Hungría e Italia formaron la Triple Alianza, mientras que Gran Bretaña, Francia y Rusia formaron el Triple Entente. Si se le atacara a una nación, sus aliados la defenderían. Un supuesto beneficio de estas alianzas era que mantenerían un equilibrio del poder en Europa. Teniendo fuerza aproximadamente igual las dos alianzas, sería improbable que se atacaran. Sin embargo, el problema era que en caso de ser un miembro de una alianza atacado, todo el continente europeo estallaría en guerra.

¿Cómo es que el asesinato del Archiduque Ferdinand causó la Primera Guerra Mundial?

- De visita en la ciudad de Sarajevo, ubicada en el territorio Austro-hungrío de Bosnia, el archiduque austríaco Franz Ferdinand fue asesinado por un hombre ligado a una organización terrorista serbia. Austria-Hungría culpó a Selvia del asesinato declaró la guerra contra el pequeño país. Rusia, un aliado de Serbia, luego declaró la guerra contra Austria-Hungría.

- Después Alemania, aliado de Austria-Hungría, declaró la guerra contra Rusia y su aliado Francia.

- Alemania atacó a Francia cruzando sus ejercitos por el país neutral de Bélgica. Como resultado, Gran Bretaña, que había prometido proteger a Bélgica, también entró en el conflicto.

- Pronto Europa y mucho del resto del mundo estaban metidos en una guerra larga y destructiva.

¿Qué países formaban las Fuerzas Centrales y Aliadas?

Las Fuerzas Centrales constaban de Alemania, Austria-Hungría, Bulgaria y el Imperio Otomano. Las Fuerzas Aliadas inicialmente consistían de las naciones del Triple Entente y sus aliados. Sin embargo, Italia, un antiguo aliado de Alemania y Austria-Hungría, entró en la guerra al lado de las Fuerzas Aliadas en 1915.

¿Cuáles fueron los primeros incidentes de la guerra?

- Tropas alemanas atravezaron Bélgica pais neutral, rumbo a París. A treinta millas de la ciudad, sin embargo, tropas francesas y británicas pararon el avance alemán en la Batalla del Marne. La parte de la guerra en la que se luchó por las fronteras occidentales de Alemania y del Imperio Austro-hungrío, llegó a conocerse como el Frente Occidental.

- Mientras tanto, tropas rusas luchaban con ejércitos austríacos y alemanes en el Frente Oriental. Al principio, los rusos ganaron varias batallas. Sin embargo, las Fuerzas Centrales rápidamente se defendieron y reforzaron sus líneas.

- Después de las batallas iniciales, los ejércitos cavaron trincheras profundas para protegerse del cañoneo de sus adversarios. Las zonas entre las trincheras de cada lado, se conocían como tierra de nadie. De vez en cuando los ejércitos trataban de ganar territorio traspasando la línea de trincheras de sus adversarios. Los ejércitos pronto se estancaron, no pudiendo ni un lado ni el otro, ganar ventaja clara, a pesar de la lucha feroz y las muertes incontables.

PREGUNTAS DE REPASO

Instrucciones: Ponga *V* para una declaración verídica y *F* para una falsa. Corrija la palabra o frase subrayada en el espacio abajo.

____**1.** El <u>militarismo</u> es el orgullo o lealtad que la gente tiene por su país o por un idioma común.

_____

____**2.** El controlar a colonias de ultramar a la fuerza se llama <u>imperialismo</u>.

_____

____**3.** <u>Gran Bretaña, Francia y Rusia</u> eran todos miembros de la Triple Alianza.

_____

____**4.** Austria-Hungría le culpó a <u>Rusia</u> del asesinato del Archiduque Ferdinand.

_____

____**5.** Gran Bretaña entró en la guerra para proteger <u>la neutralidad de Bélgica</u>.

_____

Nombre _____ Clase _____ Fecha _____

Nuevas tecnologías de guerra

¿Qué tecnologías militares se introdujeron en la Primera Guerra Mundial?

Desde la última guerra grande de Europa, la cual se había luchado cien años antes de la Primera Guerra Mundial, la tecnología y técnicas de producción masiva habían producido armas nuevas y más mortales. Estas nuevas armas resultaron en una destrucción en gran escala en los campos de batalla de Europa.

- **Artillería y ametralladoras** Los fusiles y cañones siguieron siendo las armas de guerra más mortales, pero su potencia de fuego y disponibilidad fueron aumentadas mucho por las tecnologías modernas de las industrias del siglo 20. La artillería se había usado en guerras previas, incluso en la Guerra Civil de Estados Unidos, pero nunca antes había habido tantos cañones poderosos que disparaban tan rápido. Había miles de cañones detrás de cada línea de batalla, y a veces disparaban noche y día. Cada regimento llevaba centenares de ametralladoras cuya potencia de fuego igualaba a la de entre 60 y 100 fusiles. Las mejoras tecnológicas en la potencia de fuego resultaron en un estancamiento militar, en el cual los avances, de un lado o del otro, costaban muchas bajas.

- **Gas venenoso** Usado primero por los alemanes y después por los Aliados, el gas venenoso fue en esa epoca una de las armas más horribles que el mundo jamás había visto. Asfixiaba y cegaba a quienes lo aspiraban, pero era una arma impredecible. Si el viento cambiaba de dirección, podía volver el gas hacia los que atacaban.

- **Aviones** Los aviones, recién inventados, se usaban cada vez más a medida que la guerra continuaba. Servían para descubrir al enemigo para que la artillería de tierra los atacara. La mayoría de los aviones era demasiado ligera para llevar bombas, pero muchos estaban armados con ametralladoras para derribar aviones adversarios. Las peleas entre aviones se llamaban refriegas aéreas. El piloto más famoso de la Primera Guerra Mundial, es el alemán Baron Manfred von Richthofen, se hizo famoso por derribar 80 aviones aliados antes que fuera matado.

- **Tanques** Los ejércitos británicos y franceses fueron los primeros en usar estos vehículos lentos, torpes y tractoriles. Generalmente no eran confiables durante la Primera Guerra Mundial, pero revolucionaron las operaciones militares en la siguiente guerra. Se usaban principalmente para proteger a las tropas que avanzaban, de balas y bombas.

¿Por qué fue la Primera Guerra Mundial la guerra más destructiva de la historia?

No sólo eran más destructivas las nuevas armas, sino que también hubo más armas en la Primera Guerra Mundial que en cualquier otra guerra. La Revolución Industrial a mediados de los 1800 había introducido nuevas técnicas de producción masiva que doblaron y triplicaron la cantidad de productos que una fábrica podía hacer. Los sistemas de producción masiva aumentaron mucho el número de fusiles, cañones, proyectiles de mortero y aviones, por eso la gran mortandad de esa guerra.

- Las nuevas armas se producían con avanzadas tecnologías mecánicas en modernas fábricas. Estas nuevas armas se introdujeron en la Primera Guerra Mundial y causaron más destrucción de lo que las armas habían producido en guerras anteriores. Cambiaron la naturaleza de las operaciones militares.

- Las estrategias y la táctica militares, o sea las maneras en las que se pelean las guerras, no habían cambiado de modo significante en los cien años antes de la Primera Guerra Mundial, pero las armas sí cambiaron. Las tácticas anticuadas no eran propias para estas armas. Cuando las tropas atacaban a campo abierto, como lo habían hecho bajo Napoleón, sin protección contra las nuevas armas, las pérdidas eran horripilantes. Centenares de miles de hombres morían en una sola batalla.

PREGUNTAS DE REPASO

Instrucciones: Escriba el número 1 para cada arma introducida antes de la Primera Guerra Mundial, 2 para cada arma introducida durante la Primera Guerra Mundial, o 3 para cada arma introducida después de la Primera Guerra Mundial.

____ **1.** aviones

____ **2.** misiles nucleares

____ **3.** tanques

____ **4.** ametralladoras

____ **5.** gas venenoso

____ **6.** cañones

____ **7.** helicópteros

____ **8.** Esta nueva tecnología militar asfixiaba y cegaba a sus víctimas.
   a. tanques
   b. aviones
   c. gas venenoso
   d. ametralladoras

____ **9.** Las peleas entre aviones adversarios se conocen como
   a. refriegas aéreas
   b. guerra de trinchera
   c. tierra de nadie
   d. estancamientos/empates

____ **10.** ¿Cuál de estos desarrollos hizo la Primera Guerra Mundial la guerra más destructiva de la historia?
   a. nuevas tecnologías de armas
   b. técnicas de producción masiva
   c. estrategias militares obsoletas
   d. todos

Nombre _____ Clase _____ Fecha _____

Los Estados Unidos se deslizan hacia la guerra

¿Cómo reaccionaron los estadounidenses al estallido de la guerra en Europa?

La mayoría de los norteamericanos creían que Estados Unidos no debía meterse en la guerra de Europa. Deseaban permanecer neutrales y no favorecer a ningún lado del conflicto. Muchos norteamericanos pensaban que la guerra se luchaba por el beneficio de los países europeos. No querían entrometerse en lo que les parecía ser problemas de otro continente. El Presidente Woodrow Wilson confirmó esta política cuando aconsejó que Estados Unidos actuara con "justicia y amistad" hacia todas la naciones en guerra. Estados Unidos siguió comerciando alimentos y otras provisiones con los Aliados y las Fuerzas Centrales.

¿Porqué enojaron a los norteamericanos las políticas navales británicas y alemanas?

- Gran Bretaña les puso un bloqueo naval a los Fuerzas Centrales y prohibió todo comercio con los enemigos de Bretaña. Bretaña hasta impidió que muchos bienes llegaran a países neutrales como Noruega y Suecia porque desde allí podrían embarcarse a Alemania. Estas políticas impedían que Estados Unidos comerciara con la mayoría de Europa.

- Ya que la armada de la Gran Bretaña era mucho más grande y más poderosa que la de Alemania, Alemania usaba sus submarinos. Estos submarinos atacaban a barcos británicos en la superficie sin advertencia y también atacaban a naves norteamericanas que comerciaban con las Fuerzas Aliadas.

¿Cómo reaccionaron los norteamericanos al hundimiento de la *Lusitania*?

Cuando submarinos alemanes hundieron muchos barcos sin advertencia, el Presidente Wilson les dijo a los alemanes que serían responsables por toda muerte que se norteamericana. El 7 de mayo de 1915, un submarino aleman hundió el transatlántico de lujo británico *Lusitania*. Aproximadamente 1,200 personas murieron, entre ellas 128 estadounidenses. Alemania alegó que el barco llevaba ilegalmente armas desde Estados Unidos a Gran Bretaña. Estados Unidos negó este argumento, aunque más tarde se comprobó que era cierto. Después del ataque muchos estadounidenses creyeron que Estados Unidos debía entrar a la guerra, pero el Presidente Wilson insistió en que los alemanes pidieran perdón, pagaran los daños y prometieran no volver a atacar a barcos de pasajeros. Otros barcos de pasajeros, incluyendo el *Sussex,* fueron atacados por submarinos alemanes antes que Alemania por fin prometiera dejar de hundir barcos de pasajeros o de comercio, sin advertencia. Esta promesa llegó a conocerse como el Pacto *Sussex.*

¿Qué incidentes hicieron que Estados Unidos entrara en la guerra?

Wilson ganó por pocos votos la elección presidencial de 1916 utilizando el lema "Nos mantuvo fuera de la Guerra." No obstante, en 1917, poco después que Wilson trató de persuadir a los países europeos que depusieran sus armas y declararan una "paz sin victoria," Estados Unidos se enteró de la nota Zimmerman. Esta fue una carta escrita por el ministro de asuntos extranjeros de Alemania, Arthur Zimmerman, la cual proponía una alianza entre Alemania y México. México atacaría a Estados Unidos y recuperaría territorios perdidos a Estados Unidos en 1848. El público estadounidense se indignó. Cuando Alemania volvió a hundir barcos neutrales, Wilson rompió las relaciones diplomáticas con Alemania y le mandó salir de Estados Unidos al embajador alemán. El 2 de abril de 1917, Wilson le pidió al Congreso que declarara la guerra porque "hay que asegurar el mundo para la democracia."

PREGUNTAS DE REPASO

Instrucciones: Conteste cada pregunta usando el espacio.

____1. ¿Qué opinaba la mayoría de los estadounidenses de la Primera Guerra Mundial cuando empezó?
   a. No creía que Estados Unidos debiera continuar su comercio con los países europeos.
   b. Creía que Estados Unidos debía luchar.
   c. Creía que Estados Unidos debía permanecer neutral.

____2. ¿Cuál de los países siguientes fue neutral durante la Primera Guerra Mundial?
   a. Gran Bretaña
   b. Francia
   c. Noruega

____3. ¿Cuál fue el lema de Woodrow Wilson durante su campaña de reelección en 1916?
   a. "Paz sin victoria"
   b. "Nos mantuvo fuera de la Guerra."
   c. "Hay que asegurar al mundo para la democracia"

____4. ¿Qué barco se hundió el 7 de mayo de 1915, después que un submarino alemán lo torpedeó?
   a. el *Lusitania*
   b. el *Zimmerman*
   c. el *Sussex*

____5. ¿Cómo se llama la carta escrita por el ministro de asuntos extranjeros de Alemania que propusa una alianza militar con México contra Estados Unidos?
   a. el fax Wilson
   b. la nota Zimmerman
   c. el Pacto *Sussex*

Los Estados Unidos Entran en la Guerra

¿Por qué pasó Estados Unidos la Ley de Reclutamiento, y qué pensaron de ella los estadounidenses?

Cuando el Congreso declaró la guerra contra las Fuerzas Centrales en 1917, muchos hombres estaban dispuestos a luchar en la guerra. Estos voluntarios estuvieron entre los primeros soldados norteamericanos en ir a Europa, pero todavía se necesitaron más hombres.

• Puesto que no había suficientes voluntarios para formar el planeado ejército de un millón de hombres, el Congreso pasó la Ley de Reclutamiento de 1917. La Ley de Reclutamiento era una ley de conscripción que requería que todo hombre entre la edad de 21 y 30 años (lo que luego fue entre 18 y 45) se registrara ante un consejo de conscripción local. El consejo de conscripción decidía qué hombres servirían en las fuerzas armadas. De los 24 millones de hombres que se registraron para la conscripción, 4.8 millones sirvieron durante la guerra. Más de la mitad de los soldados norteamericanos en la guerra fueron conscriptos.

• Aunque el Servicio de Reclutamiento enrolaba a hombres de todas raza las razas, los soldados eran divididos por raza. Muchos africano americanos esperaban que sirviendo su país recibirían un mejor trato al volver.

• Aunque muchos hombres fueron voluntariamente a luchar en Europa, otros resistieron la conscripción y se negaron a luchar. Algunos se negaron a luchar por sus creencias religiosas, mientras que otros veían la conscripción como una intrusión en sus libertades civiles.

¿Qué trabajos desempeñaron las mujeres durante la guerra?

Auque no se reclutaba a las mujeres, muchas sirvieron en la guerra como enfermeras, oficinistas, operadoras de conmutadores, y conductoras de ambulancia. Unas 25,000 mujeres norteamericanas sirvieron en Europa. Aun más trabajaron voluntariamente en hospitales y con organizaciones como la Cruz Roja.

¿Qué efecto tuvieron las tropas norteamericanas en la guerra?

Los norteamericanos empezaron a llegar en Francia durante el verano de 1917 como parte de la Fuerza Expedicionaria Norteamericana (conocida como la AEF) bajo el mando del General John J. Pershing. Los primeros soldados estadounidenses en llegar, se asombraron con las condiciones horrorizantes en Europa.

• En enero de 1918 Rusia se retiró de la guerra y también cedió enormes terrenos de Ucrania a Alemania. Como resultado, Alemania concentró la mayoría de sus tropas en el frente occidental y usó los ricos trigales ucranios para dar de comer a sus ciudadanos y soldados. Los alemanes inmediatamente lanzaron una ofensiva masiva contra la sección del frente occidental más cerca de París. Las tropas alemanas avanzaron hasta el pueblo francés de

Chateau-Thierry, al nordeste de París. En junio de 1918 las tropas norteamericanas entraron en la lucha en el frente occidental y ayudaron a parar el avance alemán. Más norteamericanos llegaron a las líneas del frente cada día.

- Los soldados estadounidenses vieron su lucha más mortal en la Batalla del Bosque Argonne durante septiembre de 1918. Con las tropas francesas, empujaron al ejército alemán para atrás, por la región Argonne hacia la frontera con Bélgica. En noviembre las fuerzas americanas traspasaron las defensas alemanas avanzando hacia Sedan, una ciudad cerca de la frontera bélgica. Por fin, el 11 de noviembre de 1918, Alemania se rindió y firmó un armisticio, o sea suspensión del fuego.

¿Cuál fue el efecto de la guerra en la AEF?

En menos de un año y medio, murieron unos 112,000 soldados norteamericanos. Más de 200,000 otros fueron heridos. Aunque Estados Unidos sufrió menos bajas que los otros países que luchaban, los norteamericanos sufrieron terribles pérdidas durante los últimos meses de la guerra cuando se dio la lucha más feroz.

PREGUNTAS DE REPASO

Instrucciones: Ponga *V* para declaraciones verídicas y *F* para falsas.

___1. Más de la mitad de los soldados norteamericanos que sirvieron en la guerra eran voluntarios.

___2. No se les permitió a los africano americanos luchar en la guerra.

___3. Rusia se retiró de la guerra en 1918.

___4. En la Batalla del Bosque Argonne lucharon principalmente tropas británicas y francesas.

___5. No se reclutaba a las mujeres, pero sirvieron en la guerra en posiciones no combativas.

___6. Alemania se benefició mucho del retiro de Rusia del conflicto.

___7. El ejército de las Fuerzas Aliadas se llamaba la Fuerza Expedicionaria Norteamericana.

___8. Alemania firmó un armisticio en noviembre de 1918.

Nombre _____ Clase _____ Fecha _____

La guerra aerea

¿Qué papel hizo el avión en la Primera Guerra Mundial?

Al principio de la guerra, mucha gente creyó que el ataque por zepelín o dirigible sería el mayor peligro que los amenazaría desde el aire. Sin embargo, los aviones se fueron usando cada vez más a medida que continuaba la guerra. Se usaban con frecuencia para descubrir al enemigo y comunicar sus posiciones a la artillería de la tierra. Pocos aviones llevaban bombas, pero muchos aviones llevaban ametralladoras. Estos aviones atacaban a tropas enemigas en tierra detrás de las líneas de combate o disparaban a aviones enemigos en el aire. Las batallas entre aviones se llamaban refriegas aéreas. Algunos aviones llevaban bombas, pero los más de los aviones eran demasiado ligeros para llevar muchos de los pesados proyectiles de mortero.

¿Quiénes fueron las primeras personas en volar estos aviones?

Mientras que la mayoría de los soldados en la guerra se quedaban en el anonimato ante el público, las acciones de los pilotos atraían mucha atención. Los aviones todavía eran una invención nueva. La imagen de los hombres que arriesgaban la vida en el combate aéreo captó la imaginación del público. Se elevó a los pilotos al estatus de héroes.

• Los pilotos estadounidenses que derribaran cinco aviones o más eran conocidos como "ases." El as norteamericano más famoso fue el capitán Edward "Eddie" Rickenbacker. A Rickenbacker se le otorgó una Medalla de Honor después de derribar 26 aviones alemanes.

• Las otras naciones que luchaban también tenían sus propios héroes aéreos. Al francés Paul-René Fonck se le acreditaba haber derribado 75 aviones del enemigo. Edward Mannock de Gran Bretaña derribó 73. El as alemán más famoso fue el Baron Manfred von Richthofen. Motejado el "Baron Rojo" por el color de su avión, Richthofen afirmó haber derribado 80 aviones antes que lo mataran en combate.

PREGUNTAS DE REPASO

Instrucciones: Conteste cada pregunta en el espacio.

1. ¿Cómo se usaron principalmente los aviones en la Primera Guerra Mundial?

_____

_____

_____

2. ¿Qué tenía que hacer un piloto para ser considerado un "as"?

_____

_____

_____

3. ¿Por qué atraían tanta atención los pilotos, mientras que los soldados en la tierra atraían relativamente poca?

_____

_____

_____

4. ¿Quién fue el piloto alemán más famoso? ¿y el piloto norteamericano más famoso? ¿Qué hicieron estos hombres?

_____

_____

_____

La experiencia de las trincheras

¿Cómo era la vida en las trincheras de la Primera Guerra Mundial?

- Hileras de trincheras se extendían desde el Mar del Norte hasta Suiza. Diseñadas para proteger a los soldados de las balas y los proyectiles de la artillería del enemigo, las trincheras eran incómodas y peligrosas. Eran húmedas, fangosas y parecían tumbas. A medida que la guerra continuaba, las trincheras se fueron convirtiendo en un complejo laberinto de pasadizos y cadáveres.

- Las condiciones afuera de las trincheras eran aun peores que las de dentro. Los dos lados construían laberintos de alambre de púas para proteger sus posiciones de ataques, del enemigo. Bombas explotaban en el aire, y balas volaban encima en todo momento del día y de la noche. Más allá del alambre de púas había un área llamada tierra de nadie. Esta área estaba deshabitada por los dos lados y con el bombardeo repetitivo, llegó a parecerse a la superficie de la luna. Ningún ser viviente podía sobrevivir en la tierra de nadie.

¿Cómo era una batalla típica en la Primera Guerra Mundial?

- Primero, la artillería del lado que atacaba disparaba proyectiles de mortero hacia las trincheras enemigas por horas, esperando matar al mayor número posible de soldados. Después, los soldados que atacaban salían de las trincheras y se lanzaban hacia la posición de los enemigos con sus rifles armados con bayonetas.

- El lado que defendía disparaba sus proyectiles de artillería a las tropas que se acercaban. Los soldados que los proyectiles de mortero no mataban, probablemente serían balaceados por las ametralladoras y fusiles de los soldados en las trincheras.

- Este método de guerra resultó en enormes batallas por unas cuantas acres de tierra. Centenares de miles de soldados murieron en estas batallas sacando muy poco provecho militar.

¿Cómo cambiaron las nuevas armas y estilos de luchar la manera como la guerra se peleó?

Antes de la Primera Guerra Mundial, los ejércitos enemigos se enfrentaban en campo abierto donde se podían ver. Un lado vencía al otro con la fuerza de su ejército o sus armas superiores. La batalla terminaba con un triunfador obvio.

- En la Primera Guerra Mundial, los avances tecnológicos en las armas hicieron obsoletas las antiguas estrategias de batalla. Ametralladoras, gas venenoso, tanques y aviones se usaron por primera vez. La potencia y la precisión de la artillería habían mejorado mejoraron mucho. Los generales que dirigían la guerra no estaban preparados para este estilo nuevo de batalla. Los soldados no podían luchar a campo raso ni dejarse ver porque cualquier avance por un ejército era contestado con un mortal bombardeo. Para avanzar, el ejército que atacaba tenía que bombardear al enemigo por horas, o aun días, antes de cargar corriendo "por encima ("over the top")."

- Además, la Revolución Industrial había hecho posible que las naciones fabricaban enormes cantidades de armas en poco tiempo. Las armas se producían más rápido que nunca.

- Los avances tecnológicos en el transporte facilitaron que las naciones organizaran, reuníeran y enviabaran enormes ejércitos de hombres a la batalla.

PREGUNTAS DE REPASO

Instrucciones: Indique el orden de los acontecimientos durante una batalla típica de la Primera Guerra Mundial, poniendo *A* para el primer acontecimiento, *B* para el segundo y *C* para el último.

_____**1.** Los soldados se lanzaban a la posición del enemigo con sus rifles armados de bayoneta.

_____**2.** El lado que atacaba bombardeaba al otro lado con proyectiles de mortero.

_____**3.** Se disparaban fusiles y ametralladoras a las tropas que atacaban.

Ponga *V* para una declaración verídica y *F* para una falsa.

_____**4.** Las naciones que luchaban tenían poderosas armas nuevas, pero no tenían cómo producir grandes cantidades de ellas.

_____**5.** Reunir y organizar a las tropas costó más tiempo en la Primera Guerra Mundial que en cualquier guerra anterior.

_____**6.** Un empate o estancamiento ocurre cuando ningún lado puede pelear más y se declara una tregua.

_____**7.** Las líneas de trincheras se extendían centenares de millas.

La Guerra transforma la economia

¿Cómo cambió manera de hacer negocio y de fabricar bienes durante la Primera Guerra Mundial?

La guerra produjo muchos cambios en la operación de las empresas y las industrias en los Estados Unidos. Para equipar y entrenar a un ejército tan grande, el Presidente Wilson impuso varios controles en la industria. Estos controles se diseñaron para que distintas empresas funcionaran juntas con más eficacia.

- Primero el gobierno se apoderó de todos los ferrocarriles de la nación. Propiedad de varias empresas particulares, los ferrocarriles eran esenciales para transportar bienes de diferentes partes del país para usar en la guerra. El secretario de hacienda, William G. McAdoo, dirigió los ferrocarriles.

- El Consejo de Industrias de Guerra, encabezado por el corredor de bolsa millonario, Bernard Baruch, fue diseñado para dirigir la producción y distribución de bienes fabricados que Estados Unidos necesitaba para luchar en la guerra. El Consejo decidía qué productos se debían hacer y dónde conseguirlos. El consejo también fijaba los precios a veces.

- El Instituto de Alimentos, dirigido por Herbert Hoover, se diseñó para aumentar la producción de comida y disminuir el consumo de ella. Gran Bretaña dependía mucho del trigo estadounidense, y el Instituto de Alimentos aseguraba que los comestibles llegaran al pueblo británico. Hoover animaba a todos los norteamericanos a comer menos y a conservar los recursos, y ponía en claro que se esperaba que todos los norteamericanos siguieran voluntariamente las reglas, lo cual la mayoría hizo.

¿Qué efecto tuvo la guerra en los norteamericanos que se quedaron en Estados Unidos?

La guerra trajo mucho cambios a la fuerza de trabajo norteamericana. Muchos hombres dejaron trabajos de fábrica para luchar en Europa. Como resultado, hubo muchos puestos disponibles, que pagaban muy bien.

- La Junta Laboral Nacional de la Guerra se estableció para resolver disputas entre patrones y obreros. Era importante que los trabajadores no declararan huelga durante la guerra, ya que esto disminuiría la producción y amenazaría el esfuerzo bélico. El resultado fue que se trató a los sindicatos obreros con más respeto durante la guerra. El sindicato obrero más poderoso de la época, la Federación Estadounidense de Obreros, tenía más de 5 millones de miembros en 1920, el doble de su número de miembros 5 años antes.

- En la Gran Migración, medio millón de africano americanos se trasladaron del Sur a las ciudades del Norte entre 1914 y 1919, motivados por la promesa de trabajos que pagaban bien en las fábricas norteñas.

- Las mujeres encontraron trabajo en muchos oficios no tradicionales, como camioneras, mecánicas de automóviles, albañiles y trabajadoras en la industria metalúrgica. Unas 1.5 millones de mujeres trabajaron en puestos industriales.

- Muchos inmigrantes mexicanos vinieron a vivir en el suroeste de Estados Unidos, haciéndose agricultores, obreros y mineros. Otros inmigrantes mexicanos fueron al Norte para trabajar en las fábricas de guerra.

- La guerra produjo muchos desarrollos negativos también. Los precios de alimentos y el costo de la vida se doblaron, a los que se oponían a la guerra se les negó su derecho a la libertad de expresión, y surgieron tensiones raciales en oposición a la Gran Migración.

PREGUNTAS DE REPASO

Instrucciones: Escriba la letra de cada respuesta que conteste correctamente una pregunta. Todas las preguntas tienen más de una respuesta correcta.

____1. ¿Cuál de los siguientes describe las medidas que el Presidente Woodrow Wilson tomó para preparar a Estados Unidos para la guerra?
   a. Se mandó que todos los norteamericanos dejaran de comer trigo y carne.
   b. Se controló los precios de algunos bienes y servicios.
   c. El gobierno tomó el mando de los ferrocarriles de la nación.

____2. Algunos de los hombres que dirigieron dependencias gubernamentales durante la guerra incluyerona
   a. Herbert Hoover
   b. Woodrow Wilson
   c. Bernard Baruch

____3. La Junta de Industrias de Guerra desempeñó las siguientes funciones
   a. decidia qué productos se necesitaban para el esfuerzo bélico
   b. vigilaba que los norteamericanos no comieran demasiado trigo
   c. establecieron algunos controles de precios

____4. El Instituto de Alimentos
   a. lo dirigió Herbert Hoover
   b. controlaba estrictamente la cantidad de comida que los norteamericanos consumían
   c. hacía sugerencias respecto a la cantidad de alimentos que los americanos debían consumir

____5. Los sindicatos obreros como la Federación Estadounidense de Obreros
   a. no podían declarar huelgas durante la guerra
   b. lograron importancia y poder durante la guerra
   c. aumentaron su número de socios entre 1915 y 1920

Nombre _____ Clase _____ Fecha _____

El Tratado de Versalles

¿Qué eran los Catorce Puntos de Wilson?

Firmado el armisticio, se intentó crear una paz duradera y segura. El Presidente Wilson estaba a la vanguardia en estos intentos, y resumió su visión en sus Catorce Puntos, los que reflejaban las esperanzas de millones de personas. Presentó sus ideas a los líderes del mundo en la Conferencia de Paz de Versalles.

• El primero de los Catorce Puntos exigía que el tratado de paz final no contuviera ningúna cláusula secreta. Wilson creía que cualquier acuerdo secreto podía socavar el proceso de paz.

• Otro punto trataba con el futuro de las posesiones coloniales de las naciones que habian luchado. Otros puntos demandaban la libertad marítima, el desarme y la reducción de tarifas protectivas nacionales.

• Otros puntos tenían que ver con las futuras fronteras europeas. Wilson pensaba que la gente de cada región debía tener el derecho de decidir a qué nación pertenecía.

• El punto final de Wilson era el más importante y también el más controversial. Demandaba la creación de una organización internacional, o una "asociación de naciones." El propósito de esta organización sería garantizar la paz y seguridad para toda nación, grande o pequeña.

¿Cuáles fueron los resultados de la Conferencia de Paz de Versalles?

La Conferencia de Paz de Versalles fue en enero de 1919. Todos los representantes de las naciones Aliadas se reunieron en el Palacio de Versalles para escribir un tratado de paz formal.

• Wilson enfrentó fuerte oposición a muchos de sus puntos por parte de los líderes de las otras naciones Aliadas. Los Primeros ministros David Lloyd George, de Gran Bretaña; Georges Clemenceau, de Francia; y Vittorio Orlando, de Italia, todos se oponían a muchas de las demandas de Wilson. Se interesaban más por los avances económicos y territoriales en los cuales se había acordado secretamente durante la guerra.

• Clemenceau estaba muy en contra de la idea de Wilson de una "paz sin victoria." Más de un millón de soldados franceses habían muerto en el conflicto, y el norte de Francia estaba destruido. Clemenceau quería que Alemania pagara su agresión.

• Forzaron a Alemania a pagar el costo entero de la guerra. Más tarde se calculó este costo en $33 mil millones, mucho más de lo que Alemania podía pagar.

¿Cuántos de los Catorce Puntos de Wilson se incluyeron en el tratado final?

La versión final del Tratado de Versalles incorporó algunas de las metas de Wilson.

• El principio de la autodeterminación resultó en la creación de las nuevas naciones de Polonia y Checoslovaquia. Más europeos vivían ahora bajo la bandera que preferían.

- Las disputas entre las naciones que eran miembros se resolverían diplomáticamente. Las naciones que desobedecieran las decisiones de la Liga serían castigadas a través de sanciones económicas o fuerza militar.

- El Tratado de Versalles incluía lo que para Wilson era su objetivo más importante: una Liga de Naciones para tratar problemas que surgieran después de finalizar el tratado.

¿Por qué Estados Unidos nunca firmó el Tratado de Versalles?

- En 1918, los Republicanos ganaron el control de las dos cámaras del Congreso. Estaban enojados de que Wilson no incluyera a ningún Republicano en la delegación de paz. Los Republicanos eran esenciales a la ratificación del tratado porque se necesitaba una mayoría de dos tercios del Senado.

- Mientras que algunos Republicanos y casi todos los Demócratas apoyaban la Liga, otros opinaban que la Liga forzaría a Estados Unidos a participar en guerras en las cuales no tenía interés y que les quitaría el poder constitucional que tenían de declarar la guerra.

- Otros Republicanos favorecían el unirse a la Liga si se hacían ciertas modificaciones. Los moderados demandaban cambios relativamente pequeños, mientras que los que radicales, dirigidos por el Senador Henry Cabot Lodge, exigían cambios mucho más grandes. Las modificaciones Lodge incluían un cambio al tratado que declarara que no se podía enviar a tropas norteamericanas a pelear sin la aprobación del Congreso.

- El Presidente Wilson se negó a aceptar cualquier modificación al tratado. Si Wilson hubiera aceptado las Modificaciones Lodge, probablemente el tratado se habría unido y Estados Unidos se habría unido a la Liga de Naciones. Primero, Wilson les pidió a los Demócratas que votaran en contra del tratado con las Modificaciones Lodge, y no fue aprobado. Luego fue puesto a voto sin modificación alguna y la propuesta fue derrotada por los Republicanos. Se puso a voto por última vez en 1920, con algunas modificaciones y no fue aprobado. Nunca se volvió a votor en la ratificación del tratado.

PREGUNTAS DE REPASO

Instrucciones: Ponga *V* para una declaración verídica y *F* para una falsa.

____**1.** El Presidente Wilson enfrentó fuerte oposición a sus Catorce Puntos en Versalles.

____**2.** El primero de los Catorce Puntos demandaba el establecimiento de una Liga de Naciones.

____**3.** Los senadores demócratas estaban muy en contra de la Liga de Naciones.

____**4.** La autodeterminación se refiere al derecho de un pueblo a decidir a qué nación pertenece.

____**5.** El Tratado de Versalles le exigía reparaciones bajas a Alemania.

____**6.** Muchos Senadores desconfiaban de la Liga de Naciones porque temían que pudiera forzar a Estados Unidos a entrar en una guerra en la cual no quisiera luchar.

CAPÍTULO

Problemas de la posguerra

¿Qué problemas surgían mientras Estados Unidos cambiaba de una economía de guerra a una de paz después de la Primera Guerra Mundial?

Al terminar la guerra, Estados Unidos tuvo que volver a una economía de paz. Esto creó problemas para la industria.

- Ahora que los contratos gubernamentales para provisiones de guerra se cancelaban, muchas fábricas industriales cortaban la producción y despedían a sus obreros. Las mujeres que se habían puesto a trabajar para reemplazar a los hombres que servían en el ejército sufrieron más que nadie.

- Cuando los más de 4 millones de soldados volvieron, muchos tuvieron dificultades en hallar trabajo o en volver a conseguir sus antiguos trabajos.

- Los obreros que consiguieron trabajo hallaron que con sus sueldos compraban menos porque el costo de la vida subía.

Los obreros protestaron los despidos y las bajas de pago, y surgieron huelgas por los Estados Unidos desde Boston a Seattle.

¿Quiénes eran los comunistas y qué querían?

Muchos americanos creían que los comunistas que querían derrocar al gobierno de los Estado Unidos causaban muchos de los problemas obreros de la posguerra. En Rusia un grupo pequeño de comunistas llamados Bolsheviques se había apoderado violentamente del gobierno en 1917. Los comunistas creían en derrocar los sistemas económicos capitalistas y en abolir la posesión de la propiedad particular. Los comunistas apelaban a los obreros en esperanzas de inspirarlos a rebelarse contra los gobiernos establecidos.

¿Quiénes eran los anarquistas y qué querían?

Los anarquistas querían abolir todo gobierno y, al igual que los comunistas, trataban de apelar a los obreros y compartir su causa. Algunos anarquistas usaban bombas para crear disturbios y cambios políticos.
   En 1918 y 1919, una serie de huelgas y bombardoes tuvieron lugar en los Estados Unidos, y muchos americanos culpaban a los Rojos, lo que quería decir los comunistas, anarquistas y socialistas. Un gran temor a los Rojos se difundió por todo el país.

¿Qué eran las invasiones sorpresa Palmer?

Las invasiones sorpresa Palmer eran una serie de ataques de la policía contra las oficinas centrales de varios grupos radicales en el verano de 1919. Se hicieron las invasiones como una reacción al Temor Rojo. A. Mitchell Palmer, el fiscal general del Presidente Wilson, estaba seguro de que había un complot comunista para derrocar al gobierno. Mandó a agentes federales, con frecuencia sin órdenes legales, para inspeccionar los centros de operaciones de los grupos radicales y detener a comunistas sospechosos y a anarquistas. Muchos líderes comunistas y anarquistas estuvieron presos varias semanas sin cargos formales. Otros fueron deportados.

¿Quiénes eran Sacco y Vanzetti?

Nicola Sacco y Bartolomeo Vanzetti eran anarquistas detenidos bajo acusación de matar a dos hombres en un robo en South Braintree, Massachusetts. Los dos eran inmigrantes italianos y ninguno dominaba el inglés. Para algunos americanos la evidencia contra Sacco y Vanzetti no era conclusiva. Muchos estaban convencidos que los dos hombres fueron condenados por ser italianos y anarquistas. Después de siete años de procedimientos legales los dos fueron ejecutados. El proceso atrajo la atención mundial.

Para más información, véase la lectura Labor en los 1920 Más de la Historia y la lectura Ultima Declaración de Vanzetti en el CD ROM *Explorando el pasado de los Estados Unidos.*

PREGUNTAS DE REPASO

Instrucciones: Ponga *V* para una oración verídica y *F* para una falsa. Corrija la palabra o frase subrayada de las declaraciones falsas en el espacio.

____1. Los soldados americanos que volvieron de Europa después de la Primera Guerra Mundial <u>hallaron trabajo fácilmente</u> en una cambiante economía estadounidense.

_____

____2. En noviembre de 1917 un grupo pequeño de <u>comunistas llamados Bolsheviques</u> derrocaron al gobierno y tomaron el poder en Rusia.

_____

____3. Algunas personas creían que Sacco y Vanzetti fueron <u>erróneamente acusados de robo</u> y asesinato y erróneamente condenados.

_____

____4. El <u>ministro de defensa</u> de Woodrow Wilson estaba a cargo de dirigir invasiones sorpresa en policíacas centros sospechosos de operaciones de anarquistas y comunistas después de una serie de bombardeos en ciudades americanas.

_____

____5. Muchos de los obreros que perdieron sus trabajos después de la Primera Guerra Mundial eran <u>mujeres</u>.

_____

La política en los años de la década de 1920

¿Quién propuso la Liga de Naciones, y por qué no se unió a ella Estados Unidos?

Woodrow Wilson, un demócrata, sirvió como presidente de Estados Unidos de 1913 a 1921. El había guiado a la nación a través de la Primera Guerra Mundial y propuso la Liga de Naciones. Pero para su gran desilusión, Estados Unidos decidió no unirse a la Liga. La decisión de no juntarse a la Liga se debía en parte al deseo de muchos americanos de volver a un estado de aislamiento de eventos internacionales y de no meterse en asuntos europeos. La xenofobia, o sea el miedo y la falta de confianza a los extranjeros, pudo haber hecho un papel en esta decisión.

¿Quiénes fueron candidatos en la elección de 1920, y cómo eran la plataformas de los partidos?

Los demócratas nominaron a James Cox, el gobernador de Ohio, para presidente y a Franklin D. Roosevelt, un primo lejano de Theodore Roosevelt, para vicepresidente. Su plataforma exigía que Estados Unidos se juntara a la Liga de Naciones. Los republicanos también nombraron a un hombre de Ohio, el senador Warren G. Harding, para presidente. Nombraron a Calvin Coolidge, de Vermont, para vicepresidente. Harding no tomó una posición clara en cuanto a si Estados Unidos debía juntarse a la Liga. En cambio urgía que los americanos se concentraran en problemas domésticos y no los de ultramar. Ganó fácilmente la elección.

¿Cómo era Harding como presidente?

Harding era un hombre bonachón que nombró a algunas personas deshonestas o incompetentes para posiciones gubernamentales. Un grupo de sus viejos amigos y compañeros, conocido como la Pandilla de Ohio, usó sus conexiones gubernamentales para su propio beneficio. El Ministro del Interior, Albert Hall, fue encarcelado por alquilar tierra que pertenecía al gobierno a compañías petroleras a cambio de sobornos. Sus acciones llegaron a conocerse como el escándalo de Teapot Dome, un conocido caso de corrupción gubernamental. Harding murió en 1923, antes de que los peores escándalos se revelaran.

¿Quién sucedió a Harding, y cómo era como presidente?

El vicepresidente de Harding, Calvin Coolidge, se hizo cargo del gobierno después de la muerte de Harding. Coolidge no tenía nada que ver con los escándalos. Era lo opuesto de Harding— honrado, frugal, eficaz y silencioso. Su actitud seria hizo difícil que los demócratas se aprovecharán de los escándalos de Harding. En 1924 Coolidge presentó su candidatura para presidente y venció a Alfred Smith.

¿Quién ganó la elección de 1928?

Durante su administración, el Presidente Coolidge había restado importancia a la intranquilidad social del país y a las industrias "enfermas." En 1928 la nación parecía próspera, feliz y más productiva que nunca. Aunque Coolidge decidió no ser candidato presidencial otra vez, a los republicanos se les acreditaban los buenos tiempos de América.

Los republicanos nominaron a Herbert Hoover, el Ministro de Comercio y un ingeniero. El era un protestante, quien favorecía la prohibición y era de una vieja familia americana. Los demócratas nominaron a Alfred Smith, quien era el gobernador de Nueva York, que estaba asociado con la políticas de la "ciudad grande." El era católico, se oponía a la prohibición, y era de una familia inmigrante. Hoover ganó fácilmente. A muchos residentes de áreas rurales les caía mal Smith por sus conexiones con la ciudad y por ser católico. Por lo general, no obstante, la mayoría de los americanos habían llegado a creer que los republicanos eran el partido del progreso económico y de la prosperidad continua.

¿Cuál era la política extranjera de los 1920?

Aunque el pueblo estadounidense quería quedar aislado después de la Primera Guerra Mundial, Estados Unidos se había convertido en un importante poder político, militar y económico. Estados Unidos estaba ligado con Europa porque las naciones europeas le debían más de $ diez mil millones a Estados Unidos por empréstitos de guerra. Los tres Presidentes de los años de la decada 1920—Harding, Coolidge y Hoover—mantenían sus conexiones con Europa por razones financieras. También les preocupaba la creciente fuerza del Japón. El Presidente Harding dio una conferencia para líderes mundiales en Washington, D.C. para negociar la competencia internacional por armas navales. En 1922, Francia, Gran Bretaña, Japón, Italia y Estados Unidos firmaron el Tratado Naval de las Cinco Potencias, el cual limitaba el tamaño de las armadas.

PREGUNTAS DE REPASO

Instrucciones: Ponga *V* para una declaración verídica y *F* para una falsa. Corrija la palabra o frase subrayada en las declaraciones falsas en el espacio abajo.

____1. Después de la Primera Guerra Mundial, Estados Unidos <u>se unió a la Liga de Naciones</u>.

____2. El peor escándalo de la administración <u>Coolidge</u> fue el escándalo Teapot Dome.

____3. Después de la Primera Guerra Mundial Estados Unidos era un <u>importante poder político, económico y militar</u>.

____4. <u>Calvin Coolidge, Herbert Hoover y Warren Harding</u> eran presidentes durante los años de 1920.

____5. Los candidatos para presidente de los Estados Unidos en 1920 eran de <u>Michigan</u>.

____6. El Tratado Naval de las Cinco Potencias en 1922 fue firmado por Francia, Gran Bretaña, Italia y <u>Alemania</u>.

CAPÍTULO

9 El crecimiento comercial en los años de la década de 1920

¿Qué políticas de los presidentes Warren Harding y Calvin Coolidge ayudaron a las empresas a crecer?

Los republicanos creían que las tarifas altas para productos fabricados en el extranjero permitían aumentar sus precios y darle ventaja a los productos estadounidenses. Bajaron los impuestos para la gente de modo que los consumidores tenían más dinero para comprar productos. Redujeron la deuda nacional, lo que redujo la tasa de interés para préstamos y facilitó el establecer o expandir empresas. Todas estas medidas aumentaron la capacidad de los estadounidenses de comprar productos a precios bajos, lo cual fomentó la rápida expansión del comercio estadounidense.

¿Qué tipos de negocios crecieron rápidamente?

La economía estadounidense medró con industrias nuevas y establecidas.

- Ciertas industrias establecidas antes de la Primera Guerra Mundial, tales como el teléfono y la electricidad, se expandieron rápidamente. La electricidad se convirtió en una fuente importante de energía para la industria, y la mayoría de los hogares americanos tenía electricidad para 1930. Una gran industria de aparatos eléctricos se desarrolló, vendiendo electrodomésticos modernos como refrigeradores, aspiradoras y lavadoras.

- Las industrias nuevas también prosperaron. Las fábricas químicas comenzaron a producir más sintéticos, o sea materiales artificiales, los cuales se usaban para hacer rayón para medias y celofán para el empaquetamiento. En los años de 1920 los consumidores hallaban disponibles nuevos productos producidos en forma masiva, incluyendo cámaras, relojes de pulsera y utensilios de cocina.

¿Qué segmentos de la economía no prosperaron?

- No obstante una economía americana generalmente saludable durante los años de la década de 1920, varias áreas quedaron débiles. Industrias viejas enfrentaron competencia con productos nuevos y más avanzados. El carbón entró en competencia con el aceite, el gas natural y la electricidad. El algodón y la lana compitieron con nuevas telas sintéticas. Los obreros en las viejas industrias "enfermas" afrontaban el desempleo.

- Los agricultores americanos no se beneficiaron del auge económico de los años de la década de 1920. Prosperaron durante la Primera Guerra Mundial cuando proveían alimentos a Europa, pero después de la guerra, los agricultores europeos empezaron a cultivar comida para sus mercados locales. Muchos granjeros americanos miraban al gobierno estadounidense por asistencia, pero generalmente no tenían éxito en conseguir ayuda.

¿Cómo las cadenas de tiendas y el pago a plazos, cambiaron los modos en que los consumidores compraban productos?

- El crecimiento rápido de cadenas de tiendas, tales como F.W. Woolworth, Piggly Wiggly y J.C. Penney, reunieron muchos productos bajo un solo techo, con precios más bajos. Para 1929 los estadounidenses compraban aproximadamente un 25 por ciento de su comida, ropa y provisiones en cadenas de tiendas.

- De 1920 a 1929, el dinero que se gastó comprando productos a plazos aumentó cinco veces, y llegó a $6 billones al año. En 1929 las compras a plazos eran de 90 por ciento de las ventas de pianos, máquinas de coser y lavadoras; de más de 80 por ciento de ventas de aspiradoras, radios y refrigeradores; y de 70 por ciento de ventas de muebles. Las compras a plazos ayudaron a mantener en alto la demanda de productos y estimuló el crecimiento comercial a través de los años de 1920.

¿Qué producto revolucionó la sociedad americana y creó prosperidad económica?

El automóvil produjo cambios muy difundidos en la sociedad americana y estimuló la expansión de industrias necesarias para su fabricación.

- Las fábricas de goma, acero, pintura y vidrio aumentaron su producción. La nueva demanda de gasolina empujó el desarrollo de la industria refinadora de aceite.
- La industria automovilística creó miles de trabajos nuevos en la ingeniería y la construcción a medida que la construcción de caminos medró. Aparecieron moteles, gasolineras y restaurantes al lado de las carreteras para servir a los automovilistas.
- El coche le cambió la forma de vida a la gente. Ahora se podía vivir más lejos de las ciudades, en suburbios, y manejar para el centro todos los días. Se podía viajar más lejos y más rápido, lo que significaba que se podía visitar lugares lejanos.

¿Por qué es Henry Ford una figura importante en la historia del automóvil?

Ford desarrolló el proceso de la producción masiva, la cual permitía que los carros se fabricaran de manera más rápida, eficaz y barata. Ford usó una línea de montaje para producir el Modelo T, popularmente llamado el "Tin Lizzie," en 1908, y el Modelo A, el cual era más grande, en 1927. Otras empresas automovilísticas, como General Motors y Chrysler, imitaron los métodos de producción de Ford, pero Ford fue el primer fabricante en poner la posesión de un coche al alcance del americano promedio.

PREGUNTAS DE REPASO

Instrucciones: Conteste las preguntas en el espacio.

1. ¿Cómo ayudaron a las empresas a crecer las políticas republicanas?

2. ¿Cómo cambiaron el modo en que los consumidores compraban productos las cadenas de tiendas y el pago a plazos?

3. ¿Cómo fomentó la expansión comercial el automóvil?

CAPÍTULO

9

La propaganda comercial

¿Cómo ayudó la propaganda a las empresas a crecer en los años de la década de 1920?

El aumento de compras de productos de consumidores en los años de la década de 1920 se puede atribuir directamente a la propaganda. En 1929 las corporaciones americanas gastaron unos $1.8 billones anunciando sus productos, y el negocio de publicidad empleaba a unas 600.000 personas. Algunas empresas, como las de la radio y los periódicos, dependían enteramente de la propaganda para sus ingresos. Millones de familias tenían radio, y sólo en 1929 se vendieron más de 4 millones de radios. Los anunciadores gastaron mucho dinero tratando de comunicarse con estos consumidores. Las compañías que hacían detergentes se hicieron famosas por las nuevas radionovelas, o "soap operas," que patrocinaban.

¿Cómo se hizo más compleja y eficaz la propaganda durante los años de la década de 1920?

En los años de la década de 1920 emergieron nuevas técnicas de publicidad como los planes estratégicos y el público deseado. Un plan estratégico identificaba qué ventas o metas comerciales una compañía quería alcanzar, trazaba un plan cuidadoso y detallado para lograrlas, y preparaba una estrategia o propaganda para vender los productos. Los planes publicitarios se basaban en identificar qué grupos eran los mejores clientes en potencia para un producto e idear estrategias de propaganda para interesar a este grupo deseado. Los anunciadores también escogían el medio de comunicación—periódicos, radio, revistas y más— para llegar a su público deseado. Una tendencia nueva en la propaganda de los años de la década de 1920 fue el creciente uso de la psicología para planear estrategias que afectaban las emociones que motivaban a la gente a comprar.

¿Qué estrategias usaban los anunciantes comúnmente para vender productos en los años de la década de 1920?

Las estrategias eran los distintos tipos de atracciones que los anunciadores usaban para motivar al público a comprar ciertos productos.

• La estrategia de la "auto-superación" sugería que el cliente deseado tenía debilidades que el producto anunciado podía mejorar. Los productos para los cuales se utilizaba esta estrategia incluían la pasta dental, el tónico para cabello, el jabón y hasta aditivos para el automóvil.

• La estrategia del "esnobismo" tentaba al cliente deseado a comprar cierto producto porque estaba de moda. El perfume y los coches de lujo eran sólo dos de los muchos productos que podían usar esta estrategia. Con frecuencia esta forma de propaganda se anunciaba con alguna persona célebre que cantaba las alabanzas del producto.

PREGUNTAS DE REPASO

Instrucciones: Conteste las preguntas en el espacio.

1. ¿Cómo ayudó a las empresas a crecer la propaganda?

   _____

   _____

   _____

2. ¿Cómo se cambió la propaganda en los años de la década de 1920?

   _____

   _____

   _____

3. ¿Cuáles eran las tres estrategias que los anunciadores usaban más comúnmente para vender productos?

   _____

   _____

   _____

La decada estruendosa

9

¿Qué nuevas formas de entretenimiento se popularizaron en los 1920?

Las películas, la radio y los deportes de todo tipo gozaron de una popularidad enorme en los años de la década de 1920. Con el auge de la economía americana, la gente tenía más dinero para gastar y más tiempo libre.

   Para 1922, 40 millones de personas iban al cine cada semana, y para 1930, 100 millones iban. Las estrellas de películas y de deportes se hacían celebridades nacionales. La gente imitaba su manera de vestirse, de peinarse el cabello y de hablar, lo que afectó la moda. Además, surgió una forma nueva de música que se llamaba jazz. Emergió de los "blues"—la música que reflejaba las duras vidas de muchos africo-americanos. Bessie Smith se conocía como la "Emperatriz de los blues," mientras que W.C. Handy era el "padre de los blues." Su canción "St. Louis Blues" todavía se toca con frecuencia.

¿Por qué los años de la década de 1920 a veces se llaman la Edad del Jazz?

Los africo-americanos, principalmente en Nueva Orleans, crearon el jazz de la música blues a fines de los años de 1800, y en los años de 1920 el jazz llegó a simbolizar el espíritu de la década. Era la música a la cual muchos americanos bailaban y escuchaban. Los músicos de jazz frecuentemente improvisaban mientras tocaban. Tomaban un tema o idea musical y lo tocaban subiendo y bajando las escalas musicales. Los oyentes sentían este sentido de libertad, y la música jazz llegó a ser un símbolo poderoso para los estadounidenses jóvenes que querían romper con las tradiciones y las reglas. Músicos angloamericanos también tocaban el jazz, por eso en su propia manera el jazz se convirtió en una fuerza para romper barreras raciales, tanto entre los músicos como entre los oyentes. Muchos de los primeros músicos africo-americanos de jazz tenían poco o ningún entrenamiento formal en música, pero eran músicos excelentes. Louis "Satchmo" Armstrong era uno de los músicos de jazz más famosos de la época. Ganó la fama como trompetista, cantante y embajador de buena voluntad a otros países.

¿Qué cambio técnico importante tuvo lugar en la industria de películas en los años de la década de 1920?

Hasta fines de la década de 1920 las películas no tenían sonido. En los cines donde se ponían las películas mudas, pianistas tocaban música de tono apropiado para acompañar la acción en la pantalla. En 1927 se produjo la primera "talkie," o sea la primera película con sonido. *The Jazz Singer* (El cantante de jazz), en la cual la estrella era Al Jolson, introdujo una nueva era. El próximo año Walt Disney hizo la primera película de dibujos animados con sonido, *Steamboat Willie* (Memito del buque de vapor), y le presentó a Mickey Mouse al público.

¿Cómo cambiaron las tradiciones y costumbres respecto al comportamiento de las mujeres en la década de 1920?

Como la libertad se expresaba en la música de la época, de igual modo algunas mujeres comenzaron a vestirse y comportarse de maneras que expresaban una libertad nueva. Las jóvenes en especial parecían estar determinadas a librarse de ideas y reglas restrictivas y anticuadas. Conocidas como "flappers," estas mujeres se deshicieron de sus incómodos corsés y gruesas enaguas. Los cambiaron por faldas cortas y ropa suelta, se hicieron cortar el cabello, y se pusieron maquillaje.

PREGUNTAS DE REPASO

Instrucciones: Conteste las preguntas en el espacio.

1. ¿Qué nueva forma musical simbolizó los 1920 y por qué?

2. ¿Qué tecnología nueva cambió las películas y cómo?

3. ¿Cómo se cambió el comportamiento de algunas mujeres en los años de la década de 1920?

Nombre _____ Clase _____ Fecha _____

CAPÍTULO

La Literatura de los años de la década de 1920

¿Qué fue la Generación Perdida?

La Generación Perdida, así llamada por la escritora Gertrude Stein, fue un grupo de escritores americanos horrorizados por la mortalidad y la destrucción que la Primera Guerra Mundial había producido. Muchos de estos escritores habían servido durante la guerra. Después de la guerra se perdieron la fe en los tradicionales valores americanos y en los ideales progresistas de reforma que habían sido tan importantes antes de la guerra. Con frecuencia sus obras expresaban la vista de que el mundo posguerra parecía poco profundo y materialista, con poco aprecio de los valores artísticos o espirituales. Algunos escritores, como Ernest Hemingway y F. Scott Fitzgerald, decidieron dejar Estados Unidos y vivir en Europa.

¿Qué fue el Renacimiento de Harlem?

El Renacimiento de Harlem fue el florecer artístico de la cultura afro-americana que duró desde fines de la Primera Guerra Mundial hasta comienzos de la Gran Depresión. Harlem, en la Ciudad de Nueva York, era la comunidad urbana de afro-americanos más grande de Estados Unidos. Era un lugar donde los afro-americanos se podían expresar libremente. A través de las obras de escritores tales como Richard Wright, Langston Hughes, Claude McKay y Zora Neale Hurston, los afro americanos se establecieron una identidad nueva. Se declararon orgullosos de ser afro-americanos y celebraron una cultura y herencia únicas. Esta cultura era tan vital y emocionante que muchos miembros de la clase media angloamericana iban a Harlem para gozar de las obras de sus escritores, artistas y músicos.

¿Qué otras formas de arte se crearon en los años de la década de 1920?

En los años de la década de 1920 los artistas mexicanos Diego Rivera, Clemente Orozco y otros pintaban murales grandes. Los muralistas usaban colores de tierra sobre yeso mojado y retrataban temas políticos y sociales. Estas formas de arte eran radicales para la época e inspiraban a muchos artistas norteamericanos a crear obras revolucionarias.

PREGUNTAS DE REPASO

Instrucciones: Ponga *V* para una declaración verídica y *F* para una falsa. Corrija la palabra o frase subrayada de las oraciones falsas en el espacio.

_____**1.** Algunos escritores dejaron Estados Unidos después de la Primera Guerra Mundial para vivir en Europa.

_____

_____**2.** La Generación Perdida era optimista en cuanto al futuro de Estados Unidos por su victoria en la Primera Guerra Mundial.

_____

_____**3.** <u>Sólo a los africo-americanos</u> les interesaban la literatura, arte y música del Renacimiento de Harlem.

_____**4.** Los artistas del Renacimiento de Harlem celebraban la cultura <u>europea</u>.

_____**5.** El trabajo de los muralistas mexicanos <u>inspiraba</u> a artistas que vivían en Norteamérica.

CAPÍTULO

9 Cuestiones sociales en los años de la década de 1920

¿Cuáles fueron unas reacciones nativistas en los años de la década de 1920?

La conservadora reacción de posguerra contra los inmigrantes continuó a través de la década. Tanto el gobierno de Estados Unidos como ciudadanos particulares proseguían una política nativista.

- Estados Unidos estaba comprometido a mantener una política de aislamiento depués de la Primera Guerra Mundial. Muchos ciudadanos también creían en "América para americanos." Se quejaban de que inmigrantes que hablaban diferentes lenguas, que no asistían a las iglesias establecidas, y que eran demasiado distintos para jamás hacerse "buenos" americanos se apoderaban de las ciudades del norte. El Congreso pasó la Ley de Cuotas en 1921 para limitar el número de inmigrantes por nacionalidad. Esto redujo el número de inmigrantes de Europa del Sur y del Este. Tres años después el Congreso aprobó la Ley de Inmigración de 1924, la cual era una ley de cuotas aún más severa.
- El Ku Klux Klan experimentó una revitalización en los años de la década de 1920. Entre los años 1920 y 1923, el número de miembros del Klan creció de 5,000 a varios millones. El Klan siguió atacando a africo-americanos pero también empezó a atacar a judíos, católicos e inmigrantes nuevos. Culpaban a estos grupos de los problemas de América. El nuevo Klan tenía influencia en la política y hasta ganó el control de varias legislaturas estatales.

¿Cuál fue la importancia del juicio de Scopes?

En los años de la década de 1920 los fundamentalistas religiosos creían que cada palabra de la Biblia era verdadera. Los fundamentalistas trataban de impedir la enseñanza de la evolución en las escuelas públicas porque la consideraban como contraria a las enseñanzas de la Biblia. Cuando Tennessee prohibió que se enseñara la evolución, mucha gente sentía que esta ley limitaba la libertad de palabra. El juicio Scopes en Dayton, Tennessee, probó la constitucionalidad de esta ley. La American Civil Liberties Union [Unión para las libertades civiles de América] prometió defender a cualquier maestro de Tennessee que desafiara esta ley, y pronto John Scopes fue detenido y procesado por enseñar la teoría de la evolución. Lo defendió el famoso abogado Clarence Darrow. Lo procesó el antiguo candidato presidencial William Jennings Bryan. En un juicio nacionalmente publicado, Darrow basaba su defensa en la ciencia moderna mientras que Bryan basaba su prosecución de Scopes en defender la verdad literal de la Biblia. Scopes fue condenado aunque la Corte Suprema de Tennessee pronto revocó la decisión. El juicio de Scopes mostró las crecientes divisiones entre la sociedad tradicional y rural y la sociedad moderna y urbana.

¿Por qué se anuló la Prohibición?

La Enmienda Décimoctava, ratificada en 1919, prohibía la venta, fabricación o transporte del alcohol. Las leyes de prohibición eran difíciles de hacer se cumplir. La Prohibición dividía a la nación políticamente entre las fuerzas "secas" y "mojadas." Resultó en una disminución del beber, especialmente en las áreas rurales, pero en las ciudades los contrabandistas vendían licores ilegales que habían fabricado o pasado de contrabando al país. El contrabandismo fomentó el aumento en el crimen organizado ya que pandilleros como Al "Scarface" [Cara cicatrizada] Capone controlaban las ventas de alcohol. Sobornaban a los oficiales públicos para que se les permitiera vender su alcohol, y para fines de la década 1920 se habían difundido el crimen y la corrupción. Eventualmente, hasta gran parte de las fuerzas "secas" convenían en que la prohibición no era buena para el país. En 1933 la Enmienda Vigésimoprimera a la Constitución revocó la prohibición.

¿Cómo se cambió el papel de las mujeres en los años de la década 1920?

La Enmienda Décimonovena, aprobada en 1920, les dio el derecho de votar en las elecciones nacionales a las mujeres. Algunas mujeres ejercían su nueva libertad para luchar por causas como la prevención del trabajo infantil. Otras llamadas "flappers" gozaban de su libertad vistiéndose y comportándose de maneras distintas. Todavía, la sociedad esperaba que la mayoría de las mujeres se casaran y trabajaran en su hogar. Para las que trataban de ganarse la vida, las oportunidades estaban limitadas y el pago era bajo.

¿Cómo se cambiaron las vidas de los africo-americanos en los años de la década de 1920?

Los "Nuevos negros" de los años de la década de 1920 estaban nuevamente determinados a construir una vida mejor para sí mismos y para sus hijos. Su orgullo nació de éxitos como el Renacimiento de Harlem y el apoyo de organizaciones nuevas como la Asociación Nacional para el Avance del Pueblo Negro (conocida como la NAACP) en la lucha por derechos iguales. Después de la Primera Guerra Mundial muchos africo-americanos eran víctimas de violencia puesto que muchos veteranos volvían para hallar ocupados, a veces por africo-americanos, los puestos que habían tenido. Organizaciones como la bi-racial NAACP respondían rápidamente a la violencia y defendían bajo la ley los derechos de los africo americanos. Miles de africo-americanos del Sur se trasladaron para el Norte durante los 1920 en busca de oportunidades de empleo y menos discriminación. Formaron comunidades nuevas en las ciudades grandes. También hallaron algunos de los mismos problemas de prejuicio y dificultades económicas que habían experimentado en el Sur. Muchos africano-americanos creían que el progreso hacia la igualdad racial avanzaba demasiado lentamente.

PREGUNTAS DE REPASO

Instrucciones: Conteste las preguntas en el espacio.

1. ¿Cuáles eran unos grupos que se resistían al cambio en los años de la década de 1920, y por qué?

2. ¿Cómo se cambió el papel de las mujeres en los años de la década de 1920?

3. ¿Qué querían los "Nuevos negros"? ¿Lo consiguieron?

Nombre _____ Clase _____ Fecha _____

10

Causas de la Depresión

¿Por qué era importante comprar acciones al margen —comprar acciones con dinero prestado— en la crisis económica de 1929?

Durante el alza del precio de la bolsa en los años de la década de 1920, con mucha gente comprando y los precios de la bolsa en alza, mucha gente pensó que invertir en acciones era una buena forma de enriquecerse rápidamente. Los inversionistas tenían facilidades para comprar acciones pidiendo prestado y pagando pequeños reembolsos por ese dinero. Cuando el precio de las acciones subió, los inversionistas las vendieron, pagaron el préstamo al banco, y mantuvieron el resto del dinero como ganancia. La gente pensó que el alza de precios en el mercado de valores nunca terminaría, pero el 24 de octubre de 1929, miles de inversionistas decidieron vender sus acciones, y nadie quería comprarlas; sin nadie que quisiera comprar las acciones, éstas se volvieron inútiles. Los inversionistas que habían comprado acciones al margen no podían venderlas y reembolsar sus préstamos a los bancos. Los bancos también habían comprado acciones, así es que ellos también se quedaron con acciones que no tenían valor alguno.

¿Cuál fue el efecto de la crisis del mercado de valores en la economía estadounidense?

La crisis de la bolsa tuvo efectos bastante grandes en la economía estadounidense. Los inversionistas perdieron su dinero, los bancos y los negocios cerraron, la gente perdió sus trabajos, y la nación entró en una Gran Depresión.

• Los inversionistas se encontraron con enormes deudas. Algunos bancos perdieron dinero, y otros cerraron debido a que los inversionistas en quiebra no pudieron reembolsar sus préstamos. Debido a estos préstamos no pagados, los bancos no tenían dinero en efectivo para entregar a la gente, que se apresuró a retirar sus ahorros, lo que causó aún una mayor crisis bancaria.

• Cuando los bancos quebraron, muchos estadounidenses perdieron sus ahorros. Otros se encontraron con deudas después de la crisis de la bolsa. De esta forma, los consumidores tenían poco dinero para gastar en productos, y pasaron penurias para poder reembolsar el dinero que debían por la compra de esos productos, a través de pago a plazos.

• La demanda era baja y los negocios perdieron dinero, vendían menos productos y no tenían dinero disponible para invertir, las compañías tuvieron que recortar su producción y despedir a los trabajadores.

¿Cuáles fueron algunos de los problemas económicos que contribuyeron a ocasionar la Gran Depresión de los años de la década de 1920?

• Los negocios producían más mercancías en los años de la década de 1920, pero la gente no tenía dinero para pagar por ellas. Para seguir vendiendo sus mercancías, los negocios decidieron ampliar sus créditos a muchos consumidores.

HRW material copyrighted under notice appearing earlier in this work.

- Los agricultores habían aumentado su producción debido a la Primera Guerra Mundial, pero después de la guerra, la demanda mundial de productos agrícolas bajó. Los agricultores cultivaban más productos tratando de ganar más dinero, pero el aumento de la oferta sin un incremento en la demanda, hizo que los precios bajaran aún más. Con los bajos precios y bajas ganancias, los agricultores no podían pagar por sus tierras y ni su maquinaria.

¿Qué tipo de ayuda existió en los primeros años de la Gran Depresión?

La gente trató de obtener ayuda del gobierno estatal y local, las iglesias, y agencias privadas. Los amigos y parientes también proporcionaron alguna ayuda. La ayuda vino en la forma de comida y ropa de las instituciones de caridad, comidas gratis de los comedores de beneficiencia y asistencia pública, y resguardo nocturno en las casas de hospedaje. A menudo los pobres pedían dinero y vivían en chozas hechas de cartón y pedazos de madera. Las campamentos con estas chozas fueron llamados Hoovervilles, debido a que la gente culpaba al Presidente Hoover por las pobres condiciones económicas.

¿Qué quería el Ejército Bonificado (Bonus Army), y por qué fue importante?

El gobierno federal había prometido pagar en 1945, un bono a los veteranos de la Primera Guerra Mundial, por sus servicios en la Primera Guerra Mundial. El Ejército Bonificado, formado por los veteranos de guerra, quería recibir su bono con anticipación. Cerca de 10,000 veteranos y sus familias hicieron una marcha a Washington, D.C. en mayo de 1932, y establecieron un campamento en la capital y protestaron. La Policía y las unidades del ejército fueron llamadas por Hoover para disolver la manifestación, donde resultaron tres muertos. El público estadounidense estaba escandalizado por el brutal tratamiento a los veteranos de guerra y culpó a Hoover por no poner atención a la miseria de la gente.

PREGUNTAS DE REPASO

Instrucciones: Marca con una C si la oración es verdadera, y F si es falsa.

_____1. Los bancos que prestaron dinero a los negocios e inversionistas quebraron cuando los prestatarios no pudieron reembolsar sus préstamos.

_____2. La gente no tenía miedo de mantener sus ahorros en el banco, antes de la Gran Depresión.

_____3. El hecho de que la gente tuviera más dinero para comprar productos en los años de la década de 1930, ayudó a mantener los negocios abiertos, a pesar de la crisis de la bolsa.

_____4. Las políticas de Hoover para terminar la Gran Depresión, inspiraron gran confianza y esperanza.

_____5. Los campamentos de gente que se quedó sin hogar a causa de la depresión, fueron llamados "Hooverville".

_____6. El Ejército Bonificado, estaba formado por los veteranos de la Primera Guerra Mundial y sus familias, que querían su bono de guerra en 1932, en vez de 1945 como se les había prometido.

Programas del Nuevo Tratado (New Deal)

¿Cuán similares o diferentes fueron las respuestas de Roosevelt y Hoover a la Gran Depresión?

Las respuestas de Roosevelt y Hoover ante la Gran Depresión fueron similares en la siguiente forma:

- Ambos trataron de inspirar confianza en la economía a través de enunciados públicos optimistas.
- Ambos reconocieron las fallas en el sistema bancario y trataron de evitar la quiebra de los bancos.
- Ambos reconocieron el problema de la sobre-producción agrícola. Ellos trataron de solucionar la crisis agrícola haciendo que los agricultores cultivaran cosechas más pequeñas y cooperaran entre ellos para establecer los precios.
- Ambos presidentes aprobaron proyectos de obras públicas como una forma de proporcionar trabajo a los desempleados y estimular la economía.
- A ambos les disgustaba la idea de gastar dinero federal y creían que un presupuesto balanceado era necesario para recuperar la economía.

Las respuestas de Roosevelt y Hoover fueron diferentes en la siguiente forma:

- Roosevelt pagó ayuda federal directa a los necesitados, mientras que Hoover pensaba que la ayuda federal directa iba a desanimar a la gente y dañar el "carácter nacional."
- Roosevelt aprobó muchas más obras públicas que Hoover.
- Roosevelt usó el poder del gobierno federal para apoyar a los negocios y al mercado de valores, mientras que Hoover no creía que el gobierno debía involucrarse en esas áreas.
- Roosevelt restauró la confianza en el sistema bancario, al crear la Corporación se Seguro del Depósito Federal (Federal Deposit Insurance Corporation), que aseguraba los depósitos superiores a los $5,000 dólares.
- Muchos de los esfuerzos de Roosevelt estuvieron dirigidos a ayudar a los desempleados y pobres, mientras que los esfuerzos de Hoover sólo trataban de estimular la actividad financiera.
- Aliviar el sufrimiento y encaminarse a la recuperación, fueron prioridad para Roosevelt, mientras que Hoover estaba preocupado por presevar el "carácter nacional" y dejar al círculo financiero que siguiera su curso.

¿Cuáles fueron algunos de los nuevos programas y agencias que estableció el Nuevo Tratado?

- La Administración de Alivio Federal de Emergencia (Federal Emergency Relief Administration) (FERA), En 1933 FERA distribuyó $500 millones de dinero federal, entre las organizaciones estatales para el alivio directo de los desempleados.
- La Administración de Obras Civiles (Civil Works Administration) (CWA), En 1933 la CWA creó trabajos para más de cuatro millones de personas desempleadas.
- El Cuerpo Civil de Conservación (Civilian Conservation Corps) (CCC), Para 1935, el CCC puso a trabajar a 500,000 jóvenes desempleados entre las edades de 18 a 25 años, en varios proyectos de conservación de la naturaleza.
- La Ley Nacional de Recuperación Industrial (National Industrial Recovery Act) (NIRA), La

NIRA supendió las leyes de antimonopolios y permitió a los fabricantes cooperar entre ellos para establecer los precios. La NIRA estableció la Public Works Administration (La Administración de Obras Públicas), y la National Recovery Administrarion (Administración de Recuperación Nacional). La Corte Suprema determinó que IRA era inconstitucional en 1935.

- La Ley de Ajuste Agrícola (Agricultural Adjustment Act) (AAA), En 1933 la AAA autorizó al gobierno a pagar a los agricultores para cultivar cosechas más pequeñas para así parar la sobre-producción crear escasez, y poder elevar los precios de los productos agrícolas. La Corte Suprema encontró inconstitucional a la AAA en 1935.
- La Autoridad del Valle de Tennessee (Tennesse Valley Authority) (TVA), Empezó en 1933 en el área del Valle de Tennessee, la TVA fue creada para proporcionar energía eléctrica, prevenir las inundaciones, y enseñar el cultivo científico. Proporcionó empleos, estimuló los negocios, y ayudó a elevar el bajo nivel de vida en la región.
- La Corporación de Seguro del Depósito Federal (Federal Deposit Insurance Corporation) (FDIC), Al asegurar los depósitos superiores a los $5,000 dólares, el FDIC animó a la gente a poner su dinero en los bancos, lo que permitía a los bancos tener dinero para préstamos.
- La Ley de Valores Federales (Federal Securities Act), Esta ley regulaba la bolsa de valores para evitar que ésta causara futuras depresiones. Obligaba a las compañías a publicar el valor financiero de sus acciones, y a hacer que estas compañías fueran responsables si no presentaban información correcta a sus inversionistas.
- La Ley del Seguro Social (Social Security Act), En 1935 el Congreso aprobó esta ley, y estableció el sistema de pensiones para los ancianos, para los incapacitados, y el seguro de desempleo, que se pagaban a través de impuestos especiales.
- La Administración de Obras en Progreso (Works Progress Administration) (WPA), La WPA fue creada en 1935 para proporcionar empleo después de que la CWA finalizara en 1934. La WPA gastó más de $5 billones de dólares en proyectos de obras y empleó a millones de hombres y mujeres como constructores, oficinistas, profesores, escritores, y artistas.
- La Ley Nacional de Relaciones Laborales (Ley Wagner) (National Labor Act) (Wagner Act), Aprobada en 1935, esta ley garantizaba el derecho de los trabajadores de organizar sindicatos y negociar colectivamente mejores salarios y condiciones de trabajo.

PREGUNTAS DE REPASO

Instrucciones: Contesta cada pregunta en el espacio proporcionado.

1. ¿Cuáles fueron dos de los métodos que ambos Hoover y Roosevelt utilizaron para tratar de terminar la depresión? Nombra tres formas diferentes de cómo ellos respondieron a la depresión.

2. ¿Cuáles fueron seis de los programas del Nuevo Tratado, y qué éstos hicieron?

El estilo de Roosevelt

¿Qué contratiempos personales y políticos experimentó Franklin Roosevelt antes de su juramento como Presidente en 1933?

Franklin Delano Roosevelt, un primo lejano del presidente Theodore Roosevelt, se postuló como vice presidente en la lista de candidatos demócratas de 1920. Él y el candidato presidencial James Cox perdieron la elección contra Warrin G. Harding y Calvin Coolidge. En 1921 Roosevelt casi muere de polio, que lo dejó con las piernas paralizadas. Con el apoyo de su esposa Eleanor, se recuperó y retornó a la política en 1928. Roosevelt tuvo que llevar refuerzos en las piernas, y sólo podía dar unos pasos, afortunadamente la prensa cooperó para no hacer esto público. Roosevelt fue elegido gobernador de Nueva York en 1928 y 1930. En 1932, se postuló para presidente. A pesar de sus propias dificultades médicas, Roosevelt siempre presentó una imagen alegre y de confianza, que dio esperanzas a los estadounidenses. Los votantes estaban impresionados con sus energías y deseo de tomar acciones para resolver los problemas de la nación.

¿Quién fue Eleanor Roosevelt, y qué rol jugó en la política estadounidense?

Eleanor Roosevelt fue sobrina del presidente republicano Theodore Roosevelt y la esposa de Franklin Delano Roosevelt, un demócrata. Ella se convirtió en la portavoz de los derechos de las mujeres, de la protección al consumidor, y de las vidas de la clase trabajadora. Después de que su esposo juramentó, ella tomó parte activa en la administración presidencial. Como primera dama, viajó por todos los Estados Unidos, e insistió en nombrar a una activista afroamericana Mary McLeod Bethune a La Administración Nacional Juvenil (National Youth Administration), para corregir el racismo existente en la agencia. Cuando las Hijas de la Revolución Americana (Daughters of the American Revolution) se opusieron a que la cantante de ópera Marian Anderson se presentara en el Constitution Hall, porque era afroamericana, Sra. Roosevelt hizo los arreglos para que Anderson se presentara en el Lincoln Memorial. Ella ayudó a cambiar el rol de las primeras damas en las administraciones presidenciales, haciendo posible que ellas participen activamente. A través de la Sra. Roosevelt, la administración tuvo un interés directo en las causas de las minorías, la clase trabajadora y las mujeres.

¿Cómo Roosevelt restauró la confianza pública en los bancos, y qué efectos tuvo esto en la depresión?

La gente deposita su dinero en los bancos debido a que confían en que los bancos lo van a guardar seguro. Los bancos usan los depósitos de dinero para hacer inversiones y préstamos. Si muchos negocios cierran y quiebran, los bancos pierden el dinero prestado, y algunas veces quiebran. Cuando los bancos individuales comenzaron a cerrar, como ocurrió en la crisis económica de 1929, muchos depositador retiraron su dinero. Entre la pérdida por préstamos no pagados y el retiro de los depósitos, el sistema bancario colapsó casi completamente durante la depresión.

• Roosevelt necesitaba restaurar la confianza en el sistema bancario. Ordenó un "feriado bancario" y cerró todos los bancos de la nación para poder así desarrollar un plan para proteger los ahorros del público. Sólo los bancos que los inspectores federales habían certificado como fuertes, pudieron reabrir. Para asegurar a los estadounidenses que su dinero estaba seguro en los bancos reabiertos, Roosevelt dio su primera "conversación hogareña" en la radio, explicando el propósito del día feriado bancario.

- El Congreso aprobó la Corporación de Seguro del Depósito Federal (Federal Deposit Insurance Corporation) (FDIC) en 1933, que aseguraba todos los depósitos superiores a los $5,000 dólares.

- Los clientes de los bancos depositaron más de un billón de dólares en bancos estadounidenses después de las acciones tomadas por Roosevelt en marzo de 1933. Restauró la confianza en los bancos, cortó el ritmo de quiebras bancarias, y salvó a la economía estadounidense de otros colapsos.

¿Qué eran las "conversiones hogareñas" y por qué fueron importantes?

El Presidente Roosevelt usó la tecnología moderna de la radio para hablar a la nación. En estas "conversaciones hogareñas," el discutió los problemas que afrontaba la nación, sus ideas para resolverlos, y dio sugerencias sobre lo que la gente podía hacer para ayudar. Estas presentaciones radiales fueron sintonizadas por muchos estadounidenses y ayudaron a hacer que el público conociera las ideas del presidente Roosevelt.

PREGUNTAS DE REPASO

Instrucciones: Contesta cada pregunta en el espacio proporcionado.

1. ¿Cómo pudo Roosevelt vencer dificultades personales y profesionales para convertirse en presidente?

2. ¿Cómo colaboró Eleanor Roosevelt para cambiar el rol de la primera dama?

3. ¿Cómo restauró Rooselvelt la confianza del público en los bancos?

4. ¿Qué eran las "conversaciones hogareñas"?

Los consejeros de Roosevelt

¿Qué hizo el "Brain Trust" en la Administración de Roosevelt?

El Brain Trust fue el sobrenombre que se les dio a los consejeros de Roosevelt. Eran expertos en diferentes áreas y habían trabajado con él cuando era gobernador en Nueva York. La mayoría de los miembros del Brain Trust eran profesores de centros universitarios, y tenían educación en derecho, economía, o trabajo Social. Algunos de los del Brain Trust fueron miembros oficiales del gabinete de Roosevelt, mientras que otros permanecieron como consejeros informales que ayudaron a escribir la legislación para el Nuevo Tratado.

¿Quiénes fueron algunos de los miembros del Brain Trust y cuáles fueron sus puestos?

- **Frances Perkins,** Perkins fue una reformadora social que trabajó para mejorar la vida de las familias de las clases trabajadoras. Fue la primera mujer en la nación miembro del gabinete y sirvió como secretaria del trabajo.

- **Harold Ickes,** Secretario del interior de Roosevelt, Ickes fue muy influyente en el desarrollo de una política de conservación.

- **Harry Hopkins,** Hopkins fue un trabajador social de Nueva York, quien encabezó el FERA y el WPA. Colaboró en poner a trabajar a la gente inmediatamente y en destinar dinero federal para aliviar el sufrimiento.

- **Mary McLeod Bethune,** La fundadora del Colegio Universitario Bethune-Cookman (Bethune-Cookman College), y el Consejo Nacional de Mujeres Negras (National Council of Negro Women), ella aconsejó a Eleanor Roosevelt sobre asuntos afroamericanos y sirvió como directora de Asuntos Negros en la Administración Nacional Juvenil (Negro Affairs of the National Youth Administration).

- **Robert C. Weaver,** Weaver fue un economista. Trabajó en el Departamento del Interior como investigador de la discriminacón racial, y como consejero en asuntos raciales en la Autoridad de Vivienda de los Estados Unidos (United States Housing Authority).

¿En qué forma el Nuevo Tratado cambió el rol económico del gobierno federal?

- En los años de la década de 1920 el gobierno federal tenía una política de no inmiscuirse en la economía. Durante el Nuevo Tratado, el gobierno jugó un rol activo tratando de terminar la Gran Depresión, y evitar futuras depresiones.

- La crisis ecónomica y bancaria mostró los peligros de dejar sin regulación a las instituciones financieras. Durante el Nuevo Tratado, el gobierno federal tomó responsabilidad por controlar las operaciones bancarias, asegurar los depósitos bancarios de la gente, y regular la venta de acciones.

- Después del Nuevo Tratado, el gobierno federal ya no confiaba más en el ciclo financiero y las fuerzas del mercado, para regular la economía. El gobierno tomó parte en la regulación de la producción, de las cosechas, y en la estimulación de la demanda. Proporcionó dinero para proyectos de obras públicas y dinero para ayudar a los necesitados.

¿Cambió el Nuevo Tratado el rol del gobierno federal en la vida de los estadounidenses?

- El Nuevo Tratado convirtió a los Estados Unidos en un estado de asistencia social limitada, o una nación con un sistema de agencias del gobierno que propociona a sus ciudadanos las necesidades sociales básicas, tales como cuidado de salud, seguro de desempleo, y pensiones de jubilación.

- El Nuevo Tratado garantizó el derecho de los trabajadores a tener un sindicato que negocie colectivamente por ellos. También ayudó a los pobres y desempleados a recuperarse con la ayuda de alivio y trabajo. Además, el Nuevo Tratado trató de elevar el nivel de vida de algunas de las regiones más pobres de la nación, a través de proyectos de fuentes de energía y conservación, como el TVA.

- Al crear nuevas agencias federales, el Nuevo Tratado expandió el poder del gobierno federal. Por primera vez el gobierno entró en las operaciones de organizaciones privadas y en las vidas de los individuos. El presidente ganó poder dentro del gobierno federal, ya que la urgencia de la crisis económica reclamaba una acción más rápida que la que el Congreso podía tomar.

PREGUNTAS DE REPASO

Instrucciones: En las preguntas 1-5, identifica dos hechos importantes realizados por los consejeros de la Administración Roosevelt. En la pregunta 6, define el término.

1. Frances Perkins _____

_____

2. Harold Ickes _____

_____

3. MaryMcLeod Bethune _____

_____

4. Harry Hopkins _____

_____

5. Robert C. Weaver _____

_____

6. estado de asistencia social _____

_____

El trabajo durante la Depresión

¿Cómo afectó la Gran Depresión a los trabajadores? ¿Cómo se organizó el trabajo durante la Gran Depresión?

Las fábricas despidieron millones de trabajadores en los años de la década de 1930 después de la gran crisis económica. Más del veinte por ciento de la población trabajadora de todos los niveles sociales estuvo desempleada en la primera parte de la década. La depresión causó el debilitamiento de los sindicatos, debido a que mucha gente estaba desesperada por trabajo y no podía arriesgarse a hacer huelgas y perder sus trabajos.

• La Federación Americana del Trabajo (American Federation of Labor) (AFL) organizó a los trabajadores calificados de acuerdo a sus áreas de especialización, tales como electricistas o albañiles, en vez de una clasificación de acuerdo a la industria en donde trabajaban, como acero, o automovilismo. La AFL se movió lentamente para sindicalizar a los trabajadores en estas industrias de producción en masa. Casi todas las organizaciones locales de la AFL no permitían miembros afroamericanos.

• John L. Lewis, líder de la AFL y sus seguidores, formaron el Comité para la Organización Industrial (Committee for Industrial Organization) (CIO) en 1935. El propósito de la CIO era organizar a los trabajadores industriales no organizados, mientras seguían formando parte de la AFL. Los sindicatos de la CIO incluían a todos los trabajadores de una industria, incluyendo a los afroamericanos, inmigrantes, y mujeres.

¿Por qué los trabajadores se iban a la huelga?

Las huelgas eran armas que los trabajadores usaban para forzar a sus patronos a escuchar sus demandas. Al irse a la huelga, los trabajadores disminuían o paralizaban la producción y causaban pérdidas comerciales a las compañías. Los trabajadores en los Estados Unidos usaban las huelgas como último recurso para forzar a las compañías a negociar con los sindicatos por mejoras salariales y mejores condiciones de trabajo.

¿Cómo la Ley Nacional de Relaciones Laborales (o Ley Wagner) cambió las relaciones entre los trabajadores y las compañías?

La Ley Nacional de Relaciones Laborales cambió las relaciones entre los trabajadores y las compañías, al garantizar a los trabajadores el derecho a agruparse en un sindicato. Las compañías entonces tenían que negociar con los sindicatos, llamada negociación colectiva, por mejoras salariales y mejores condiciones de trabajo. La Ley creó el Consejo Nacional de Relaciones Laborales (National Labor Relations Board), el cuál supervisaba las elecciones de los sindicatos en las fábricas. Los trabajadores una vez organizados en sindicatos de su propia elección, podían legalmente irse a la huelga para demandar de sus patronos, salarios más altos o mejores condiciones de trabajo. En sólo unos cuantos años, los trabajadores tuvieron éxito en sindicalizar la mayor parte de la industria estadounidense.

¿Cómo fue organizada la huelga por los Trabajadores Automovilistas Unidos (United Automobile Workers)?

Los trabajadores de la General Motors en Flint, se "sentaron"—en vez de caminar—, y ocuparon la fábrica. Vivieron en la planta durante las seis siguientes semanas así no permitiendo su operación. Otros trabajadores de la General Motors adoptaron la estrategia de "sentarse" y tomar otras plantas, no permitiendo ninguna acción para sacarlos. El 11 de febrero de 1937, la General Motors, cedió y concedió a los Trabajadores Automovilistas Unidos, la mayor parte de sus reclamos.

PREGUNTAS DE REPASO

Instrucciones: Contesta cada pregunta en el espacio proporcionado.

____1. La Ley Wagner es conocida también como
   a. La Ley Nacional de Recuperación Industrial.
   b. La Ley de Valores Federales.
   c. La Ley Nacional de Relaciones Laborales.

____2. Los trabajadores usaban la negociación colectiva para
   a. ganar mejores salarios y mejores condiciones de trabajo.
   b. obtener mejores precios en la tienda de la compañía.
   c. hacer demandas políticas a la administración Roosevelt.

____3. La mayoría de los trabajadores de producción en masa, se organizaron en sindicatos en los años de la década de 1930 debido a
   a. los esfuerzos de la AFL en los años de la década de 1920.
   b. la creciente influencia del Partido Comunista en los Estados Unidos.
   c. la creación del Comité para la Organización Industrial.

____4. Hasta 1935 la Federación Americana del Trabajo
   a. acogía a los afroamericanos en sus organizaciones locales.
   b. organizaba a los trabajadores de acuerdo a sus áreas de especialización.
   c. forzaba a los trabajadores a aceptar la sindicalización en sus plantas.

____5. John L. Lewis y sus seguidores crearon la CIO para
   a. competir con la Federación Americana del Trabajo.
   b. organizar en sindicatos a los trabajadores de producción en masa.
   c. apoyar la organización de los trabajadores de acuerdo a sus áreas de especialización.

____6. Los trabajadores Automovilistas Unidos, forzaron a la General Motors a
   a. boicotear la compra de acero extranjero.
   b. bajar el precio de los automóviles durante la depresión.
   c. aceptar al sindicato y la mayoría de sus reclamos.

10   La Depresión y la sociedad

¿Cuáles fueron algunos de los efectos de la Gran Depresión en la sociedad Norteamericana?

El desempleo y la reducción en el nivel de vida durante la Gran Depresión, afectó a todos los niveles de la sociedad. El tener que confiar en la caridad o el apoyo social hirió el orgullo de muchos estadounidenses quienes valoraban mucho su independencia y autosuficiencia. La depresión cambió en la forma que miraban al mundo millones de personas. Creó una generación con hábitos de hacer que cada centavo durara mucho.

• Las penas económicas de la depresión provocaron a menudo rupturas en las familias. Los esposos muchas veces tuvieron que mudarse a otras ciudades para buscar trabajo y no podían regresar por varios meses, o algunas veces nunca. Los niños hacían la mayor parte del trabajo de la casa, y algunos trabajos de medio tiempo para ayudar a sostener a la familia. En muchos casos, las mujeres se convirtieron en los jefes de familia.

• Aunque las mujeres tenían mejores oportunidades de trabajo durante la depresión, tuvieron que enfrentar discriminación en sus trabajos. Las mujeres casi siempre recibían un pago menor al de los hombres. Muchas mujeres casadas perdían sus trabajos cuando sus esposos encontraban uno, debido a que los patronos, incluyendo el gobierno, pensaban que las mujeres no debían trabajar.

• Las minorías estaban desempleadas con más frecuencia que otros grupos de trabajadores, porque usualmente eran las primeras en ser despedidas. Los programas del Nuevo Tratado hicieron muy poco para ayudar a las minorías, aunque otros, como el WPA, trataron de proporcionar un tratamiento igualitario.

• Muchos trabajadores agrícolas perdieron sus casas debido a la Gran Depresión. Las sequías y las tormentas de polvo a los comienzos de los años de la década de 1930 arruinaron el suelo en las Grandes Praderas (Great Plains), que fueron conocidas después como la Dust Bowl, lo que obligó a muchos agricultores de Oklahoma a mudarse. Algunas veces llamados "Okies", éstos se dirigieron a California y se convirtieron en trabajadores migrantes.

¿Cuál fue el impacto del Nuevo Tratado en los afroamericanos?

• El Nuevo Tratado dio menos apoyo a los afroamericanos, que al resto de los estadounidenses, ya que no recibieron partes iguales del dinero federal de alivio ni trabajos en las obras públicas. Los programas tales como el CCC y el TVA practicaron la segregación, mientras que otros, tales como el NRA pagaban a los afroamericanos menos salarios que a los blancos. La política agrícola del Nuevo Tratado, hizo daño, sin querer, a los agricultores afroamericanos arrendatarios de tierras y parceleros. Cuando el gobierno pagó a los dueños para disminuir la producción en las tierras agrícolas, los arrendatarios de tierras y los parceleros, perdieron sus casas y sus trabajos. De igual manera, la Ley del Seguro Social, no cubría muchos de los tipos de trabajos que los afroamericanos podían conseguir.

Muchos afroamericanos apoyaron al Nuevo Tratado aunque éste no les favorecía a ellos tanto como a otros. Muchos de los programas federales incluyeron a los africoamericanos en los sistemas de alivio, o trabajos de obras públicas, que muchos creían eran un signo de progreso. Muchos de los funcionarios del Nuevo Tratado, trataron a los afroamericanos con justicia y pelearon contra el racismo en sus agencias.

¿Cómo afectó el Nuevo Tratado a los Mexico-Americanos?

El Nuevo Pacto hizo muy poco para ayudar a los mexicoamericanos. Muchos mexicoamericanos vinieron a los Estados Unidos en los años de la década de 1920 a trabajar como trabajadores agrícolas. Después del colapso de la economía estadounidense, muchos de estos inmigrantes perdieron sus trabajos. Los funcionarios federales deportaron a miles de trabajadores mexicanos y a sus familias, ya que no querían proporcionarles la ayuda de alivio, aún cuando algunos de sus hijos habían nacidos en los Estados Unidos. A los mexicanos a menudo se les negaba trabajos públicos o se les pagaba salarios menores.

¿Cómo afectó el Nuevo Tratado a los indios estadounidenses?

El Nuevo Tratado mejoró la vida de los indios estadounidenses. Los indios norteamericanos sufrieron desempleo y condiciones de vida inhóspitas a lo largo de los años de la década de 1920, pero en 1934 fue aprobada la Ley de Reorganizacion India (Indian Reorganization Act) (IRA). Esta ley animaba al reestablecimiento de la vida en tribus y proporcionaba a los estadounidenses nativos mayor protección sobre sus propiedades y mejor control sobre sus comunidades locales y su cultura. El gobierno federal facilitó préstamos a negocios de estadounidenses nativos, y los hombres y mujeres indios, tuvieron nuevas oportunidades de educación y empleo. Las escuelas indias animaban el estudio de la cultura e historia de los estadounidenses nativos.

PREGUNTAS DE REPASO

Instrucciones: Marca una C si la oración es verdadera, y una F si es falsa. Además, en las oraciones falsas, corrija la palabra o frase subrayada, en la línea debajo.

____**1.** La Ley de Reorganización India <u>interrumpía</u> la vida en tribu de los estadounidenses nativos.

____**2.** La Dust Bowl describe a la región del <u>sudoeste</u> que sufrió sequías a comienzos de los años de la década de 1930.

____**3.** Las familias de agricultores de Oklahoma que se mudaron a California durante la depresión, a menudo conseguían un <u>empleo permanente.</u>

____**4.** Los funcionarios del gobierno federal <u>no</u> deportaron a los trabajadores mexicoamericanos.

____**5.** Muchos afroamericanos no recibieron <u>parte iguales</u> en los beneficios de alivio.

La cultura popular en los años de la década de 1930

¿Cuáles fueron algunas de las formas en las que la gente común trató de escapar de las condiciones económicas de los años de la década de 1930?

- Ir al cine era una actividad muy popular durante la depresión. Millones de estadounidenses iban al cine cada semana. El cine era una forma barata de olvidar las penas del mundo real, por unas pocas horas.

- La radio también proporcionaba distracción a la gente. Por el precio de una radio, los radio-escuchas tenían acceso en sus casas a entretenimiento gratis. Los programas semanales como *La Sombra y Stella Dallas* daban a los radio-escuchas algo de qué hablar y esperar durante la semana. Los programas radiales a menudo daban mensajes de esperanza del bien triunfando contra el mal.

- Las radios y los salones de baile usaban música popular para entretener a la gente durante la depresión. Los salones de baile tocaban "swing", una música estilo de jazz hecha popular por las grandes orquestas de Duke Ellington, Benny Goodman, Count Basie, y Glenn Miller. El baile y las competencias de danza eran actividades sociales muy populares en los años de la década de 1930.

¿Cuáles fueron algunas de las obras importantes de escritores y artistas que dieron a conocer la experiencia de la Gran Depresión?

- La novela de John Steinbeck "The Grapes of Wrath" *(Viñas de Ira),* es una de las mejores descripciones de la experiencia de la Depresión. Se trata de una familia de Oklahoma y su viaje de la Dust Bowl a los campos de migrantes en California, en busca de una mejor vida.

- Woody Guthrie fue un cantante de folklore quien también viajó de Dust Bowl a California. Él escribió canciones acerca de sus experiencias como un pobre migrante y sus observaciones sobre la injusticia social.

- Walker Evans fue un fotógrafo y James Agee fue un escritor. Ellos pasaron meses viajando y grabando imágenes, opiniones, y experiencias de pobres agricultores arrendatarios. Ellos publicaron sus fotografías y entrevistas en "Let Us Now Praise Famous Men" *(Ahora Permítanos Elogiar a los Hombres Famosos).*

- Dorothea Lange fue otra fotógrafa que viajó alrededor del país capturando caras e imágenes de estadounidenses cuyas vidas fueron destrozadas por la Depresión. Su fotografía más famosa, *Madre Migrante* (Migrant Mother), inspiró a los residentes de California a insistir que el gobierno auspiciara viviendas para los trabajadores de temporada.

¿Cuáles fueron los tipos de películas más populares en los años de la década de 1930?

Las comedias que tenían como protagonistas a los Hermanos Marx, Mae West, y W.C. Fields, fueron muy populares entre las audiencias de la era de la depresión, debido a que sus aventuras en la pantalla hacían reír a la gente. Las películas con ricos escenarios, tales como *Lo que el Viento se Llevó* (Gone With the Wind), y musicales que tenían como protagonistas a bailarines como Fred Astaire o Ginger Rogers, eran también los favoritos de la gente, debido a que contenían pocos recuerdos de los duros tiempos del mundo real.

¿Por qué la radio fue importante para mucha gente durante la Gran Depresión?

La radio proporcionaba a muchas familias una fuente barata de información y entretenimiento.

- El presidente Roosevelt transmitió sus "conversaciones hogareñas" a través de la radio. En esas conversaciones explicaba algunos de los problemas que afrontaba la nación, y sus planes para resolverlos.

- Gente como el Padre Charles Coughlin, usó las transmisiones nacionales de la radio para ganar apoyo popular para sus programas políticos y económicos y para atacar a sus oponentes.

- Los programas de radio tales como "The Shadow" *(La Sombra),* proporcionaban a la audiencia una nueva forma de entretenimiento, eran programas seriados que ofrecían historias que continuaban semana tras semana.

- Las transmisiones radiales que ofrecían música de Duke Ellington y Benny Goodman, mantenían bailando a los radio-escuchas, y ofrecieron a los estadounidenses una nueva forma de música, el jazz.

PREGUNTAS DE REPASO

Instrucciones: Haz coincidir los nombres o títulos con el libro o forma de entretenimiento que corresponda. Más de un nombre puede hacerse coincidir con cada libro o forma de entretenimiento.

a. Fred Astaire	____**1.** canciones folklóricas
b. Walker Evans	____**2.** programas de radio
c. *The Shadow* (La Sombra)	____**3.** musicales
d. James Agee	
e. Woody Guthrie	____**4.** comedias
f. *Stella Dallas*	____**5.** bandas de jazz
g. Duke Ellington	____**6.** *The Grapes of the Wrath* (Viñas de Ira)
h. Hermanos Marx	
i. Ginger Rogers	____**7.** *Let Us Now Praise Famous Men* (Permítannos Ahora Elogiar a los Hombres Famosos)
j. Mae West	
k. Benny Goodman	
l. John Steinbeck	

Los albores de la guerra

¿Quiénes fueron los principales líderes políticos en los años que antecedieron a la Segunda Guerra Mundial y cómo influyeron los sucesos internacionales?

- **Adolfo Hitler,** veterano de la Segunda Guerra Mundial, llegó a convertirse en el Jefe del Partido Nacional Socialista de Alemania. Ya para 1933 era el dictador del país. Hitler reconstruyó el ejérito alemán para dominar el continente europeo.

- **Benito Mussolini,** llegó al poder en Italia en 1925 y llamó a su sistema totalitario de gobierno fascismo. Su meta fue la expansión territorial.

- **Emperador Hirohito,** por los años treinta, los jefes militares controlaron el gobierno japonés. El emperador era una figura simbólica a quien el pueblo admiraba.

- **Franklin D. Roosevelt,** elegido presidente en 1933, Roosevelt se opuso a la agresión del totalitarismo, pero los problemas de la Gran Depresión ocuparon su tiempo.

- **Joseph Stalin,** dictador comunista de la Unión Soviética, firmó un pacto de no agresión con Alemania en 1939.

¿Qué papel jugaron el Tratado de Versalles y la Gran Depresión en el desarrollo de los regímenes totalitarios en Alemania, Italia y Japón?

Alemania, Los alemanes juzgaron al Tratado de Versalles como punitivo e humillante. Con el tratado, Alemania perdió el control de sus territorios y tuvo que limitar su fuerza militar. El tratado estipuló que Alemania pagara daños de guerra, lo que lesionó a la economía alemana. Adolfo Hitler condenó el tratado de Versalles, prometió regresar a Alemania a la prosperidad y poner fin a la depresión.

Japón, Los líderes japoneses resintieron haber sido tratados por Estados Unidos y Gran Bretaña como una potencia de segunda. La Gran Depresión transfirió el poder a los líderes militares que deseaban expandirse a China y hacer del Japón una gran potencia.

Italia, Italia había resultado victoriosa en la Primera Guerra Mundial, sin haber obtenido los territorios que había creído merecer. Benito Mussolini estableció un estado fascista en Italia antes de la depresión. Al igual que Hitler y los dirigentes militares japoneses, Mussolini, con sus sueños de grandeza, inició una campaña de expansión militar.

¿Qué actos de agresión cometieron los estados totalitarios antes de la Segunda Guerra Mundial?

Alemania, Hitler inició sus conquistas en 1936, el capturar Rhineland, territorio alemán que fue controlado por Francia desde fines de la Primera Guerra Mundial. En 1938, Alemania se anexó el país vecino de Austria y tomó la región de Sudetenland de Checoslovaquia.

Italia, En 1935, Mussolini envió tropas italianas a conquistar Etiopía, una nación africana que carecía de un ejército moderno.

Japón, En busca de recursos naturales necesarios para su industria, Japón invadió Manchuria en China en 1931. En 1937 Japón y China ya estaban en guerra.

¿Por qué fracasaron otras naciones en evitar las avanzadas de los estados totalitarios?

Los terribles recuerdos de las pérdidas de la Primera Guerra Mundial, hicieron que mucha gente en Inglaterra, Francia y los Estados Unidos, se tomara el tiempo en tomar acción militar contra los estados totalitarios. Frente a las inclemencias de la Gran Depresión, esta gente ya contaba con suficientes problemas domésticos. Los americanos se aislaron, convencidos de que los problemas de los europeos no les pertenecían. Los inlgeses y los franceses mantuvieron una política de no agresión, esperando que así Hitler se conformaría con pequeños triunfos sin aspirar a más. Pero las políticas de aislacionismo y no agresión fracasaron en su intento por proteger a la gente de Estados Unidos, Gran Bretaña y Francia del avance del totalitarismo.

¿Cuál fue el acontecimiento que desencadenó la Segunda Guerra Mundial?

Debido a la política de no agresión que sostenian Francia y Gran Bretaña, Hitler supuso que estos países no harían nada por detenerlo. El primero de septiembre de 1939, Hitler invadió Polonia después de haber firmado un pacto secreto de no agresión con la Unión Soviética. Los ingleses y los franceses se dieron cuenta que finalmente debían tomar la iniciativa. Ambas naciones le declararon la guerra a Alemania el 3 de septiembre de 1939.

PREGUNTAS DE REPASO

Instrucciones: Relaciona cada uno de los siguientes líderes nacionales con su papel durante los años treinta.

a. Franklin D. Roosevelt   **c.** Adolf Hitler   **e.** Joseph Stalin
b. Benito Mussolini   **d.** Emperador Hirohito

____ **1.** Este veterano de la Primera Guerra Mundial atacó el Tratado de Versalles.

____ **2.** La atención de este líder estaba centrada en la economía de su país.

____ **3.** Fue un líder simbólico.

____ **4.** Trató de evitar la guerra al firmar un tratado de no agresión.

____ **5.** LLamó a su régimen totalitario fascismo.

Indica el año en el que ocurrieron los siguientes acontecimientos.

____ **6.** Alemania invade a Polonia.

____ **7.** La Unión Soviética y Alemania firman un pacto de no agresión.

____ **8.** Roosevelt inicia su primer período como presidente.

____ **9.** Las tropas italianas invaden a Etiopía.

____**10.** Alemania anexa a Austria y Sudetenland.

____**11.** Se inicia la guerra entre China y Japón.

CAPÍTULO

Estados Unidos entra a la guerra

¿A qué se debió el aislacionismo estadounidense en los años treinta?

El aislacionismo fue una actitud basada en la idea de que América debía quedar separada e ilesa de los acontecimientos mundiales. Dio origen a la política estadounidense de no intervención en eventos internacionales. Durante la Gran Depresión, la prioridad de los americanos era el ganarse la vida. Los estadounidenses recordaban los horrores de la Primera Guerra Mundial. Muchos pensaban que los fabricantes de armamento habían conducido a los Estados Unidos a la guerra con el fin de obtener ganancias. La mayoría de los estadounidenses no vieron razón alguna para que los Estados Unidos se unieran al conflicto europeo.

¿Cuáles fueron los decretos de neutralidad?

En apoyo al aislacionismo, el congresó emitió las leyes conocidas como decretos de neutralidad, con la intención de prevenir que América se involucrara en conflictos exteriores. El primer decreto prohibió la venta de armamento a las naciones en guerra. En 1935, cuando la ley se aplicó en contra de Italia por invadir Etiopía, ésta hizo más daño a Etiopía que a Italia, ya que la primera carecía de armamento moderno. Roosevelt sabía que la ley lastimaría más a los chinos que a los japoneses, por ello no reconoció formalmente el hecho de que China y Japón estaban en conflicto, para así poder seguir vendiendo armamento a China.

¿De qué manera el presidente Roosevelt ayudó a los aliados antes de que los Estados Unidos entraran a la guerra?

Roosevelt se dio cuenta del peligro que los estados totalitarios significaban para el país, pero se sentía limitado en la manera de asistir a los aliados, ya que la mayoría de los norteamericanos mantenían una posición aislacionista. Mientras convencía a los norteamericanos de participar en la guerra, introdujo ciertas medidas que ayudarían a los aliados.

Destructores para proteger bases. Cuando los submarinos alemanes atacaron a los barcos británcos, Gran Bretaña solicitó a Estados Unidos destructores que los ayudaran a protegerse. Los decretos de neutralidad impedían que Roosevelt les vendiera a los británicos armamento, así que negoció so barcos por bases militares británicas en el Caribe.

Decreto de Préstamo-Arrendamiento. En marzo de 1941, a medida que la situación británica se volvía desesperante, el congreso emitió el Decreto de Préstamo-Arrendamiento, que permitió a Roosevelt venderle armas a las importantes naciones para proteger la seguridad de los Estados Unidos. El decreto tuvo la oposición de los aislacionistas, pero la mayoría de los estadounidenses reconocieron la necesidad de ayudar a los británicos a detener la ofensiva nazi. El armamento estadounidense también se envió a la Unión Soviética después de la invasión alemana en junio de 1941.

Las tropas en Islandia. Roosevelt mandó tropas estadounidenses a Islandia en julio de 1941, expandiendo el área del Atlántico que estaba bajo el control estadounidense.

¿Cuáles fueron las causas del conflicto entre Japón y Estados Unidos?

Los Estados Unidos protestaron en contra de la invasión de Japón a China en 1931, pero no hizo mucho por evitar la agresión japonesa en Asia. En 1940, Roosevelt abolió el abastecimiento de combustible aéreo a Japón. En 1941, congeló todos los fondos japoneses en los Estados Unidos, haciendo así imposible que Japón comprara petróleo estadounidense.

¿Qué fue Pearl Harbor, y por qué lo atacaron los japoneses en 1941?

Los líderes japoneses decidieron que la guerra era la única forma para resolver los conflictos entre las dos naciones. Planearon un ataque sorpresa en contra de la flota estadounidense en Pearl Harbor en Hawaii. La estrategia tenía por objeto desarmar a los Estados Unidos con tiempo, para que Japón pudiera invadir al Este de Asia. El ataque japonés del 7 de diciembre de 1941, destruyó 300 aviones y hundió 18 barcos. No dañó los portaviones que estaban en alta mar. El ataque a Pearl Harbor fue un mal cálculo del ejército japonés. Unió al dividido público norteamericano, lo que condujo a un apoyo masivo de la guerra.

¿Cómo entraron los Estados Unidos a la guerra en Europa?

Después de que los Estados Unidos le declararon la guerra a Japón el 8 de diciembre de 1941, Alemania e Italia le declararon la guerra a Estados Unidos el 11 de diciembre de 1941.

PREGUNTAS DE REPASO

Instrucciones: Marca C para cierto y F para falso. Si una oración es falsa, corrígela para que sea cierta.

_____**1.** En la primera mitad de los años treinta, la mayoría de los americanos se preocupaban más por la Gran Depresión que por los estados totalitarios en Europa.

_____

_____**2.** Roosevelt aplicó las leyes de neutralidad al conflicto entre Japón y China

_____

_____**3.** Los Estados Unidos le vendieron a Gran Bretaña cincuenta destructores para ayudar a Gran Bretaña contra los submarinos alemanes.

_____

_____**4.** El Decreto de Préstamo-Arrendamiento le permitió a los Estados Unidos enviar suministros de guerra a naciones como Gran Bretaña y la Unión Soviética

_____

_____**5.** Roosevelt amenazó a Japón con intervenir militarmente, con la esperanza de detener la guerra en China

_____

11 Las batallas en Europa y del Pacífico

¿Qué aconteció en Europa antes de la entrada de los Estados Unidos en 1941?

Los militares alemanes obtuvieron las principales victorias entre 1939 y 1941 y Polonia fue rápidamente conquistada, Hitler envió tropas a Dinamarca, Noruega, Holanda y Bélgica. Las tropas alemanas invadieron Francia en junio de 1940, casi capturando al ejército británico en Dunkirk. Hitler invadió la Unión Soviética rompiendo el pacto de no agresión con Stalin. Esto unió a Gran Bretaña con la Unión Soviética en 1941 en un esfuerzo común para vencer a Alemania.

¿Cuál fue el plan o estrategia del presidente Roosevelt para llevar la guerra en dos frentes?

Los Estados Unidos se encontraron combatiendo al enemigo en el Pacífico y Europa. A pesar de que el Japón había atacado a los Estados Unidos, Roosevelt decidió seguir una estrategia de "primero atacar a Alemania", concentrando las tropas estadounidenses en Europa para asegurar la victoria. En el Pacífico, los Estados Unidos se enfocaron en evitar que continuara la expansión japonesa hasta haber asegurado el frente europeo.

¿Cuáles fueron las mejores batallas y campañas en Europa?

Los líderes aliados, el general estadounidense Dwight D. Eisenhower, demoraron, la invasión del continente europeo hasta reunir el suficiente equipo en hombres y armamento. Primero se enfocaron en Africa, volviendo su atención posteriormente hacia la invasión europea.

Africa del Norte, En octubre de 1942, el general británico Bernard Montgomery obtuvo una espectacular victoria en Egipto contra el general alemán Erwin Rommel, un brillante estratega. Las tropas aliadas bajo el mando de Eisenhower fácilmente tomaron el control de Algeria y Marruecos en noviembre de 1942. Estas victorias dieron fin a la presencia alemana en el Norte de Africa.

Batalla de Estalingrado, Las tropas germanas se desplazaron hacia el este a través de la Unión Soviética. El ejército soviético atacó en Estalingrado. La victoria soviética en febrero de 1943 dejó a Alemania con una pérdida de 200,000 hombres, poniendo fin a la expansión alemana en el este.

La invasión de Italia, A insistencia de Churchil, las fuerzas aliadas invadieron la isla de Sicilia en julio de 1943, para posteriormente invadir Italia. Aunque el ejército italiano se sublevó, las tropas alemanas continuaron resistiendo. Roma, la capital italiana, no cayó en manos de los aliados, sino hasta junio de 1944.

Día D, Nombre clave de la Operación "Overlord", la invasión de Francia comenzó el 6 de junio de 1944, día que se conoce como Día D. Más de 600 barcos transportaron 176,000 soldados aliados. Las tropas aliadas desembarcaron en las playas de Normandía, dando inicio al lento proceso de hacer retroceder a los alemanes a través del continente europeo la guerra. Eventualmente los aliados transportaron a más de 850,000 tropas a través del Canal Inglés.

¿Cuáles fueron las batallas y campañas más importantes en el escenario del Pacífico?

La estrategia americana de "Primero Alemania" redujo la estrategia de detener la avanzada japonesa en el Pacífico. Primero, los japoneses continuaron su avanzada por Asia, venciendo a las tropas americanas en las Filipinas. Sin embargo, las fuerzas norteamericanas ganaron victorias a medida que continuaba la guerra.

- **El Mar de Coral (Mayo de 1942),** La marina norteamericana le hizo un daño considerable a la flota japonesa y detuvo el plan que tenían los japoneses de conquistar Nueva Guinea.

- **Midway (Junio 1942),** Los japoneses habían planeado sorprender a los americanos cerca de la Isla de Midway, pero los americanos estaban preparados para la ofensiva poque habían decifrado la clave de los japoneses. Los japoneses perdieron cuatro portaviones y más de 275 aviones. Esta batalla aseguró el dominio americano en el Pacífico y constituyó un punto decisivo en la dirección que tomaría la guerra del Pacífico.

- **Salteando Islas,** Con la seguridad de tener la guerra ganada en el Europa, los líderes estadounidenses decidieron presionar la guerra en el Pacífico y atacar Japón. Sin embargo, había fuerzas japonesas en las islas del Pacífico que se interponían a esta maniobra. Los estadounidenses tenían el plan de atacar únicamente islas clave, para poder llegar a Japón más rápidamente sin tantas pérdidas de vidas. El tomar muchas de estas islas era, sin embargo, bastante difícil. A las tropas americanas les llevó seis meses el poder conquistar la isla de Guadalcanal, en la que Japón perdió 20,000 hombres.

PREGUNTAS DE REPASO

Instrucciones. Contesta cada pregunta en el espacio indicado.

_____1. ¿Quién fue el general americano que estuvo al mando de las fuerzas aliadas?
    a. Bernard Montgomery
    b. Winston Churchill
    c. Dwight D. Eisenhower

_____2. ¿Cómo supieron los americanos del ataque japonés a Midway?
    a. Información de un espía japonés.
    b. Los norteamericanos decifraron el código japonés.
    c. Los norteamericanos descubrieron los planes japoneses.

_____3. ¿Por qué la Unión Soviética entró a la guerra en contra de los países nazi?
    a. Rooseevelt les pidió ayuda.
    b. Alemania violó el pacto de no agresión.
    c. Stalin quería conquistar Italia.

_____4. ¿Qué batalla le aseguró a los americanos el dominio del Pacífico central?
    a. La batalla del mar Coral
    b. La batalla de Iwo Jima
    c. La batalla de Midway

El personal militar

¿Cómo respondieron los americanos a la demanda de personal militar durante la guerra?

Al reconocer que los Estados Unidos entrarían finalmente al conflicto armado de la Segunda Guerra Mundial, el presidente Roosevelt convenció al congreso para que pasara un primer llamamiento al servicio militar en tiempos de paz en 1940. Después del ataque japonés en Pearl Harbor, millones de americanos se ofrecieron como voluntarios para servir en las fuerzas armadas. De los 15 millones de americanos que sirvieron en el ejército durante la guerra, dos terceras partes fueron voluntarios.

¿Qué oportunidades en el servicio militar se abrieron para las mujeres?

De los voluntarios que participaron en la guerra, había muchas mujeres. Se formaron divisiones en las que más de 300.000 mujeres sirvieron, más de 10 veces el número de las que participaron en la Primera Guerra Mundial. Para mayor información, consulta Women in Military Service More of the Story Reading en el CD-ROM *Exploring America's Past.*

¿Qué oportunidades hubo en las fuerzas armadas para los grupos minoritarios?

Las fuerzas armadas necesitaron la ayuda de muchos grupos minoritarios. Muchas veces estos hombres y mujeres fueron discriminados durante su servicio, sin embargo, demostraron su patriotismo, sus habilidades y su valentía en combate.

- **Afro-americanos,** El millón de afro-americanos que sirvieron en las fuerzas armadas durante la guerra lo hicieron en unidades segregadas. Muchas veces se les asignó trabajos que requerían poca destreza o entrenamiento. Las unidades afro-americanas que participaron en la guerra lo hicieron con distinción. El Batallón de tanques 761 y los pilotos del escuadrón 99 recibieron condecoraciones.

- **Hispano-americanos,** Alrededor de 400.000 hispano-americanos sirvieron en la armada durante la guerra. Una de las unidades más famosa fue la conocida como Demonios Azules (Blue Devils), la división 88 estuvo formada en su mayoría por mexicoamericanos. 17 mexicoamericanos ganaron los honores militares más altos: la medalla de honor del congreso.

- **Nativos-norteamericanos,** Como los demás grupos minoritarios, los nativos-norteamericanos participaron en la guerra y entraron en combate. Los más famosos fueron los indios navajos con su código de comunicación (Navajo Code Talkers); usaron su lengua nativa para transmitir mensajes en código que los japoneses no pudieran interpretar.

¿Cuáles eran las condiciones de combate para los soldados que pelearon en la Segunda Guerra Mundial?

El frente, ya sea en Europa o en las islas del Pacífico, se convirtió en una pesadilla para las unidades a las que se les había asignado entrar en combate. Los soldados de combate se enfrentaron a situaciones difíciles y peligrosas donde quedar herido o la muerte eran común. A veces era imposible conciliar el sueño debido a las condiciones de batalla y a veces los alimentos y las medicinas escaseaban. La vida de combate durante la Segunda Guerra Mundial fue sangrienta y espantosa. Sin embargo, estas condiciones extremas crearon amistades valiosas entre individuos que no se hubieran unido en circunstancias normales.

PREGUNTAS DE REPASO

Instrucciones: Marca una X junto a la oración que contenga la respuesta correcta. Cada pregunta puede tener más de una respuesta correcta.

1. ¿De qué manera cubrió los Estados Unidos las necesidades de su personal de guerra?
   a. El congreso se negó a emitir un llamamiento al servicio militar.
   b. Millones de estadounidenses participaron como voluntarios.
   c. 10 millones de estadounidenses fueron reclutados durante la guerra.
   d. Las mujeres sirvieron en la fuerza armada.

2. La experiencia afro-americana durante la guerra incluyó:
   a. discriminación en las fuerzas armadas
   b. servicio de pilotos en la fuerza aérea
   c. servicio de combate
   d. servicio en unidades integradas

3. ¿Cuáles de las siguientes aseveraciones son correctas en cuanto a la participación de grupos minoritarios durante la guerra?
   a. 17 mexicoamericanos ganaron la medalla de honor del congreso.
   b. Los nativos norteamericanos usaron el código de la lengua apache.
   c. Los grupos minoritarios no participaron en combate.
   d. Los grupos minoritarios sirvieron con distinción.

4. ¿Cuáles de las siguientes aseveraciones describe la experiencia de combate?
   a. Casi ningún americano resultó muerto o herido durante el combate.
   b. La comida y la medicina escaseaba.
   c. Se crearon a menudo amistades duraderas entre los soldados.
   d. Por lo regular, los hombres en combate dormían muy poco.

Nombre _____ Clase _____ Fecha _____

Los esfuerzos de la guerra en los Estados Unidos

¿Cómo fue que la intervención estadounidense en la guerra ayudó para terminar con la Gran Depresión?

Las preparaciones para la guerra incluían la fabricación de armas y las proviciones necesarias para las fuerzas aliadas. Las industrias americanas cambiaron su producción a la de tanques, aviones y otros materiales para la guerra. Con los millones de hombres y mujeres que ingresaron al servicio militar más los millones de empleados en las industrias de defensa, el problema de desempleo se acabó y la economía prosperó. Entre 1940 y 1944 producto nacional bruto (PNB) se duplicó. Las necesidades de la guerra crearon un crecimiento económico que acabó con la Gran Depresión.

¿Cómo la guerra cambió la fuerza de trabajo en los Estados Unidos? ¿Cómo se beneficio el movimiento laboral de la guerra?

La necesidad de los trabajadores para llenar los nuevos trabajos en la industria de defensa creó oportunidad de empleos para muchos estadounidenses a quienes se les había negado trabajo en el pasado. También dio a los trabajadores estadounidenses y sus sindicatos nueva fuerza política.

Mujeres, Debido a que muchos hombres estadounidenses servían en el ejército, el gobierno y la industria empezaron a emplear a las mujeres para llenar las vacantes en fábricas; estos trabajos habían sido desempeñados tradicionalmente por hombres. Seis millones de mujeres realizaron servicio de defensa durante la guerra.

Afro-americanos, Preocupados los afro-americanos en que continuarían siendo discriminados en los lugares de trabajo, el líder de estos trabajadores A. Phillip Randolf amenazó con tener una marcha de protesta en Washington. El presidente Roosevelt respondió suprimiendo la discriminación en las industrias de defensa, y creando el Comité de Practicas Justas de Empleo (Fair Employment Practices Committee), un comité que supervisaría las contrataciones en la industria de defensa. El número de afroamericanos que trabajaban en la industria casi llegó a ser el doble durante la guerra.

Trabajadores mexicanos, La falta de trabajadores durante la guerra también benefició a los trabajadores de México a quienes se les permitió trabajar en los Estados Unidos. Conocidos como brazeros, estos trabajadores campesinos ayudaron en el incremento de las demandas de productos agrícolas durante la guerra. Los mexicoamericanos también tenían más trabajas en la industria, especialmente en el Oeste y Sudoeste.

Trabajadores agremiados o sindicalizados, La legislación creada durante el Nuevo Tratado había aumentado la fuerza de las agrupaciones laborales. Tomando en cuenta que los trabajadores eran una parte importante en los esfuerzos de la guerra, el gobierno estableció nuevamente la "National War Labor Board" para normar las disputas en los contratos y salarios de empresarios y trabajadores.

¿Por qué las tensiones raciales aumentaron en algunas áreas durante la guerra?

Al buscar trabajo en las industrias de la guerra, muchos afro-americanos e hispanoamericanos se trasladaron a grandes urbes. En algunos casos, los americanos blancos reaccionaron con indignación por el aumento de la presencia de las minorías. Las tensiones raciales algunas veces fueron violentas y motivaron tumultos en Nueva York y en Detroit. Problemas similares en Los Angeles dieron origen a las manifestaciones "zoot-suit", en las que marineros blancos se peleaban con mexicoamericanos vestidos con trajes conocidos como "zoot-suits"

¿Qué sacrificios hicieron los estadounidenses en el frente doméstico?

Aunque la guerra creó muchas oportunidades de trabajo para los estadounidenses, también demandó muchos sacrificios. La producción de materiales de guerra redujo la producción de materiales de consumo y causó racionamientos. Los estadounidenses se vieron en dificultades para comprar productos vitales para ganar la guerra, tales como, hule, acero o nilón. La gasolina fue racionada para ahorrar llantas de hule; la carne y el azúcar fueron igualmente racionados por la escasez. A pesar de estas dificultades muchos estadounidenses entendieron la necesidad del sacrificio y ayudaron a los esfuerzos de la guerra, colectando materiales de desecho y plantando jardines de la victoria en el país.

¿Cómo el gobierno de Estados Unidos estimuló el apoyo por la guerra en el país?

El gobierno utilizó los medios de comunicación, cine, radio, periódicos y propaganda para elevar el espíritu estadounidense. Carteles que presentaban la imagen de "Rosie the Riveter" se usaron para persuadir a muchas mujeres a trabajar en las fábricas. La Oficina de Información de Guerra (Office of War Information) trabajó con la industria de entretenimiento en Hollywood para asegurarse de que las películas promovieran las metas estadounidenses de guerra.

PREGUNTAS DE REPASO

Instrucciones: Marca C para Cierto y F para Falso en las siguientes oraciones. En las oraciones falsas, corrige la palabra o frase subrayada.

____**1.** La movilización de la guerra terminó con la Gran Depresión porque la demanda para material militar creó un boom económico y nuevas oportunidades de trabajo.

____**2.** 19 millones de mujeres estadounidenses se unieron a la fuerza laboral durante la guerra.

____**3.** El líder afro-americano A. Phillip Randolph dirigió una marcha en Wahington protestando en contra de la discriminación racial en el trabajo.

____**4.** Trabajadores campesinos mexicanos conocidos como brazeros les fue permitido trabajar en Estados Unidos.

____**5.** Las tensiones raciales desencadenaron manifestaciones en San Antonio y Miami.

Los japoneses-americanos y la guerra

¿Por qué el gobierno de los Estados Unidos movilizó a los japoneses-americanos a la costa del Oeste en campamentos de internado?

Después del ataque de Pearl Harbor, muchos estadounidenses pensaron que los japoneses-americanos podrían ser leales a Japón. Tenían miedo de que éstos interfirieran en la guerra con actos de sabotaje y espionaje en favor del gobierno japonés. El gobierno estipuló que los japoneses-americanos eran un peligro para la seguridad nacional. En 1942, el presidente Roosevelt le confirió al ejército la autoridad de movilizar a los japoneses-americanos a campamentos especiales localizados a una distancia considerable de la costa del Pacífico. En total, alrededor de 112,000 japoneses-americanos vivieron en estos campamentos.

¿Por qué se les trató a los japoneses-americanos de esta manera?

La sospecha de que los japoneses-americanos ayudarían a Japón no tenía fundamento alguno. Ningún japonés-americano fue encontrado culpable de colaborar con el enemigo en la guerra. La mayoría de los japoneses-americanos eran ciudadanos norteamericanos y miles de ellos participaron en el servicio militar y pelearon valientemente. Según los historiadores, la decisión vino de la presión hecha por los californianos que resentían la presencia de los asiáticos. Los alemanes y los italoamericanos no fueron tratados de este modo, ni los japoneses-americanos que vivían en Hawaii.

¿Cómo fue la experiencia de los japoneses-americanos en esta movilización e internamiento en campamentos?

A los japoneses-americanos se les obligó a abandonar sus hogares y sus negocios y a trasladarse a zonas remotas. El traslado acarreó pérdidas financieras, porque se vieron forzados a vender sus propiedades rápidamente por mucho menos dinero de lo que éstas valían. Los campamentos de internado eran muchas veces poco atractivos, con malas condiciones de hospedaje. Los japoneses-americanos resintieron haber sido tratados de esa manera, el dudar de su lealtad y prejuicio contra ellos.

¿Qué recompensa recibieron los japoneses-americanos por haber recibido trato semejante?

Los japoneses-americanos perdieron sus casas, trabajos y negocios. Después de la guerra, muchos estadounidenses se arrepintieron de lo ocurrido con los japoneses-americanos. En 1948 el congreso emitió una legislación para que las familias recuperaran una parte de lo que habían perdido. Durante los años 80, muchos de los internados recibieron recompensas adicionales, así estipuladas por la corte.

Para más información sobre el tema, consulta: Norman Mineta Biography en el CD ROM *Exploring America's Past.*

PREGUNTAS DE REPASO

Instrucciones: Contesta las preguntas

1. ¿Por qué algunos estadounidenses sospechaban de los japoneses-americanos durante la Segunda Guerra Mundial?

_____

_____

_____

2. ¿Cuántos japoneses-americanos fueron enviados a los campamentos de internado?

_____

_____

_____

3. ¿Por qué los japoneses-americanos resintieron el haber sido movilizados?

_____

_____

_____

4. ¿Cómo eran estos campamentos?

_____

_____

_____

5. ¿De qué manera recompensó los Estados Unidos después de la guerra a los japoneses-americanos por internarlos en los campamentos?

_____

_____

_____

El Holocausto

¿Qué fue el Holocausto?

La palabra holocausto puede referirse a cualquier evento catastrófico, pero cuando se escribe con mayúscula, el término se refiere al programa que desarrollaron los Nazis para liquidar a los judíos que cayeran bajo su control. Los nazis llamaron a este plan de exteminio "Solución Final". Seis millones de judíos murieron en el Holocausto, junto con aquellos grupos que los nazis consideraron indeseables.

¿Cuál era la política nazi hacia los judíos alemanes y europeos en los años 30?

Después de haber subido al poder en 1933, Hitler emitió leyes que forzaran a los judíos a abandonar aldeas y ciudades alemanas. Muchos fueron forzados a dejar Alemania y a renunciar a sus casas y negocios. A medida que los nazis ganaban control en países europeos, empezaron a perseguir a los judíos en estos países también. Los judíos de Polonia fueron obligados a vivir en comunidades segregadas conocidas como ghettos, en los que tenían acceso limitado a alimentación y medicina

¿Que fueron los campos de concentración?

A medida que ganaban más territorio, los alemanos pusieron en marcha la última fase de su programa. Forzaron a los judíos a dejar sus casas y los colocaron en vagones de carga. Se les dijo que se les reubicaría en territorios del este, pero en su lugar, los nazis los hicieron prisioneros en lugares llamados campos de concentración. Entre éstos estuvieron los de Auschwitz y Treblinka en Polonia. En algunos de estos campos se les hizo trabajar como esclavos y se les liquidó cuando resultaban muy débiles para trabajar. Otros campos eran campos de exterminio, adonde se conducía a los prisioneros a cámaras de gas y se les liquidaba con gas venenoso.

¿Encontraron oposición los nazis mientras llevaban a cabo este plan?

La resistencia en contra de los nazis tenía que ser secreta, porque el castigo era brutal. La oposición consistía en pequeñas afrentas de individuos valientes. Algunos vecinos escondían a sus vecinos judíos en los sótanos o en los áticos de sus casas. Bulgaria y Dinamarca no cooperaron con los nazis. En Bulgaria, el gobierno no mandó a los judios a los campos de concentración. La gente en Dinamarca pasó ilegalmente alrededor de 5000 judíos daneses a Suecia que era un país neutral. El miembro del partido nazi Oscar Schindler salvó las vidas de más de 1300 judíos en Polonia y Checoslovaquia. Sin embargo, millones murieron. A medida que los aliados reconquistaban los territorios que Alemania había tenido bajo su control, iban liberando a los judíos de los campos de concentración.

PREGUNTAS DE REPASO

Instrucciones: Llena los espacios con los términos correctos.

Los nazis llamaron a su plan de exterminio contra los judíos **1.** _____.

Además de haber matado aproximadamente **2.** _____ judíos, los nazis

también ejecutaron a los miembros de otros grupos que consideraban

3. _____. El lider alemán **4.** _____ empezó a

oprimir a los judíos alemanes, tan pronto como subió al poder en 1933. Después de la invasión

de Polonia en 1939, los judíos polacos fueron forzados a vivir en

5. _____ sobrepoblados. Durante la última fase del programa nazi, los

judíos fueron enviados a **6.** _____, incluyendo los campos polacos de

7. _____ y **8.** _____. Muchos judíos fueron

ejecutados con **9.** _____.

    Algunas personas decidieron poner resistencia al plan nazi. Escondieron a sus amigos

judíos durante la guerra. El país de **10.** _____ trasladó clandestinamente

a muchos de sus ciudadanos judíos a Suecia. Un miembro del partido nazi,

11. _____, salvó las vidas de muchos judíos en Polonia y Checoslovaquia.

11 El Fin de la Guerra

¿Qué acontecimientos hicieron que Alemania se rindiera en mayo de 1945?

En la batalla de Bulge, las tropas aliadas vencieron el último esfuerzo alemán de contrataque y su plan de mantener a los estadounidenses fuera de Alemania. Las tropas estadounidenses cruzaron el río Rin en marzo de 1945. Las tropas soviéticas entraron a Alemania por el este. Después de ordenar a sus hombres que siguieran la lucha hasta el final, Adolfo Hitler se suicidó el 30 de abril de 1945. La batalla por la ciudad de Berlin, la capital de Alemania, fue muy sangrienta. Cuando el comandante a mando de la ciudad de Berlin se rindió, se estimaba que 125.000 berlineses habían perdido la vida. Alemania se rindió el 8 de mayo de 1945.

¿Qué fue la bomba atómica?

Durante la guerra, los científicos norteamericanos trabajaron en un programa secreto llamado el Proyecto Manhattan para diseñar una nueva arma que usara energía atómica para crear una explosión. El proyecto era tan secreto que Harry Truman no sabía de su existencia, hasta cuando se hizo presidente, después de la muerte de Roosevelt el 12 de abril de 1945. El resultado del Proyecto Manhattan fue la bomba atómica, cuyo poder explosivo era de 20,000 toneladas de TNT (dinamita).

¿Por qué ordenó el presidente Truman que se lanzaran las bombas atómicas en las ciudades de Hiroshima y Nagasaki?

Los estadounidenses habían estado luchando en contra de los japoneses de una isla del Pacífico a la otra. Los bomarderos estadounidenses bombardearon ciudades japonesas. Poco a poco los estadounidenses hacían retroceder a los japoneses pero con pérdidas cuantiosas. Los soldados japoneses casi nunca se rendían, y peleaban hasta morir. En la guerra aérea, los pilotos japoneses llamados kamikazes atacaban en misiones suicidas. Deliberadamente hacían estrellar sus aviones en barcos de guerra estadounidenses. Para junio de 1945, esta campaña de entresaltar islas había acercado a las tropas estadounidenses a 350 millas del Japón. Algunos estrategas estimaron que la invasión a Japón resultaría en la pérdida de un millón de vidas por parte de los estadounidenses. Truman se dio cuenta que la bomba atómica podría obligar a los japoneses a rendirse y de evitar una invasión innecesaria. Se dio cuenta que muchos japoneses civiles morirían y que los Estados Unidos serían criticados por usar el arma, pero eligió usarla en vez de invadir Japón.

¿Cuál fue el impacto de la bomba atómica en Hiroshima y Nagasaki?

Con la orden del presidente Truman, la primera bomba atómica fue arrojada en la ciudad de Hiroshima el 6 de agosto de 1945. Aproximadamente 75,000 personas murieron. Tres días después, los Estados Unidos arrojaron la segunda bomba en la ciudad de Nagasaki. A pesar de que algunos líderes japoneses militantes insistieron en que la guerra debería continuar, el emperador Hirohito hizo un anuncio radial informando al pueblo japonés de que la nación debía rendirse. El tratado de paz se firmó el 2 de septiembre de 1945. Truman había tenido razón; la decisión de lanzar las bombas había obligado a los japoneses a rendirse. Aproximadamente 240.000 japoneses murieron por la explosión de las bombas atómicas o sus efectos radioactivos posteriores.

PREGUNTAS DE REPASO

Instrucciones: Contesta cada pregunta en el espacio indicado.

_____ **1.** ¿Cuál de los siguientes puntos sobre la rendición alemana es correcto?
  a. Hitler autorizó la rendición.
  b. Los alemanes se rindieron después del Día D.
  c. Los alemanes se rindieron el 8 de mayo de 1945.
  d. Los alemanes lucharon ferozmente por defender su capital Bonn.

_____ **2.** ¿Cuál de los siguientes puntos NO es correcto en cuanto a la bomba atómica?
  a. El plan secreto para construir la bomba atómica se llamabá el Proyecto Manhattan.
  b. Harry Truman no sabía de la existencia de la bomba sino hasta que llegó a ser presidente.
  c. La bomba atómica fue inventada por científicos en Inglaterra.
  d. La bomba atómica tenía un poder explosivo equivalente a 20.000 toneladas de TNT (dinamita).

_____ **3.** ¿Cuál de los siguientes puntos sobre la guerra del Pacífico NO es correcto?
  a. Para junio de 1945, las tropas estadounidenses habían tomado islas localizadas a 350 millas de Japón
  b. Los bombarderos estadounidenses estaban atacando ciudades japonesas
  c. Los estrategas estadounidenses estaban planeando la invasión a Japón
  d. Un millón de estadounidenses invadieron Japón al principio de 1945

_____ **4.** ¿Cuál de los siguientes puntos sobre la decisión de lanzar la bomba atómica NO es correcto?
  a. Truman se dio cuenta de que habría pérdidas civiles.
  b. Truman supuso que la decisión no incitaría críticas por parte de otros países.
  c. Truman lanzó la bomba atómica para evitar la invasión al Japón.
  d. Truman ordenó el lanzamiento de las bombas en Japón.

_____ **5.** ¿Cuál de los siguientes puntos sobre la rendición japonesa NO es correcto?
  a. Algunos líderes japoneses militares querían continuar la guerra después de que las bombas habían sido lanzadas.
  b. El emperador Hirohito le informó a su pueblo la decisión de rendición a través de una transmisión radial.
  c. El tratado de paz fue firmado el 2 de septiembre de 1945.
  d. Las bombas atómicas no lograron hacer que los japoneses se rindieran.

CAPÍTULO

La guerra concluye

¿Cuáles fueron los propósitos de la conferencia de Yalta y de Potsdam?

Hacia el año de l945 era claro que los aliados eran los vencedores de la guerra en Europa. Los líderes de los Estados Unidos, Gran Bretaña y la Unión Soviética se reunieron para discutir la guerra contra Japón y elaborar un plan para Europa en la posguerra. Las diferencias entre lo que deseaban, por una parte el Presidente Roosevelt y Winston Churchill, y por la otra José Stalin, fueron significativas. Roosevelt pensó dar solución al futuro conflicto mediante la negociación.

Dos reuniones tuvieron lugar en l945, las Conferencias de Yalta y de Potsdam. El propósito de la Conferencia de Yalta, la primera de las reuniones, fue convencer a la Unión Soviética de unirse con los Aliados en la derrota del Japón y discutir la restauración de un gobierno independiente en Polonia. Los participantes comenzaron a discutir también el destino de Alemania después de ser derrotada. La segunda reunión, la conferencia de Potsdam, formalizaba la división de Alemania que había sido discutida inicialmente en Yalta.

¿Quiénes asistieron a la conferencia de Yalta y a qué acuerdos llegaron los líderes.?

En febrero de l945 el Presidente Roosevelt, el Primer Ministro Churchill y el dictador soviético Stalin se reunieron en la playa de veraneo en Yalta. Los acuerdos a que llegaron en esa reunión incluyeron: la entrada del Soviet en la guerra contra el Japón, la independencia de Polonia y qué hacer con Alemania en la posguerra. El Soviet acordó entrar a la guerra contra el Japón después que Roosevelt y Churchill acordaran tomar y anexar para la Unión Soviética algunos territorios japoneses en el Océano Pacífico. Los líderes occidentales acordaron también que después de la guerra los soviéticos podrían administrar Manchuria, una Provincia al norte de China que limita con la Unión Soviética y había sido conquistada por los japoneses Los soviéticos acordaron garantizar elecciones libres en Polonia Occidental. Como respuesta, los Aliados acordaron anexar para el Soviet la parte Oriental de Polonia, una ruta tradicional de ataque contra Rusia. Finalmente, los participantes iniciaron pláticas sobre la ocupación de Alemania al término de la guerra.

¿Quiénes asistieron a la conferencia de Potsdam y cuáles fueron los acuerdos de los participantes?

En julio de1945, el Presidente Harry Truman (el Vice Presidente Truman se convirtió en Presidente después de la muesrte de Roosevelt en abril de 1945), Churchill y Stalin se reunieron para llevar la discusión más allá: al mundo de la posguerra. Esta segunda reunión trató sobre qué hacer con Alemania en tiempos de paz. Los líderes acordaron dividir a Alemania y su capital, Berlín, en cuatro zonas de ocupación. Cada Zona sería admsnistrada y controlada por cada uno de los Países Aliados- la Unión Soviética, los Estados Unidos, Gran Bretaña y Francia.

¿Cómo contribuyeron las conferencias de Yalta y Potsdam en la Guerra Fria entre las democracias occidentales y el Soviet comunista?

Durante el año de 1945, la mayor parte de los americanos admiraban a la Unión Sovioética principalmente por el coraje manifestado contra el ejército alemán y su importante contribución para ganar la guerra. Conforme fue estableciéndose el final de la guerra, las diferencias entre los soviéticos y los aliados democráticos empezaron el conflicto. Los soviéticos no cumplieron con su promesa de celebrar elecciones libres en Polonia. En vez de eso, ellos respaldaron un gobierno incondicional ("puppet") pro-soviético en Polonia. Los conflictos y desacuerdos con los aliados anteriores aumentaron. El Presidente Truman, que nunca había confiado en el Soviet, quedó convencido, por los sucesos de Polonia, que la expansión comunista debía ser detenida en cualquier parte del mundo.

PREGUNTAS DE REPASO

Instrucciones: Ponga una Y al lado de una afirmación que se refiera a la Conferencia de Yalta, una P al lado de una afirmación referente a la Conferencia de Potsdam, y una B al lado de una afirmación que se refiera a ambas.

_____ **1.** Stalin acuerda apoyar elecciones libres en Polonia.

_____ **2.** Truman tiene pláticas con los soviéticos

_____ **3.** El Primer Ministro Churchill asiste a la conferencia.

_____ **4.** Alemania y Berlín son formalmente divididas en zonas ocupación.

_____ **5.** Esta conferencia fue la primera de dos.

_____ **6.** Rusia acuerda entrar a la guerra contra Japón.

_____ **7.** El Presidente Roosevelt asiste a la conferencia

_____ **8.** Gran Bretaña y los Estados Unidos acuerdan anexar al Soviet el territorio del Japón en el Océano Pacífico

_____ **9.** La conferencia contribuyó a la Guerra Fría.

_____ **10.** Los Soviets instalan un gobierno incondicional ("puppet") en Polonia.

12

Fundacion de Israel

¿Qué razones fundamentales había antes de la II Guerra Mundial para establecer un estado judio independiente?

El estímulo para establecer un estado judío independiente comenzó en l897 con la fundación de la ORGANIZACION SIONISTA MUNDIAL. En l917 los británicos, que ocupaban Palestina, la ancestral patria de los judíos como también de muchos árabes, emitió la Declaración de Balfour. La declaración estipulaba el apoyo británico para la creación de un estado judió en Palestina. Después de la Primera Guerra Mundial, Gran Bretaña, bajo un mandato de la Liga de Naciones permitió una imigración limitada de judíos a Palestina, o a Israel, como la llamaban los judíos. Esta migración limitada no satisfizo ni a los árabes ni a los zionistas. Los judíos presionaron para acrecentar la imigración mientras que los árabes se oponían a la colonización judía.

¿Cuál fue el papel de Gran Bretaña en Palestina y en la formación del estado judío?

Gran Bretaña ocupó Palestina después de la Primera Guerra Mundial, durante la campaña para establecer un estado judío en Palestina. Los británicos apoyaron el establecimiento de ciertas colonias judías y después de 1917, el establecimiento de un estado judío. Después de la Segunda Guerra Mundial, los británicos, con la esperanza de desocupar Palestina, le refirieron el problema judío a las Naciones Unidas. El 29 de noviembre de 1947, la asamblea general de la ONU adoptó un plan para dividir Palestina y crear un estado árabe y otro judío. El plan fue aceptado por los judíos y por los británicos pero fue rechazado por los árabes por unanimidad.

¿Cuándo se estableció Israel y cuál fue el resultado?

El estado de Israel fue proclamado el 14 de mayo de 1948, cuando el mandato expiró y los británicos se retiraron de Palestina. Las Naciones Unidas inmediatamente reconocieron la independencia de Israel.

¿Cómo respondieron los árabes ante el establecimiento de Israel?

Los árabes rechazaron el establecimiento de Israel. Rechazaron el establecimiento de colonias judías después de la Primera Guerra Mundial por mandato de la Liga de Naciones. También rechazaron la propuesta de las Naciones Unidas de establecer dos estados, uno árabe y otro israelí en Palestina, después de la Segunda Guerra Mundial. Inmediatamente después de la formación de Israel la Liga Arabe, una alianza de naciones árabes atacó Israel. Las fuerzas israelíes no sólo contestaron a la ofensiva sino que avanzaron para tomar territorio árabe. Después de conflictos amargos y sangrientos, los acuerdos de paz se firmaron en la primavera de 1949. Israel ocupó más territorio del que se había estipulado en el plan, y más de un millón de palestinos se quedaron como refugiados sin sus casas.

PREGUNTAS DE REPASO

Direcciones: Contesta las siguientes preguntas.

1. ¿Cómo fue que el fin de la Primera Guerra Mundial tuvo influencia en el establecimiento de Israel?

    _____

    _____

    _____

2. Discute las relaciones judío-británicas en Palestina en el tiempo entre las 2 guerras.

    _____

    _____

    _____

3. ¿Qué efecto tuvo el fin de la Segunda Guerra Mundial en cuanto a la fundación de Israel?

    _____

    _____

    _____

4. ¿Cómo respondieron los árabes a la formación de un estado israeli?

    _____

    _____

    _____

La vida en los Estados Unidos después de la guerra

¿Por qué la mayoría de los norteamericanos esperaban una recesión económica después de la Segunda Guerra Mundial? ¿Por qué no ocurrió esto?

La mayoría de los estadounidenses pensaron que habría una recesión económica después de la guerra porque se suponía que las empresas perderían sus contratos con el gobierno y los trabajadores sus empleos. A pesar de que sí hubo despidos, la mayoría encontraron nuevas fuentes de trabajo. Muchos estadounidenses habían ahorrado sus sueldos durante la guerra porque los recortes económicos habían reducido el abastecimiento de productos. Cuando terminó la guerra, muchos estadounidenses gastaron sus reservas en comprar productos como automóviles y lavadoras automáticas. Esta demanda de productos creó nuevas fuentes de trabajo.

¿Cómo se afectó el trabajo de las mujeres y de las minorías el fin de la Segunda Guerra Mundial?

Muchas mujeres y grupos minoritarios perdieron sus trabajos al regresar los soldados de l combate. Se esperaba que las mujeres regresaran a sus labores domésticas. Pero los tiempos de guerra habían cambiado las expectativas de trabajo de las mujeres. A pesar de que muchas regresaron a las labores domésticas, muchas otras se incorporaron a la fuerza laboral. Pero los trabajos de posguerra eran menos retribuídos que los trabajos durante la guerra.

Los soldados que regresaron también se ocuparon en trabajos manuales que habían sido realizados por afro-americanos y mexico-americanos anteriormente. El Comité de Igualdad Laboral, que se había creado con el fin de prevenir la discriminación en las contrataciones, desapareció después de la guerra. Sin embargo, el empleo durante la guerra había aumentado las expectativas de los grupos minoritarios. Los líderes de derechos civiles como A. Philip Randolph, hicieron presión para que el gobierno contribuyera a disminuir la disciriminación racial.

¿Cuál fue la reacción de las organizaciones laborales al final de la guerra? ¿Cómo repondió el presidente Truman?

Los salarios en tiempos de guerra no aumentaron tan rápidamente como las ganancias durante la guerra. El aumento de precios después de la guerra significó para los trabajadores que su poder adquisitivo era aún menor. Después de la guerra, unos cinco millones de trabajadores se lanzaron a la huelga en industrias clave que afectaban a la economía. Cuando los mineros se declararon en guerra, Truman ordenó que el gobierno se responsabilizara de las minas. Los presidentes de los sindicatos como John L. Lewis, se mostraron frustrados ante las políticas de Truman.

La situación empeoró pára los demócratas cuando en las elecciones de 1946, los republicanos ocuparon la mayoría del Congreso. Por primera vez desde la década de los años de 1920. El nuevo Congreso republicano acabó con muchos programas sociales del Nuevo Tratado. El decreto Taft-Hartley de 1947, que fue aprobado en contra del veto de Truman, fue el menos popular entre los grupos laborales. Le quitó mucho poder a los sindicatos en el Nuevo Tratado.

¿De qué manera atacó el presidente Truman los problemas de los derechos civiles?

Después de la guerra las presiones de A. Philip Randolph lidel laboral, Truman tuvo que actuar y formó el Comité de los Derechos Civiles, que puso en marcha una serie de leyes y regulaciones para combatir la discriminación y la violencia. Truman apoyó estas medidas, pero el congreso las retrasó. En 1948, después de una serie de órdenes ejecutivas, Truman terminó con la segregación en las fuerzas armadas y prohibió la discriminación laboral en todas las dependencias gubernamentales.

¿Por qué el presidente Truman esperaba perder la elección de 1948?

En la elección de 1948, los demócratas estaban divididos. Se esperaba que muchos demócratas apoyaran al candidato del nuevo partido Progresista Henry Wallace. Se esperaba que los demócratas del sur votaran en contra de la legislación federal de derechos civiles, al apoyar a Strom Thurmond y al partido de los Derechos de los Estados. muchos polítologos pensaron que el candidato republicano Thomas E. Dewey, iba a triunfar facilmente en contra de un partido demócrata dividido. Pero curiosamente Truman ganó la elección. Se aventuró a cruzar todo el país en tren en una exhausta travesía de paradas continuas. Su estrategia de compaña fue la de enfatizar el peligro republicano en contra de las reformas del Nueva Tratado (New Deal). Finalmente ganó al unir la coalisión del Nuevo Tratado (New Deal) de Roosevelt -campesinos, afroamericanos y sindicatos laborales.

PREGUNTAS DE REPASO

Direcciones: Contesta la pregunta en el espacio indicado

____1. ¿Cuál de los siguientes actos no recibió el apoyo del presidente Truman?
  a. El decreto Taft-Hartley
  b. La expedición de leyes de derechos civiles
  c. La toma del gobierno de las minas
  d. La disgregacion de las fuerzas militares

____2. ¿Cuál de los siguientes aseveraciones describe a Philip Randolph?
  a. Fue un líder de derechos humanos
  b. Fue un líder laboral
  c. Persuadió al presidente Truman para disgregar la ramada
  d. Todos los anteriores

____3. El decreto Taft-Hartley fue
  a. Un plan del congreso republicano para abolir reformas sociales del Nuevo Tratado (New Deal)
  b. Apoyo a John Lewis
  c. Se uso para disgregar las fuerzas armadas
  d. Apoyo a presidente Truman

____4. Strom Thurmond
  a. Abogó por los derechos civiles de las minorías
  b. Fue el candidato presidencial del partido de los Derechos de los Estados en 1948
  c. Apoyó al candidato progresista para presidente en 1948
  d. Fue el candidato presidencial por el partido republicano en 1948

CAPÍTULO

La segunda amenaza roja

¿Qué fue la primera amenaza roja?

La primera amenaza roja empezó en 1919, poco después de la Primera Guerra Mundial, con el ascenso de la Unión Soviética, el incremento de los sindicatos laborales radicales en Estados Unidos y los incidentes laborales violentos acaecidos en esos años. El procurador A Mitchell Palmer y otros americanos estaban convencidos de que habría una consiparación comunista en contra del gobierno de los Estados Unidos. El resultado fue que hubo una campaña anticomunista que incluyó el arresto de muchos sospechosos, muchas investigaciones, y la toma de documentación de muchas sedes de sindicatos laborales, muchas veces sin garantías. La campaña se enfocó principalmente en contra de los miembros nuevos de sindicatos y los inmigrantes. Muchos que no eran ciudadanos norteamericanos fueron deportados.

¿Qué fue el comité "House UN-American Activities" (HUAC)?

HUAC fue un comité del Congreso establecido en 1938 para investigar las traiciones y para evitar las malas influencias extranjeras en Estados Unidos. A pesar de que tuvo pocas funciones durante la Segunda Guerra Mundial, el HUAC ganó prestigio y notoriedad en los años posteriores a la guerra. Sus principales blancos eran los simpatizantes comunistas en Hollywood y en el Departamento de Estado. Los métodos del HUAC consistían en la organización de audiencias y llamamiento de testigos. El comité usaba amenazas de encarcelamiento o arruinaba carreras para poder conseguir testigos que dieran el nombre de personas sospechosas. El sólo haber asistido a las reuniones de una orgaización sospechosa o de haber sido miembro de una tal organización, era motivo para ser acusado de traición. Aquellos que daban a conocer nombres se les dejaba en libertad. Aquellos que se negaban a declarar se les encarcelaba. El HUAC reveló varias actividades izquierdistas pero nunca descubrió ninguna conspiración organizada en contra del gobierno norteamericano.

¿Quiénes fueron los diez de Hollywood?

Muchas personas se negaron a declarar en el HUAC porque pensaban que estas audiencias eran violaciones a los derechos civiles y constitucionales. Las protestas más famosas en contra de HUAC provenían de Hollywood, era un grupo de diez escritores que se negaron a cooperar con el comité. Fueron citados ante el congreso y después encarcelados. Las investigaciones revelaron que tenían inclinaciones izquierdistas pero no actividades subversivas. Sin embargo, muchas industrias de cine, radio, televisión y teatro negaron trabajo a sospechosos izquierdistas como los diez de Hollywood.

¿Quiénes fueron Alger Hiss y Julius y Ethel Rosenberg?

Alger Hiss era un ex-oficial de Estado Mayor, acusado por un ex-miembro del partido comunista, Whittake Chambers, de pasar información secreta del Departamento de Estado a los comunistas. Hiss negó los cargos y demandó a Chambers por difamación. Chambers consiguió evidencia convincente para que un jurado declarara culpable a Hiss de perjurio.

Julius y Ethel Rosenberg eran esposos y fueron detenidos por espionaje a favor de Rusia. Como un ingeniero americano del ejército, Julius les confirió secretos sobre la bomba atómica a los rusos. La pareja recibió la pena de muerte, la primera sentencia de muerte por delito de espionaje. Muchas personas pensaron que la sentencia había sido muy dura y que era producto del sentimiento que despertaba la amenaza roja. A los Rosenberg los ejecutaron en 1953. Los casos Hiss y Rosenberg convencieron a los norteamericanos que había una actividad comunista creciente en los Estados Unidos. Estos acontecimientos contribuyeron a acentuar el miedo de la segunda amenaza roja.

PREGUNTAS DE REPASO

Direcciones: Contesta las siguentes preguntas

1. ¿Quiénes fueron Julius y Ethel Rosenberg?

   _____

   _____

   _____

2. ¿Quién fue Alger Hiss?

   _____

   _____

   _____

3. ¿Qué fue el comité House-UN-American Activities, y quienes fueron los diez de Hollywood?

   _____

   _____

   _____

4. Cuando y qué fue la primera amenaza roja?

   _____

   _____

   _____

CAPÍTULO

12

Las relaciones entre los Estados Unidos y la Union Soviética

¿Por qué terminaron las relaciones amistosas entre los Estados Unidos y Rusia después de la Segunda Guerra Mundial?

Los Estados Unidos y la Union Soviética pelearon juntos en contra de Alemania y Japón durante la Segunda Guerra Mundial, pero después de la guerra la cooperación amistosa ya no fue posible. Ambos países habían emergido como potencias mundiales, y tenían metas diferentes. La Unión Soviética tenía el propósito de acabar con los sistemas capitalistas. Y la democracia no era parte de su plan para convertir al mundo al sistema comunista. Los Estados Unidos tenían como meta primordial promover el capitalismo y la democracia por todo el mundo.

Los desacuerdos comenzaron cuando los aliados los Estados Unidos, Gran Bretaña y Francia deseaban una Alemania independiente, desmilitarizada y unida mientras que los soviéticos se negaron a eso, a menos que fuera bajo el régimen comunista. Mientas tanto, las tropas soviéticas se quedaron en Europa del Este para ayudar al establecimiento de gobiernos comunistas que buscaban el liderazgo ruso. Los soviéticos retrasaron el retroceso de sus tropas de Iran y los Dardanelos en Turquía, que controlaban el acceso del Mar Negro. Este retraso, asi como el fracaso de Stalin de mantener su promesa de mantener elecciones libres en Polonia, convencieron a muchos en el Occidente que Stalin quería expander el sistema comunista por la fuerza.

¿Qué fue la Doctrina Truman y el plan Marshal?

Fueron dos respuestas ante la amenaza comunista en Europa por parte de los norteamericanos.

La Doctrina Truman se creo en respuesta a la amenaza de una toma comunista violenta en Grecia. Después de haber sido una monarquía respaldada por Gran Bretaña, Grecia se encontraba en medio de una rebelión después de la Segunda Guerra Mundial. Yugoslavia, otro país comunista ayudó a los rebeldes en Grecia. Los Estados Unidos sintieron que estos hechos eran una amenaza para la estabilidad del país. El presidente Truman solicitó permiso al Congreso para mandarle ayuda a Grecia y expidió un documento conocido como la Doctrina Truman. Declaró que los Estados Unidos ayudarían a las personas que pelearan en contra de los atentados de gobiernos libres por minorías armadas o presiones externas.

El Plan Marshall fue designado por el Secretario de Estado George C. Marshall, que había sido el jefe del ejército durante la Seguda Guerra Mundial. El plan reconocía que la guerra había desvastado las economías europeas. Debido a que el pueblo europeo estaba pobre y desesperado, empezaron a inclinarse por los consejos comunistas para desmantelar el capitalismo. Marshall y el presidente Truman comprendieron que la mejor manera de mantener el comunismo fuera de Europa era ayudarla a reconstruir sus economías. La ayuda también fue ofrecida a la Unión Soviética y a sus aliados del este, pero se negaron, pensando que era un plan para derrocar al comunismo.

¿Qué fue el abastecimiento aéreo en Berlín?

En 1948, los Estados Unidos, Gran Bretaña y Francia acordaron unir sus zonas de ocupación en Alemania. Rusia se opuso a la reunificación alemana a menos que fuera bajo el sistema comunista. Apesar de que todos los aliados tenían zonas de ocupación en Berlín, el propio Berlín estaba en la zona de ocupación rusa mayoritariamente. En respuesta a la reunificación de Alemania Occidental, los soviéticos bloquearon los caminos y las vías férreas a Berlín. Los aliados empezaron a mandar abastecimiento a los berlineses por aire. de esta manera los rusos se vieron forzados a ser los primeros en usar la fuerza si querían evitar el abastecimiento. No se atrevieron. Un año después los rusos levantaron el bloqueo.

¿Cuál fue el resultado de la ocupación alemana de posguerra?

El 30 de septiembre de 1949, Alemania se había dividido en dos naciones, la Alemania comunista del Este (República Democrática Alemana) y la Alemania no comunista del Oeste (La República Federal de Alemania). Asimismo, en 1949, Europa Occidental y los Estados Unidos formaron la Organización del Tratado del Altántico-Norte, conocido como la OTAN, para combinar las fuerzas militares en contra de la amenaza comunista en Europa. Rusia creo un acuerdo militar similar, el pacto de Varsovia en 1955, con sus países satélites comunistas. Así surgió una Europa dividida. Los conflictos entre países comunistas y no comunistas continuó por espacio de 40 años, en lo que se conoció como la Guerra Fría.

PREGUNTAS DE REPASO

Direcciones: Marca C de cierto y F de falso. Si una oración es falso, corrígelo para que sea cierto. Si la oracion es Falsa, corríjela, cambiando la palabra o palabras subrayadas, en el espacio provisto.

____**1.** La revuelta inspirada en el comunismo en <u>Polonia</u>, inspiró la doctrina Truman

_____

_____

____**2.** <u>El abastecimiento aéreo en Berlín</u> fue una respuesta al bloqueo soviético de la ciudad de Berlin

_____

_____

____**3.** <u>El plan Marshall</u> fue un pacto militar firmado en 1949 entre países nocomunisats de Europa Occidental.

_____

_____

____**4.** Después de la guerra, la Unión Soviética retrasó el retiro de sus tropas de los <u>Dardanelos</u>.

_____

_____

____**5.** <u>la OTAN</u> fue un acuerdo militar entre Rusia y sus naciones satélite, firmado en 1955.

_____

_____

12

El involucramiento de los Estados Unidos en Asia

¿Cuáles eran las condiciones bajo las que Japón se rindió?

El 2 de septiembre de 1945, Japón firmó su rendición en términos formales con los aliados. De acuerdo con los términos de la rendición, el emperador Hirohito permaneció como la cabeza del estado, mientras que el régimen militar fue desmantelado. El ejército norteamericano estacionon una base militar en Japón, que puso en práctica la reconstrucción de la desvastada economía, al reformar la manera en que la tierra había estado dividida, y emulando una contitución al estilo norteamericano. La nueva constitución delegó el poder en manos del pueblo japonés, limitó el poder de los militares y le otorgó a las mujeres el derecho al voto.

¿Qué condujo a la caída del gobierno nacionalista de China?

La guerra de Japón en contra de China interrumpió la guerra civil de China entre el gobierno nacionalista de Chiang Kaishek y el comunista dirigido por Mao Zedong. El gobierno Chiang Kaishek había subido al poder en 1928 después de muchas centurias bajo un régimen imperial en China. Las reformas nacionalistas no habían sido suficientes según los comunistas, y la guerra civil se llevó a cabo durante la década de los años de 1930. Los nacionalistas y los comunistas pidieron una tregua para que ambos pudieran combatir en contra de los japoneses, pero el 14 de abril de 1945, una fuerza comunista de 3 milliones de soldados y tropas guerrilleras iniciaron una guerra en contra de Chiang Kaishek. El primero de octubre de 1949 los comunistas fundaron La Republica China de la gente. Para diciembre, las fuerzas nacionalistas habían retrocedido de la China a la isla de Formosa, conocida ahora como Taiwan.

Los comunistas derrocaron a los nacionalistas porque tuvieron el apoyo de campesinos pobres que eran la mayoría de la población China. En las áreas controladas por los comunistas durante la Segunda Guerra Mundial, éstos habían tomado las tierras de los señores feudales y se las habían entregado a los campesinos. Chian Kaishek había empezado algunas reformas pero más enfocadas a la industria y al transporte. Tales reformas no sirvieron de mucho para mejorar la situación de los campesinos. La corrupción dentro del gobierno nacionalista era bien conocida, lo que hizo que los comunistas se ganaran la simpatía popular.

¿Cuáles fueron los orígenes de la guerra de Corea?

Después de la Segunda Guerra Mundial, los Estados Unidos y la Unión Soviética ocuparon Corea conjuntamente después de que Japón se había rendido. La línea divisoria era el paralelo 38 de latitud norte. Los soviéticos controlaron el norte y los Estados Unidos controlaron el sur. En el norte, los Soviéticos establecieron un gobierno comunista de la República Popular Democrática de Corea. En el sur, los Estados Unidos apoyaron a la República de Corea. Ambos gobiernos se jactaban de ser el gobierno legítimo. Los rusos dejaron en Corea del Norte un ejército más poderoso que el de Corea del Sur. Después de que los Estados Unidos y la Unión Soviética retiraron sus tropas en 1949, las fuerzas de Corea del Norte invadieron Corea del Sur el 25 de junio de l950. El Consejo de Seguridad de las Naciones Unidas ordenó un cese el fuego.

Al no dar marcha atrás Korea del Norte las Naciones Unidas y los Estados Unidos prometieron su apoyo a Corea del Sur.

PREGUNTAS DE REPASO

Instrucciones: Responda cada pregunta en el espacio respectivo.

1. Señale dos razones por las cuales muchos ciudadanos chinos fueron partidarios de los comunistas en la Guerra Civil China.

   _____

   _____

   _____

2. ¿Cuándo comenzó la Guerra Coreana?

   _____

   _____

   _____

3. Escriba los términos de la rendición del Japón después de la II Guerra Mundial.

   _____

   _____

   _____

CAPÍTULO

La Guerra de Corea

¿Por qué se preocuparon los Estados Unidos de la invasión de Corea del Norte a Corea del Sur?

China se rindió a los comunistas en 1949. En 1950 Corea del Sur fue atacada por las fuerzas armadas de Corea del Norte que habían sido armas y preparadas por la Unión Soviética. Los Estados Unidos pensaron que el comunismo se encontraba tras la ofensiva para apoderarse de Asia. El Presidente Truman creyó que los Estados Unidos debían enviar tropas para combatir la ofensiva comunista en Coreao la política de contención del comunismo sería un fracaso. A Truman le pareció que el enemigo estaba por todas partes.

¿Cuáles fueron los mayores sucesos y campañas de la guerra de Corea?

Tanto la República Popular Democrática de Corea en el Norte y la República de Corea en el Sur afirmaban ser el gobierno legítimo para toda la Península de Corea El Gobierno de Corea del Norte había sido constituído por la Unión Soviética que había ocupado el país de 1945 a 1948 después que los japoneses fueron derrotados. El Gobierno de Corea del Sur había sido instituído por los Estados Unidos bajo circunstancias similares. El 25 de junio de 1950 las fuerzas de Corea del Norte cruzaron la línea divisoria entre Corea del Norte y Corea del Sur, el paralelo 38, latitud norte para converetirse en líderes de toda Corea. Con un ejército más fuerte y el elemento sorpresa, los norcoreanos rápidamente conquistaron casi toda Corea del Sur.

Dos días después de la invasión de Corea del Norte, el consejo de Seguridad de las Naciones Unidas llamó a sus miembros para apoyar a Corea del Sur. El Presidente Truman movilizó tropas para defender a Corea del Sur. Fue orden del Ejecutivo más que del Congreso la declaración de guerra.Muchos miembros del Congreso se opusieron a la orden del Ejecutivo y la declararon inconstitucional.

El General Douglas MacArthur fue llamado Comandante de las fuerzas de las Naciones Unidas que se integraba principalmente de tropas norteamericanas, las fuerzas de Corea del Sur y norteamericanas habían retrocedido al extremo sur de la península. MacArthur lanzó entonces una invasión anfibia a Inchon, detrás de las líneas de batalla de Corea del Norte. Atacado por dos frentes, los coreanos del norte retrocedieron rápidamente. Mac Arthur, con el permiso de Truman, entró a Corea del Norte, en pos de las tropas en retirada.

Mientras las tropas americanas se acercaban al río Yalu, que formaba los límites entre Corea del Norte y China, miles de tropas chinas atacaron las posiciones americanas haciendo que las fuerzas de MacArthur se retiraran hacia Corea del Sur. Según los chinos, las fuerzas norteamericanas tenían planeado atacarlos desde Corea del Norte. Su ingreso hizo que la guerra se tornara más sangrienta.

Para la primavera de 1951, después de una contraofensiva dirigida por el General Matthew Ridgeway, los frentes de batalla se encontraban establecidos en la frontera entre ambos países. Mac Arthur, en contra de los deseos de Truman, hizo un llamamiento para bombardear China. Cuando Truman se negó, Mac Arthur lo criticó a través de la prensa, entonces fue despedido

Por tres años más, el combate sanguinario continuó en el paralelo 38. Finalmente el 27 de julio de 1953 durante el nuevo período de Eisenhower, un armisticio finalizó el conflicto. El país permaneció dividido como lo era antes de la guerra.

PREGUNTAS DE REPASO

Instrucciones: Indica el orden de los sucesos escribiendo A, para el primer evento, B para el siguiente evento y así hasta la letra E.

____**1.** El contrataque de Inchón tuvo éxito

____**2.** El general Ridgeway hace retroceder las tropas norcoreanas y chinas detrás del paralelo 38.

____**3.** Corea del Norte cruza el paralelo 38 por primera vez

____**4.** China entra a la guerra

____**5.** Se firma un armisticio

Responda a cada pregunta en el espacio señalado

____**6.** Durante la guerra de Corea, el general Douglas A MacArthur
    a. Fue el comandante de las fuerzas de las Naciones Unidas
    b. Hizo un llamamiento para bombardear China
    c. Organizó el contrataque contra las fuerzas de Corea del Norte en Inchón
    d. Todo lo anterior

____**7.** De 1945 a 1948 Corea del Norte fue ocupada por:
    a. Japón
    b. Los Estados Unidos
    c. La Unión Soviética
    d. China

CAPÍTULO

La política norteamericana, 1952-1960

¿Por qué Eisenhower fue elegido presidente?

- El Presidente Harry Truman decidió no postular a la re-elección, dejando al Partido Democrático sin un candidato fuerte. Sin embargo, los Demócratas nominaron a Adlai Stevenson, a quien mucha gente consideraba muy intelectual, y no un hombre de acción.

- Dwight D. Eisenhower había ganado fama de héroe de guerra durante la Segunda Guerra Mundial y era considerado un hombre fuerte aunque amistoso con la gente.

- Eisenhower prometió terminar la Guerra con Corea.

- Debido a que Eisenhower era nuevo en la política, los Demócratas sintieron que podían votar por él sin traicionar a su partido.

¿Qué fue el McCarthyism?

Durante la Nueva Alarma Roja (New Red Scare), que había empezado en la década de 1940, el público estadounidense estaba atemorizado y molesto con lo que ellos creían eran conspiraciones comunistas para tomar este país. En medio de este miedo, el senador de Wisconsin, Joseph R. McCarthy comenzó a acusar disparatadamente la gente de tener vínculos comunistas. El término McCarthismo se refiere a esta indiscriminada caza contra los Comunistas, en la que mucha gente era falsamente acusada de ser Comunista, y era perseguida como resultado de esto.

- McCarthy se convirtió en el presidente del Subcomité del Senado a cargo de investigar si habían Comunistas en el gobierno de los EE. UU. Al acusar a las personas de ser Comunistas, McCarthy ganó mucha importancia política.

- La mayoría de los cargos que presentaba McCarthy eran falsos, pero en los juicios públicos él se aprovechaba para arruinar la carrera de mucha gente. Los empleados del gobierno, debido a estos falsos cargos, fueron considerados "riesgo de seguridad," y aún algunos de ellos perdieron sus empleos, aunque en realidad no habian hecho nada malo.

- El McCarthismo desapareció después del juicio entre el Ejército y McCarthy, en el cual McCarthy atacó al Ejército de los Estados Unidos y a la administración de su colega republicano el presidente Eisenhower. El juicio fue transmitido por televisión y el público tuvo la oportunidad de ver a McCarthy en acción. La mayoría de la gente pudo apreciar que él no era más que un camorrista que carecía de evidencia razonable que apoyara sus denuncias de traición. Estos juicios destruyeron el apoyo político con que contaba y disminuyeron la Nueva Alarma Roja.

¿Por qué el pueblo estadounidense cambió de la filosofía Democrática hacia el moderno Republicanismo?

Eisenhower ayudó a crear el moderno Republicanismo, mezclando políticas domésticas conservadoras de la década de 1920, con políticas económicas liberales del Nuevo Pacto. Esta nueva filosofía fue aceptada en parte debido a la gran popularidad de Eisenhower. Él ayudó a establecer este moderno Republicanismo a través de las siguientes acciones:

- Trató de reducir el gasto del gobierno a la vez que daba apoyo a los programas de ayuda social y a los negocios necesitados.

- No sólo trabajó para mantener la legislación de seguridad social del Nuevo Pacto, sino que expandió aún más algunas partes de él, dando beneficios de seguridad social a 11 millones de personas que anteriormente no estaban aseguradas.

- Aprobó aumentos al salario mínimo y beneficios de vivienda pública, mostrando así su preocupación por los pobres.

- Continuó con la tradición de proyectos de obras públicas apoyando la construcción del St. Lawrence Seaway, y el sistema nacional de autopistas.

PREGUNTAS DE REPASO

Instrucciones: Responde a cada pregunta en el espacio proporcionado.

1. ¿Qué fue el McCarthismo? ¿Por qué era injusto?

_____

_____

_____

2. ¿Qué provocó que el McCarthismo desapareciera?

_____

_____

_____

3. ¿Cómo continuó Eisenhower algunos de los programas de beneficio social del Nuevo Pacto?

_____

_____

_____

4. ¿Qué factores contribuyeron a que Eisenhower fuera electo presidente?

_____

_____

_____

CAPÍTULO

POWER AND PROSPERITY / **STUDY GUIDE**

Las relaciones internacionales

¿Qué era la política del "brinkmanship" (del borde del abismo)? ¿Por qué fue a menudo un engaño?

- Parte de la política exterior del Presidente Eisenhower era que los Estados Unidos se proponía responder con represalias masivas, cualquier agresión de la Unión Soviética, o aún podían responder instantáneamente con gran fuerza. La amenaza de usar represalias masivas era llamada política del borde del abismo (brinkmanship) debido a que los Estados Unidos estaban dispuestos a ir al borde de la guerra para contener a la Unión Soviética. Debido a que una guerra total entre los Estados Unidos y la Unión Soviética hubiera resultado extremadamente destructiva, la política del borde del abismo era normalmente considerada como un engaño.

- Los Estados Unidos trataban de evitar el uso de la política del borde del abismo, a menos que fuera absolutamente necesaria, ya que una amenaza usada a menudo, se vuelve inefectiva. En vez de eso, los Estados Unidos usaban acciones encubiertas o secretas para lograr sus objetivos militares. En 1953 el líder rebelde Mohammed Mosaddeq derribó al gobierno del Shah de Irán. Para reestablecer al Shah en su trono, los Estados Unidos usaron a la Agencia de Inteligencia Central (Central Intelligence Agency) (CIA) en vez de la fuerza militar. De la misma manera, en 1954 el gobierno estadounidense hizo que la CIA arregle el reemplazo del gobierno Guatemalteco, con otro más amistoso para con los Estados Unidos.

¿Cuáles fueron algunos de los incidentes internacionales que intensificaron la Guerra Fría durante la década de 1950?

- **La crisis del Canal de Suez** En 1956 el líder egipcio Gamal Abdel Nasser acordó construir una represa en el Río Nilo con apoyo de los EE.UU. Sin embargo, cuando el gobierno Egipcio recibió asistencia de la China Comunista, los Estados Unidos rehusaron auspiciar el proyecto. Egipto respondió embargando el control del Canal de Suez a Francia y Gran Bretaña. Nasser quería usar el sistema de peaje sobre el canal para financiar la represa. Entonces Israel, Francia, y Gran Bretaña invadieron a Egipto para retomar el canal. Eisenhower pidió que a Francia y Gran Bretaña retiraran sus tropas. La Unión Soviética solicitó lo mismo, y amenazó con ayudar militarmente a Egipto. Finalmente Israel, Francia, y Gran Bretaña retiraron sus tropas, y el Canal de Suez permaneció bajo el control Egipcio. Después de eso, Eisenhower anunció la Doctrina Eisenhower, en la que ofrecía dinero y asistencia militar a cualquier país del Oriente Medio que se opusiera a la propagación del comunismo.

- **La carrera espacial** En Octubre de 1957 la Unión Soviética lanzó el *Sputnik,* el primer satélite hecho por el hombre. Este logro amenazó la supremacía tecnológica norteamericana y dio un estímulo emocional a la Unión Soviética y al comunismo. También llevó a un aumento de interés en el programa espacial estadounidense y al mejoramiento de la educación en este pais. Inmediatamente se fundó la Administración Nacional para la Aeronáutica y el Espacio (National Aeronautics and Space Administration) (NASA) para llevar a los Estados Unidos a liderar la exploración espacial. Las Universidades y Escuelas empezaron a ofrecer más cursos y becas en ciencias y matemáticas. Después de unos pocos fracasos, los Estados Unidos lanzaron su propio satélite en Enero de 1958.

- **El incidente del U-2** La noche anterior a una reunión cumbre entre Estados Unidos y la Unión Soviética en 1960, el primer ministro Soviético Nikita Khrushchev, denunció que un avión espía norteamericano había sido derribado en espacio soviético. El Presidente Eisenhower arguyó que se trataba de un avión de información climática perdido. Cuando Khrushchev anunció que el piloto del avión había sobrevivido, el Presidente Eisenhower admitió que se trataba de un avión espía. Eisenhower accedió a no permitir futuras misiones espías sobre el espacio soviético, pero nunca pidió disculpas por el incidente. Khrushchev tildó de cobarde a Eisenhower, y suspendió las reuniones cumbre. Este incidente causó una enorme tensión en las relaciones entre Unidos y la Unión Soviética.

PREGUNTAS DE REPASO

Instrucciones: Responde a cada pregunta en el espacio proporcionado.

1. ¿Por qué la política del borde del abismo era usualmente considerada como un engaño?

   _____

   _____

   _____

2. ¿De qué manera Estados Unidos utilizó a la CIA para evitar poner en práctica la política del borde del abismo?

   _____

   _____

   _____

3. ¿En qué consistía la Doctrina Eisenhower?

   _____

   _____

   _____

4. ¿Cómo reaccionaron los Estados Unidos al lanzamiento soviético del Sputnik?

   _____

   _____

   _____

5. ¿Qué pasó en el incidente del U-2?

   _____

   _____

   _____

6. ¿Cómo afectó el incidente del U-2 a las relaciones entre Estados Unidos y la Unión Soviética?

   _____

   _____

   _____

13

La cultura nuclear

¿Cómo afectó la energía nuclear a la cultura estadounidense?

La posibilidad de un ataque nuclear soviético atemorizaba a muchos estadounidenses. Después de todo, el uso de armas nucleares podría resultar en una destrucción mundial. Los norteamericanos reaccionaron a esta amenaza en la siguiente manera:

- Compraron muchos productos que prometían protección contra los efectos de una guerra nuclear o que podían ser usados mientras se buscaba refugio durante un ataque.

- En edificios públicos y en patios interiores, la gente construyó refugios anti-bombas para resguardarse de la radiación de una descarga nuclear. El refugio más sofisticado, diseñado por una compañía en Florida, tenía capacidad para 100 personas, una planta de energía, agua y aire acondicionado. Recibía energía de un generador a diesel con un almacenamiento de 4,000 galones de combustible, e incluía un motor de gasolina de repuesto. En caso de que el combustible se acabara, la gente podía usar bicicletas para proveer de energía al sistema de filtración de aire. Sin embargo, la mayoría de los refugios anti-bombas eran sólo para familias individuales y estaban construídos debajo de los patios interiores o en los sótanos.

- Se distribuía folletos de Defensa Civil, en los que se indicaba a quienes tenían refugios anti-bombas que almacenaran suficiente comida y agua en sus refugios para dos semanas (y reserva para otras dos semanas). La comida debía estar en latas o jarras selladas—o protegida en refrigeradores, armarios, o alacenas —para evitar su contaminación con polvo radioactivo. Otros productos recomendados para los refugios eran, velas, lámparas de kerosene, linternas, baterías, fósforos, combustible para encendedor, piedras de encendedor para hacer chispas y encender fuego, pasta de dientes, jabón para agua dura, papel higiénico, herramientas, y contadores Geiger, que podían medir las dosis y niveles de exposición a la radiación.

¿Cómo respondieron los Estados Unidos a la Guerra Fría y al lanzamiento Soviético del primer satélite hecho por el hombre?

Los estadounidenses que ya vivían con la amenaza de una guerra nuclear, se asustaron aún más cuando los Soviéticos lanzaron exitosamente el *Sputnik,* el primer satélite artificial sobre la órbita terrestre. Un satélite que navegara fuera del alcance de las armas norteamericanas, podría ser usado para atacar a los Estados Unidos. La gente creía que los Estados Unidos se habían quedado retrasados, frente a los Soviéticos, en el desarrollo de tecnología militar. Para responder a posibles amenazas por parte de los soviéticos, los Estados Unidos hicieron lo siguiente:

- Se creó la Administración Nacional de Aeronáutica y de Espacio (National Aeronautics and Space Administration) (NASA) para ayudar a los Estados Unidos a alcanzar a la Unión Soviética en la carrera espacial.

- Los Estados Unidos comenzaron a poner énfasis en la enseñanza de ciencias y matemáticas, para incrementar las posibilidades de realizar descubrimientos científicos importantes. Se ofrecieron becas y préstamos con intereses bajos, para estudiar en estas áreas.

- Los Estados Unidos intentaron enviar misiones espías contra la Unión Soviética, tal como la que causó el incidente del U-2.

PREGUNTAS DE REPASO

Instrucciones: Responde a cada pregunta en el espacio proporcionado.

1. ¿Por qué las armas nucleares crearon una atmósfera de miedo?

   _____

   _____

   _____

2. ¿Qué productos compraba la gente para enfrentar una posible guerra nuclear?

   _____

   _____

   _____

3. ¿Qué es un contador Geiger?

   _____

   _____

   _____

4. ¿Qué cosas sugerían los folletos de Defensa Civil que se debían de tener en los refugios anti-bombas?

   _____

   _____

   _____

5. ¿Cuál fue una de las formas que usaron los Estados Unidos durante la Guerra Fría para obtener información sobre la Unión Soviética?

   _____

   _____

   _____

CAPÍTULO

13

Prosperidad y sociedad

¿Qué factores económicos causaron que la clase media se mudara hacia los suburbios en los años 1950s?

Muchos factores propiciaron la mudanza de la clase media hacia los suburbios:

• Ocurrió una repentina prosperidad económica. El Producto Bruto Nacional de los Estados Unidos, que es el valor de todos los productos y servicios producidos en el país, se incrementó de $100 billones en 1940, a $500 billones en 1960. Adicionalmente, el salario mínimo aumentó de $.75 a $1 por hora en 1955. La clase media creció y rápidamente incluyó a más del 60 por ciento de la población.

• El incremento en el pago y la posibilidad de pasar menos tiempo en el trabajo significaba que más norteamericanos podían afrontar la responsabilidad de tener niños y contaban con más tiempo para criarlos. Debido al aumento en el índice de nacimientos en los Estados Unidos después de la Segunda Guerra Mundial, la población creció aproximadamente 3 millones cada año, lo que dio origen al llamado "baby boom."

• El sistema nacional de autopistas desarrollado por el Presidente Eisenhower facilitó el viaje entre el hogar y el trabajo y permitió que la gente viviera más lejos de sus lugares de trabajo.

• La gente se mudó a los suburbios para evitar la superpoblación de las ciudades, también fue en busca de aire fresco, naturaleza, y casas a precios razonables.

¿Porqué se incrementó el poder adquisitivo durante los años 1950s?

• El mayor ingreso económico permitió la gente comprara toda una gama de productos que facilitaban el trabajo y proporcionaban entretenimiento. Las industrias de la televisión, comidas rápidas, y viajes, prosperaron enormemente.

• Las familias que se mudaron a nuevas casas en los suburbios, necesitaban automóviles, muebles, y aparatos, tales como lavadoras y refrigeradoras.

• Los vecinos se enorgullecían de sus posesiones y competían unos contra otros por tener los productos de la más alta calidad.

• Ir de compras se convirtió en un evento social entre amigos en los suburbios.

¿Cómo era la vida en las ciudades después de que la clase media se mudó a los suburbios?

Mientras que muchos de los más prósperos residentes de las ciudades se mudaron a los suburbios, la mayoría de los pobres permanecieron en las ciudades. Como resultado, aumentó el porcentaje de gente pobre en las ciudades. Estos últimos ganaban poco dinero y pagaban pocos impuestos. Como consecuencia de ello, el ingreso de las ciudades bajó y decayó la calidad de los servicios públicos que se ofrecían, como escuelas y parques. Este decaimiento hizo que aún más gente se mudara a los suburbios. En las ciudades se construyeron proyectos de vivienda pública para proveer de vivienda a los pobres. Como mucha de esta gente pertenicía a minorías, se dio origen a un nuevo tipo de segregación.

¿Qué era la "generación silenciosa"? ¿Qué grupos se rebelaron contra la cultura de la década de 1950?

- A la gente joven de la década de 1950 se les conoce como la generación silenciosa. Se los acusaba de pensar sólo en sus carreras futuras y bienes materiales, y de no preocuparse de los problemas sociales que estaban aquejando a los Estados Unidos.

- Los "beats" eran un grupo de jóvenes escritores y poetas que cuestionaban los problemas centrales de la cultura norteamericana. Ellos criticaban a la clase media Norteamericana por tener sueños vacíos y poco profundos, como comprar una casa en los suburbios Para mayor información acerca de los "beats" consulta The Beat Generation Literature Reading en el CD-ROM *Exploring America's Past.*

- Otros jóvenes empezaron a escuchar el nuevo estilo de música llamado, "rock 'n' roll," el cual combinaba el ritmo afroamericano y la música "blues" con sonidos eléctricos fuertes. Algunos padres no estaban de acuerdo con esto, porque pensaban que la letra de las canciones eran inmorales. Otros objetaban el hecho de que blancos y negros estuvieran interactuando juntos en las presentaciones musicales.

PREGUNTAS DE REPASO

Instrucciones: Responde a cada pregunta en el espacio proporcionado.

1. ¿Por qué la clase media se mudó a los suburbios?

   _____

   _____

   _____

2. ¿Por qué el gasto en consumo aumentó en la década de 1950?

   _____

   _____

   _____

3. ¿Qué era el "baby boom"?

   _____

   _____

   _____

4. ¿Cómo afectó el crecimiento de los suburbios a las ciudades?

   _____

   _____

   _____

13 Rock 'n' Roll

¿Cómo era la cultura juvenil en la década de 1950?

A los jóvenes de la década de 1950 se los conocía como la "generación silenciosa," debido a que muchos de ellos parecían no interesarse en la integración racial, la amenaza de la guerra nuclear, y otros serios problemas sociales y políticos en el mundo. Algunos decían que esta generación parecía preocupada solamente en tener éxito y obtener su pedazo del pastel norteamericano. Aunque estas afirmaciones pueden ser verdaderas en parte, muchos de los jóvenes de ese período, sí cuestionaban los valores centrales de la sociedad norteamericana. Mientras algunos siguieron al movimiento "beat" para expresar sus ideas, muchos de los jóvenes se revelaron contra la sociedad escuchando música rock 'n' roll. Esta sirvió como la fuerza más importante de unificación de los "bebes del boom", quienes querían en general independencia de sus padres o de cualquier figura de autoridad.

- El rock 'n' roll fue una mezcla de otras formas de música, especialmente del ritmo afroamericano y los "blues," tiene características de un ritmo fuerte y vocalización alta. Los principales instrumentos de ritmo y música blues eran los saxofones, pianos, guitarras eléctricas, y tambores. Este tipo de música se hizo muy popular en las ciudades industriales del norte a medida que los afroamericanos se iban mudando ahí desde el sur.

- En muchas ciudades norteñas, los disc jockeys blancos ayudaron a popularizar el ritmo afroamericano y los blues entre los jóvenes, al tocar esta música en la radio. El término rock 'n' roll fue popularizado por un disc jockey de Cleveland, Alan Freed.

- El rock 'n' roll recibió mucha aceptación en las películas, empezando por la película *Blackboard Jungle,* que presentaba a Bill Haley y sus Cometas cantando el éxito "Rock Around the Clock" (Al Compás del Reloj). Elvis Presley pronto se convirtió en el cantante de rock 'n' roll más popular, y protagonizó 33 películas de cine.

- El rock 'n' roll no fue relegado por las barreras raciales que segregaban otros aspectos de la cultura estadounidense. Aunque este ritmo y los blues habían sido antes transmitidos solamente por estaciones de radio dirigidas a una audiencia afroamericana, músicos negros como Chuck Berry y Little Richard, grabaron en 1956 discos de rock 'n' roll, que fueron transmitidos en estaciones de radio para todo tipo de audiencias. Las presentaciones y canciones de estos artistas fueron también incluídas en películas de cine. Ritchie Valens, un músico de ascendencia hispánica, se presentó en muchos shows de variedades.

- El rock 'n' roll se convirtió rápidamente en la música de la juventud estadounidense. Las revistas y periódicos publicaban artículos sobre esta música y sus estrellas, y muchas estaciones de radio cambiaron su estilo para convertirse en estaciones de rock 'n' roll.

¿Cómo reaccionaron muchos adultos al rock 'n' roll?

No todos dieron la bienvenida a esta nueva música. Muchos padres miraban al rock 'n' roll con horror y lo llamaban un "ruido sin sentido," Los adultos se quejaban del efecto que este tenía en los jóvenes. Un psiquiatra dijo que los seguidores del rock 'n' roll eran puestos en un "trance de ritmo prehistórico," y se acusaba a esta música de causar un comportamiento inmoral. Además a muchos adultos blancos no les gustaba ver a jóvenes blancos y negros interactuando juntos cuando escuchaban esta música. Muchas comunidades prohibieron la transmisión del rock 'n' roll en fiestas, y discos de rock 'n' roll fueron destruídos en ceremonias públicas. Debido a la presión que los padres ejercieron sobre las estaciones radiales, algunos disc jockeys fueron despedidos simplemente por tocar discos de rock 'n' roll. Esta reacción de los adultos, llevó a unificar a los "baby boomers" en su amor por el rock 'n' roll, considerándolo como algo que les pertenecía sólo a ellos, algo que no tenían que compartir con sus padres ni con otras autoridades.

PREGUNTAS DE REPASO

Instrucciones: Responde a cada pregunta en el espacio proporcionado.

1. ¿Quién fue Alan Freed?

   _____

   _____

   _____

2. ¿Qué música influenció al rock 'n' roll?

   _____

   _____

   _____

3. ¿Por qué los padres se oponían al rock 'n' roll?

   _____

   _____

   _____

4. Además del entretenimiento, ¿con qué otros propósitos usó la juventud el rock 'n' roll?

   _____

   _____

   _____

Nombre _____ Clase _____ Fecha _____

CAPÍTULO

13

Los Derechos Civiles

¿Qué rol desempeñaron las Cortes y el gobierno en el movimiento de derechos civiles de la década de 1950?

La Corte Suprema, presidida por su presidente Earl Warren, ordenó a otras cortes federales que consideraran casos en que los derechos civiles de los afroamericanos estaban involucrados, y solicitó que se hicieran cambios.

- La NAACP ganó varios juicios en las cortes, con lo que se obligó que instituciones educativas, como por ejemplo la Escuela de Derecho de la Universidad de Texas, abrieran sus puertas a estudiantes afroamericanos.

- En 1954, el caso *Brown vs. El Consejo de Educación,* uno de los casos legales más importantes de la historia de los Estados Unidos, llegó a la Corte Suprema. El caso era sobre una muchacha afroamericana de Topeka, Kansas, a quien se le había negado admisión a una escuela "sólo de blancos" que quedaba cerca de su casa y que contaba con mejores instalaciones que la escuela local para afroamericanos. Thurgood Marshall, después Juez de la Corte Suprema, fue el abogado principal de la NAACP para este caso. En un caso anterior, *Plessy vs. Ferguson,* la corte había declarado legal la segregación siempre que las instalaciones proveyeran igualdad de servicios a cada raza. En *Brown vs. El Consejo de Educación,* la Corte dejó sin efecto la decisión de *Plessy vs. Ferguson,* declarando que las escuelas segregadas eran inconstitucionales puesto que eran "inherentemente (por naturaleza) desiguales." La Corte ordenó la supresión de la segregación de las escuelas "con rapidez deliberada."

- A pesar de la orden de la Corte Suprema, el gobernador de Arkansas, trató de evitar que sus escuelas fueran integradas. Para evitar que un grupo de estudiantes afroamericanos, llamados los Nueve de Little Rock, asistieran a clase a la Escuela Secundaria Central de Little Rock, el gobernador llamó a la Guardia Nacional de Arkansas. En respuesta, el Presidente Eisenhower envió a 1,000 soldados, para que escoltaran a los estudiantes a sus clases.

- En 1955 la afroamericana Rosa Parks, fue arrestada en Montgomery, Alabama, por rehusarse a ceder su asiento en el autobus a un hombre blanco. Los líderes locales afroamericanos, respondieron a esto organizando el Boycott de Autobuses de Montgomery, con la finalidad de terminar con la segregación en los autobuses. En Junio de 1956, una corte federal les dio la razón, y declaró ilegal la segregación en los autobuses.

¿Cómo reaccionaron muchos blancos a estos logros en los derechos civiles?

Muchos blancos se opusieron a la idea de conceder igualdad de derechos civiles a los afroamericanos.

- El presidente Eisenhower personalmente se oponía a que las cortes forzaran la eliminacion de la segregación. El creía que la gente no podía ser forzada a pensar diferente y dijo que simplemente era "una locura" que los jueces federales forzaran a la integración.

- Los estudiantes afroamericanos de Little Rock, Arkansas, que se habían integrado a la Escuela Secundaria Central, eran acosados constantes por parte de los estudiantes blancos.

- Después que la Corte Suprema, liderada por Earl Warren, hizo pública su decisión en el caso *Brown vs. El Consejo de Educación,* aparecieron anuncios con el mensaje "SALVEN A NUESTRA REPÚBLICA! ENJUICIEN A EARL WARREN."

- Algunos blancos reaccionaron con violencia contra los afroamericanos involucrados en los movimientos integracionistas. Por ejemplo, bombardearon la casa de Martin Luther King, Jr., uno de los organizadores del Boycott de Autobuses de Montgomery.

PREGUNTAS DE REPASO

Instrucciones: Responde a cada pregunta en el espacio proporcionado.

1. ¿Por qué fue importante el caso *Brown vs. El Consejo de Educación*?

_____

_____

_____

2. ¿Cómo fueron integradas las escuelas en Little Rock, Arkansas?

_____

_____

_____

3. ¿Qué tipo de reacciones tuvieron que afrontar los afroamericanos cuando intentaban conseguir igualdad de derechos?

_____

_____

_____

CAPÍTULO

13

El boicoteo de autobuses en Montgomery

¿Qué pasó durante el Boycott de autobuses en Montgomery?

El Boycott de Autobuses de Montgomery mostró que los afroamericanos estaban dispuestos a ejercer una fuerte presión para conseguir la igualdad de derechos.

- Una ley de Montgomery, Alabama, establecía que los afroamericanos debían sentarse en la parte trasera de los autobuses de la ciudad. Pero, cuando los asientos de un autobus estuvieran completamente llenos, los negros deberían ceder sus asientos a los pasajeros blancos que subieran al éste.

- En Diciembre de 1955, Rosa Parks, una mujer afroamericana, se rehusó a ceder su asiento cuando viajaba del trabajo a su casa. Ella fue arrestada por violar la ley local. Su acción heróica no sólo llevó a un esfuerzo total para terminar con esa ley discriminatoria, sino que también se convirtió en el símbolo de otros afroamericanos que sufrían injusticias.

- La noche anterior al juicio a Rosa Parks, los líderes afroamericanos se reunieron en la Iglesia Baustista de Dexter Avenue, donde Martin Luther King, Jr., era pastor. Ellos decidieron organizar un boicoteo a los autobuses locales. También animaron a Rosa Parks a presentar cargos contra la ciudad por discriminación.

- Martin Luther King, Jr., surgió como un líder del Boycott de Autobuses de Montgomery y de la Asociación de Mejoramiento de Montgomery (Montgomery Improvement Association), la organización que dirigió el boicoteo a los autobuses. El boicoteo dirigió la atención nacional hacia el liderazgo de King, y lo colocó en la vanguardia del movimiento nacional de derechos civiles.

- El boicoteo fue un éxito, los afroamericanos se rehusaron a usar los autobuses y caminaban o compartían los carros para ir y regresar del trabajo. Durante 381 días los autobuses hicieron sus casi recorridos vacíos.

- Durante este tiempo, los líderes del boicoteo estuvieron sujetos a ataques por parte de blancos enfurecidos. La casa de King fue bombardeada.

- El fin del boicoteo se produjo cuando la Corte Suprema declaró inconstitucional la ley de Montgomery.

- El Boicoteo de Autobuses en Montgomery dirigió la atención nacional hacia la batalla por los derechos civiles.

Para mayor información sobre Martin Luther King, Jr. consulta la Biografía de Martin Luther King, Jr. en la CD-ROM *Exploring America's Past.*

¿Quién es Rosa Parks?

Nacida en Tuskegee, Alabama, Rosa Parks asistió a una escuela para negros cuando era pequeña, y después a una escuela privada en Montgomery, Alabama. Después de terminar sus estudios, encontró trabajo como ama de llaves lo que le permitía sostener a su familia. Ella se afilió a la NAACP en 1943 para ayudar a conseguir el derecho de voto para los negros. Después de haber sido encontrada culpable por la corte de Alabama, por rehusarse a ceder su asiento a un hombre blanco, ella apeló el caso en la Corte Suprema, donde se determinó que la ley de segregación era inconstitucional.

PREGUNTAS DE REPASO

Instrucciones: Responde a cada pregunta en el espacio proporcionado.

1. ¿Qué fue el Boicoteo de Autobuses en Montgomery?

_____

_____

_____

2. ¿Qué era la Asociación de Mejoramiento de Montgomery?

_____

_____

_____

3. ¿Qué efecto tuvo el boicoteo en el rol que King jugó en el movimiento de derechos civiles?

_____

_____

_____

CAPÍTULO

Administración de Kennedy

¿Quiénes fueron los candidatos de la elección presidencial de 1960?, ¿y cuáles políticas apoyaron?

- Richard Nixon, candidato de Partido Republicano, era un político con mucha experiencia. Había sido el vice presidente de Eisenhower, y un opositor principal del comunismo.

- John F. Kennedy fue el candidato del Partido Demócrata. Sería el hombre más joven que sirviera como presidente, y además el primer católico romano. Algunos norteamericanos no católicos se preocupaban de que el papa en Roma influyera en sus acciones como presidente. Kennedy aseguró a la gente de que sí apoyaba la separación entre la iglesia y el gobierno, y de que la religión no influiría en sus decisiones.

- En tanto que Nixon hacía la promesa de seguir con la política de Eisenhower, Kennedy prometía lograr que la economía creciera rápidamente. Su programa se llamaba la Nueva Frontera.

- En una elección reñida, Kennedy le ganó a Nixon por sólo unos 118,000 votos populares, pero recibió 303 votos electorales en comparación a los 219 que recibió Nixon.

¿Estableció John F. Kennedy una Nueva Frontera con sus programas domésticos?

Aunque el presidente Kennedy propuso legislaciones importantes, el Congreso, dominado por los republicanos y los demócratas sureños, anuló la mayoría de los puntos de su programa.

- Se establecieron los programas de Voluntarios en Servicio a los Estados Unidos de América y del Cuerpo de Paz para enseñar el alfabetismo y otras destrezas a la gente con pocos recursos en los Estados Unidos de América, y por todas partes del mundo.

- Se aprobó el Decreto de Salarios Iguales. Obligó a las empresas privadas a pagarles a las mujeres el mismo salario que recibían los hombres, al hacer el mismo trabajo.

- No se aprobó un proyecto de ley sobre la educación que hubiera proporcionado fondos para la construcción de escuelas públicas y para los salarios de los maestros.

- No se aprobó un proyecto de ley sobre los derechos civiles para prohibir algunas formas de discriminación.

- No se aprobó un proyecto de ley para establecer un programa gubernamental sobre servicios médicos.

- Tampoco se aprobaron proyectos de ley para estimular la economía incrementando el salario mínimo y proporcionando una reducción de impuestos.

¿Qué fue la Bahía de Cochinos?

El desafío principal de Kennedy en el extranjero fue el de manejar la amenaza proveniente de la Unión Soviética. En Cuba fracasó el presidente en su intención de derrocar al gobierno comunista, el cual perjudicaba la percepción de los Estados Unidos de América en el extranjero, y también la reputación de él en su propio país.

- En los últimos años de la década de 1950, Fidel Castro encabezó una rebelión en Cuba, la isla situada aproximadamente 90 millas al sur de la Florida. Castro estableció un gobierno comunista pro Unión Soviética.

- Durante la administración de Eisenhower, la Agencia Central de Inteligencia, en secreto, entrenó a un grupo de cubanos exiliados, a invadir Cuba y a derrocar el gobierno. Kennedy aceptó seguir con el plan, pero después previno los aviones militares norteamericanos de contribuir a la invasión.

- Temprano en 1961, los refugiados entrenados en los Estados Unidos de América desembarcaron en Cuba, en un sitio llamado la Bahía de Cochinos. Los exiliados esperaban que grandes grupos de cubanos simpatizantes iban a juntarse con ellos. En cambio, tropezaron con el ejército de Castro, y todos los miembros de la fuerza rebelde fueron asesinados o capturados.

¿Cómo se enfrentó el presidente Kennedy al desafío del Muro de Berlín?

Poco tiempo después de la invasión fracasada en la Bahía de Cochinos, los soviéticos le pusieron a prueba al presidente Kennedy en la Alemania Oriental. Berlín, una ciudad dividida en una zona libre y otra comunista desde la II Guerra Mundial, era la vía de escape principal de los habitantes de la Alemania Oriental, los cuales huían del comunismo. En agosto de 1961 el primer ministro soviético, Nikita Khrushchev, mandó a que se construyera un muro para dividir los dos lados de Berlín. Con el muro detuvieron la mayoría de los huidas, pero seguía siendo un símbolo de la Guerra Fría. También a la gente le hacía recordar de que algunos habitantes de la Europa Oriental eran presos del comunismo. Kennedy ordenó a tropas norteamericanas hacia Berlín Occidental, y dos años después visitó la ciudad para demostrar su apoyo. Sin embargo, al final y al cabo el muro permaneció donde está.

PREGUNTAS DE REPASO

Instrucciones: Conteste cada pregunta en el espacio en blanco.

1. Nombra dos características de John Kennedy las cuales preocuparon a los votantes en la elección de 1960.

   _____

   _____

2. ¿Qué programas nuevos consiguió el presidente Kennedy iniciar?

   _____

   _____

3. ¿Cuáles legislaciones no logró aprobar el presidente Kennedy?

   _____

   _____

4. ¿Qué problemas en la política extranjera hicieron desafíos al presidente Kennedy durante su administración?

   _____

   _____

Nombre _____ Clase _____ Fecha _____

CAPÍTULO

14

Crisis Cubana de los Proyectiles...

¿Qué causó la crisis cubana de los proyectiles?

Como Kennedy no pudo prevenir la construcción del Muro de Berlín, los soviéticos decidieron ponerle más a prueba. A pesar de que la invasión de la Bahía de Cochinos, responsabilizada por los norteamericanos, había fracasado, Fidel Castro se inquietaba por los futuros intentos de ellos de que lo derrocaran. A la Unión Soviética Castro le pidió ayuda en la defensa de Cuba. La Unión Soviética envió proyectiles nucleares y otras armas a Cuba. Aunque asesores soviéticos empezaron la construcción de instalaciones de proyectiles en Cuba, ellos negaron cualquier amenaza a los Estados Unidos de América por los proyectiles, alegando que las armas eran "de ninguna manera ofensivas". En contradicción a la alegación de los soviéticos, el presidente Kennedy ordenó que se sacaran fotografías por medio de aviones espías norteamericanos, así comprobando que los proyectiles que se estaban colocando en Cuba eran capaces de alcanzar a los Estados Unidos de América.

¿Qué acciones emprendió el presidente Kennedy?

El presidente Kennedy se encontraba en condiciones difíciles en el otoño de 1963. No pudo dejar que se quedaran armas nucleares a sólo 90 millas de la frontera de los Estados Unidos de América. Sin embargo, si las destruyera, correría el riesgo de iniciar una guerra nuclear con la Unión Soviética.

- El 22 de octubre, el presidente Kennedy se dirigió al público norteamericano por medio de la televisión. Le reveló a la nación la situación de los proyectiles en Cuba, y ordenó la remoción de éstos por la Unión Soviética. Amenazó con un ataque nuclear masivo a los soviéticos si algún proyectil fuera descargado. También anunció que estaba despachando buques para establecer un bloqueo de Cuba, así impidiendo que otros buques desembarcaran allí.

- Para el 24 de octubre, Cuba había armado sus proyectiles, y aviones militares norteamericanos estaban dispuestos a responder a un ataque. Buques soviéticos se acercaron a la línea de bloqueo norteamericana, se detuvieron y por fin retrocedieron.

- El 26 de octubre, Khrushchev le envió a Kennedy una carta personal pidiendo paz y una conciliación aceptable para los dos.

- El 28 de octubre, Khrushchev hizo remover los proyectiles de Cuba. El presidente Kennedy prometió no invadir a Cuba y que, en secreto, quitaría proyectiles norteamericanos de algunas instalaciones militares situadas en Turquía y en Italia, cerca de la Unión Soviética .

¿Qué cambios resultaron de la crisis cubana de los proyectiles?

Tanto la Unión Soviética como los Estados Unidos de América se dieron cuenta de lo poco que les había faltado caer en la destrucción nuclear. Empezaron a colaborar, para evitar problemas futuros. Un teléfono de tipo "línea de emergencia" se instaló entre Washington y Moscú para la comunicación directa e inmediata entre los jefes de estado norteamericano y soviético. Los dos países consintieron al Tratado de Prohibición Limitada de Pruebas Nucleares. Ese acuerdo pondría fin a las pruebas no subterráneas de armas nucleares, para así parar la difusión de desechos radioactivos en la atmósfera. La resolución de la crisis cubana de los proyectiles hizo que la guerra pareciera menos posible porque los dos países habían elegido retroceder de la guerra nuclear y conciliar sus diferencias pacíficamente.

PREGUNTAS DE REPASO

Instrucciones: Indique el orden de eventos de la crisis cubana de los proyectiles escribiendo una A al lado del primer evento, una B al lado del segundo evento, etcétera, hasta la letra J.

_____ **1.** El presidente Kennedy consiente no invadir Cuba otra vez.

_____ **2.** La Unión Soviética coloca armas nucleares en Cuba.

_____ **3.** Buques soviéticos retroceden hacia Cuba.

_____ **4.** El primer ministro Khrushchev consiente remover proyectiles de Cuba.

_____ **5.** El Tratado de Prohibición Limitada de Pruebas Nucleares es firmado por los Estados Unidos de América y la Unión Soviética.

_____ **6.** La invasión de la Bahía de Cochinos toma lugar.

_____ **7.** Aviones militares norteamericanos fotografían instalaciones militares en Cuba.

_____ **8.** El primer ministro Khrushchev personalmente le escribe al presidente Kennedy, pidiendo una conciliación de la crisis de los proyectiles.

_____ **9.** El presidente Kennedy anuncia al público norteamericano la situación de los proyectiles en Cuba.

_____**10.** La Armada Norteamericana establece un bloqueo a Cuba.

Nombre _____ Clase _____ Fecha _____

14

Administración de LBJ

¿Cómo intentó Lyndon Johnson llevar a cabo los objetivos del presidente Kennedy?

Después de la conmoción del asesinato del presidente Kennedy, el vice presidente Lyndon Johnson asumió la presidencia. En 1964, Johnson persuadió al Congreso de aprobar una parte de las legislaciones apoyadas por Kennedy. El interés de Kennedy por la gente de pocos recursos y por los derechos civiles, mostrado en su legislación Nueva Frontera, llegó a ser una parte importante de los programas de Johnson llamados la Gran Sociedad. Hasta cierto punto Johnson estaba respetando la memoria del presidente Kennedy. Pero también se estableció una reputación de un presidente que lograba la aprobación de sus programas por el Congreso. Por haber sido representante y senador durante muchos años, sabía negociar con los congresistas para que sus proyectos de ley se aprobaran. El Congreso redujo impuestos a $11 mil millones, aprobó legislaciones sobre los derechos civiles, así poniéndo fin a la discriminación en instalaciones públicas, y contribuyó a que la votación se le hiciera más fácil y con menos peligro para los afroamericanos.

¿Qué factores favorecieron la elección de Lyndon Johnson en 1964?

La victoria de Johnson fue aplastante; recibió 486 votos electorales en comparación a los 52 de Barry Goldwater. Los demócratas también agrandaron su ventaja sobre los republicanos en cuanto al número de escaños del Congreso que ganaron. Hubo varios factores llevando a la victoria de Johnson.

- La prolongada carrera política de Lyndon Johnson fue su ventaja más importante. Fue un político de Texas con bastante experiencia; fue represantante y líder del Senado norteamericano durante muchos años. Tenía la fama de ser un presidente que podía efectuar cosas en el Congreso.

- El público norteamericano se impresionó por la manera en que había asumido la presidencia después del asesinato de Kennedy.

- Los republicanos nombraron al senador Barry Goldwater como su candidato en la elección de 1964. Era conservador y habló en contra de algunos de los programas sociales favorecidos por los norteamericanos.

¿Qué fue el programa del presidente Johnson llamado Gran Sociedad?

Johnson esperaba acabar con la pobreza y la discriminación racial. En 1962, alrededor del 25 por ciento de los norteamericanos vivían en una condición de pobreza—principalmente niños, gente mayor y minorías. Johnson y el Congreso aprobaron un conjunto de proyectos de ley ideados para poner fin a ese problema.

- **Decreto de Derechos Civiles de 1964**—Se ideó para poner fin a la discriminación en las instalaciones públicas, para permitir que demandas que obligaran a las escuelas a desegregarse, para prohibir la discriminación racial en el área del empleo, y para declarar que el impedirles a las personas a votar fuera un delito federal.

- **Decreto de Derechos al Voto, de 1965**—Prohibió el uso de pruebas como la de alfabetismo para determinar quién podía votar, y permitió que funcionarios federales ayudaran a los afroamericanos en el procedimiento del registro electoral.

- **Políticas de la acción afirmativa**—Estas políticas les requerían a los contratistas y las instituciones federales que recibían fondos federales, que hicieran esfuerzos para emplear a más mujeres y a personas de minorías. Por medio de estas políticas, muchas universidades y profesiones se veían obligadas a abrirles la puerta a mujeres, afroamericanos, indígenas norteamericanos y asiáticos.

- **Departamento de Oportunidades Económicas**—Esta agencia del gobierno federal se estableció para ayudar a la gente de pocos recursos a salir de la pobreza. Contribuyó en la implementación del Decreto de Oportunidades Económicas de 1964, el cual ayudó a la gente pobre en cuanto al empleo y la educación, por medio de programas tales como el Cuerpo de Empleo, los Voluntarios en Servicio a los Estados Unidos de América y "Head Start".

- **"Medicare" y "Medicaid"**—Se inició "Medicare" para proporcionarles servicios de salud a las personas mayores de 65 años, y "Medicaid" se inició para proporcionarles este servicio a las personas que recibían asistencia social.

- **Decreto de la Educación Primaria y Secundaria de 1965**—Les proporcionaría grandes cantidades de dinero a las escuelas primarias y secundarias por todo el país.

- **Departamento de Vivienda y Desarrollo Urbano**—Esta agencia se estableció para la construcción de la vivienda adecuada y económicamente accesible, para la gente de pocos recursos.

PREGUNTAS DE REPASO

Instrucciones: Haga correspondencia entre cada programa o agencia y su definición correcta.

a. Gran Sociedad
b. "Medicaid"
c. "Medicare"
d. Decreto de Derecho al Voto, de 1965

e. Nueva Frontera
f. Departamento de Oportunidades Económicas
g. políticas de acciones afirmativas
h. Desarrollo de Vivienda y Desarrollo Urbano

____**1.** servicios de salud proporcionados a las personas mayores de 65 años por el gobierno

____**2.** programa del presidente Kennedy ideado para mejorar la economía norteamericana y los programas sociales

____**3.** proyecto de ley que puso fin a las restricciones a los afroamericanos en cuanto a la votación

____**4.** proyectos de ley mandando a los empleadores que ocuparan a más mujeres y personas de minorías

____**5.** programa del presidente Johnson ideado para poner fin a la discriminación y a la pobreza en los Estados Unidos de América

____**6.** servicios de salud proporcionados a las personas que recibían la asistencia social

____**7.** agencia federal ideada para la construcción de la vivienda adecuada y económicamente accesible, para la gente de pocos recursos

____**8.** agencia federal establecida por el presidente Johnson para ayudar a la gente de pocos recursos a salir de la pobreza

CAPÍTULO

Marcha a la Libertad

¿Cuáles estrategias se utilizaron por el movimiento pro derechos civiles?

El doctor Martin Luther King, Jr., y los otros ministros que fundaron el Consejo de Liderato Cristiano del Sur, estaban entre los líderes del movimiento pro derechos civiles. Acompañados por las otras organizaciones que se juntaron con ellos, ejecutaban la protesta no violenta para impugnar la segregación. Manifestantes se negaron a emplear la fuerza física, aún cuando fueran atacados. Utilizaron una variedad de métodos distintos para lograr sus objetivos.

- **Marchas**—Marchas pácificas y no violentas eran unos de los métodos principales empleados por los manifestantes pro derechos civiles para impugnar los partidarios de la segregación. Entre estas manifestaciones pácificas en pro de los derechos civiles hubo una marcha de niños, y la Marcha a Washington de 1963, encabezada por King.

- **Protestas pácificas "sit-in"**—Trataban de grupos que impugnaban las leyes pro segregación negándose a salir de las instalaciones accesibles solamente a los blancos. Los manifestantes se quedaban sentados aún cuando se les rehusaba atención, y permanecían allí hasta que, por lo general, fueran arrestados. Un grupo de estudiantes afroamericanos de la Universidad de North Carolina A & T organizó una protesta pácifica "sit-in" en el mostrador de un almacén Woolworth's. Dentro de dos meses otros estudiantes organizaron protestas "sit-in" en 54 ciudades por todo el país.

- **Viajes por la Libertad**—Activistas pro derechos civiles emprendieron camino para abolir la segregación en las estaciones de autobuses. Afroamericanos y blancos viajaron juntos en autobuses interestatales, y no hicieron caso a los letreros de las estaciones de autobuses segregadas donde se pararon. En algunas ocasiones los activistas fueron atacados violentamente y arrestados.

¿Cuáles fueron los logros del movimiento pro derechos civiles?

El movimiento pro derechos civiles juntaron a las comunidades afroamericanas en organizaciones que trabajaban para poner fin al racismo y a la segregación.

- Durante el "Verano por la Libertad" de 1964, voluntarios pro derechos civiles registraron a votantes afroamericanos en Mississippi. Algunos de los voluntarios fueron atacados, y tres de ellos fueron asesinados.

- Pleitos en contra de las universidades asistidas únicamente por blancos, obligaron a las escuelas que admitieran a estudiantes afroamericanos. Alguaciles del gobierno federal fueron mandados a matricular a estudiantes afroamericanos en la Universidad de Mississippi y en otras escuelas.

- El apoyo del movimiento pro derechos civiles contribuyó a que se aprobara una legislación federal sobre derechos civiles. El Decreto de Derechos Civiles de 1964 prohibió la discriminación racial en lugares públicos, y también tal discriminación cometida por empleadores. El Decreto de Derecho al Voto, de 1965 prohibió el uso de pruebas de alfabetismo como método de impedir la votación. También impuso sanciones a los que interferieran con la votación, y proporcionó a funcionarios federales que supervisaran el proceso de votación.

¿Cómo cambiaron los objetivos y las tácticas del movimiento pro derechos civiles?

Muchos afroamericanos se frustraron por los cambios tan lentos, y se fastidiaron por aceptar el abuso de los racistas blancos. Estas personas no creían en la práctica de la no violencia de King.

• La Nacíon de Islam, un grupo cuyos socios se llamaban Musulmanes Negros, contribuyó en la unificación de algunos afroamericanos. Estaban de acuerdo con la acción directa, inclusive la violencia, en el contexto de la defensa propia. Malcolm X, hijo de un ministro, se juntó con los Musulmanes Negros mientras élestaba preso, era un líder dinámico y popular de los afroamericanos, hasta su asesinato en 1965. A mediados de la década de 1960, manifestaciones en contra del racismo tomaron lugar en ciudades de todo el país.

• Algunos socios del movimiento Poder de los Negros creían que la separación de la sociedad de blancos era precisa para los afroamericanos. Creían que eso era la única manera en que los afroamericanos podrían construir sus proprias comunidades y mantener su propia cultura.

PREGUNTAS DE REPASO

Instrucciones: Indique las afirmaciones verdaderas con una T, y las falsas con una F. En el espacio en blanco, haga verdadera cada afirmación falsa corrigiendo la palabra o las palabras subrayadas.

____**1.** El doctor Martin Luther King, Jr., era un líder del <u>Consejo de Liderato Cristiano del Sur.</u>

____**2.** Entre los métodos de protesta en el movimiento pro derechos civiles hubo <u>protestas pácificas "sit-in".</u>

____**3.** Viajeros por la libertad eran manifestantes que impugnaban la segregación <u>en los planteles de universidades.</u>

____**4.** El movimiento pro derechos civiles <u>no logró</u> en integrar universidades asistidas únicamente por blancos.

____**5.** El <u>votar</u> fue más seguro y con menos peligro para afroamericanos en 1970 que en 1960.

____**6.** Muchos afroamericanos jóvenes apoyaban al moviemiento Poder de los Negro a fines de la década de 1960 porque <u>universidades asistidas únicamente por blancos se negaron a abolir la segregación.</u>

____**7.** Uno de los líderes de la <u>Nación de Islam</u> fue Malcolm X.

Movimiento de Derechos de Mujeres

¿Cuáles fueron los antecedentes del movimiento de derechos de mujeres a fines de la década de 1960?

El movimiento de derechos de mujeres se fortalecía en la década de 1960 a medida que las mujeres se concienciaban de las vidas limitadas que se suponía que debían llevar. Luego mujeres se organizaron para luchar contra la discriminación y desigualdad en la sociedad norteamericana. En la década de 1950, mujeres eran más que nada esposas y madres. Esas funciones eran los únicos aprobadas por la sociedad. Muchas mujeres sí apreciaban sus funciones dentro de la familia, pero también deseaban que la sociedad reconociera que tenían identidades e intereses fuera del hogar. Revistas y otros medios de comunicación tendían a enfocarse únicamente en la función de ama de casa para mujeres. La imagen que presentaban de la ama de casa siempre contenta era muy distinta a la vida real de muchas mujeres. Algunas mujeres aún se sentían culpables de tener una profesión o educación. Hasta mujeres que trabajaban en el movimiento pro derechos civiles y en las protestas en contra de la guerra en Vietnam, descubrieron que frecuentemente los hombres les esperaban a que ellas desempeñaran funciones domésticas, tales como servirles el café. La discriminación dentro de esas organizaciones llevó a que algunas jóvenes mujeres activistas lucharan por la igualdad femenil.

¿Cuáles fueron los varios tipos del movimiento de derechos de mujeres en la década de 1960?

Muchos diferentes grupos pro derechos de mujeres se formaron. Algunas mujeres obreras o afroamericanas y establecieron sus propios grupos, porque no creían que las organizaciones de clase media y conformes con la opinión pública representaban su punto de vista.

* **Liberales**—El movimiento feminista liberal representaba la tendencia general más corriente del movimiento de derechos de mujeres. Creían que mujeres y hombres debían ser tratados de igualmente, y fomentó la igualdad femenil en todos aspectos de la sociedad.

* **Socialistas**—Los grupos tales como la Unión para la Liberación Femenil de Chicago fomentaron los servicios apoyados por el gobierno, tales como las guarderías infantiles y la asistencia a las madres jóvenes.

* **Separatistas**—Las separatistas creían que los hombres fueron la causa de toda opresión de mujeres, y algunas de ellas deseaban cambios radicales, tales como comunidades pobladas únicamente de mujeres y grupos políticos segregados entre hombres y mujeres.

¿Cuáles fueron los objetivos que intentaron lograr la Organización Nacional de Mujeres (NOW) y el movimiento de derechos de mujeres ?

Mujeres activistas hicieron esfuerzos para que se aprobara una legislación que obligara el trato igualitario en todas las áreas de la sociedad.

* El primer objetivo de NOW fue el de conseguir el empleo igualitario en todas las profesiones.

- Aunque se suponía que el Decreto de Derechos Civiles iba a poner fin a la discriminación basada tanto en el sexo como en la raza, mujeres se retrasaban en el empleo y la educación. Los partidarios de los derechos iguales querían que la ley se pusiera en vigor más rigurosamente.

- Mujeres activistas también intentaron conseguir el apoyo del gobierno para programas tales como las guarderías infantiles, para así ayudar a las mujeres que trabajaban.

- Por último, mujeres se esforzaron para que se aprobara una enmienda constitucional, la Enmienda de Derechos Iguales, que les garantizara igualdad a las mujeres.

¿Qué métodos emplearon las mujeres para lograr sus objetivos?

Varias organizaciones se establecieron para dar apoyo a los derechos de mujeres. La más grande fue NOW. Esos grupos patrocinaron muchas actividades a favor de los derechos de mujeres.

- La revista *Ms.* y otras publicaciones trataron de los temas relacionados a mujeres, y también incrementaron la comprensión de ellas de verse como un grupo político con intereses en común.

- Mujeres activistas como Gloria Steinem y Betty Friedan ayudan a educar a otras mujeres sobre sus preocupaciones que tienen en común.

- Mujeres como Bella Abzug lucharon para que se aprobaran leyes a nivel estatal y nacional que les ayudaran a mujeres a conseguir la igualdad.

- Protestas y manifestaciones, notablemente en el concurso Miss América, llamaron la atención a los tipos de eventos y estereotipos a los cuales se oponían las mujeres.

- Libros como *The Second Sex* y *The Feminine Mystique* trataron del descontento de las mujeres en cuanto a sus supuestas funciones en la sociedad, y propagaron ese descontento a un público más amplia.

PREGUNTAS DE REPASO

Instrucciones: Para cada pregunta de respuestas múltiples, encierre en un círculo la única respuesta que *no* se aplique.

1. En la década de 1950, la mujer norteamericana ideal
    a. tenía hijos.
    b. participaba activamente en la política.
    c. cuidaba a su esposo.
    d. no trabajaba fuera del hogar.

2. El movimiento femenil a fines de la década de 1960 se inició en reacción a
    a. las funciones limitadas accesibles a mujeres en la década de 1950.
    b. el reclutamiento de mujeres por los partidos políticos principales.
    c. el concepto no realista de mujeres en los medios de comunicación.
    d. el rol inferior impuesta a mujeres en otros movimientos de la década de 1960.

3. Entre los objetivos de la Organización Nacional de Mujeres se encontraron
    a. asistencia gubernamental para mujeres que trabajaban.
    b. una enmienda constitucional asegurando la igualdad de mujeres.
    c. mejores ventajas de impuestos para las madres que no trabajaban fuera del hogar.
    d. empleo igualitario para mujeres en todas las profesiones.

CAPÍTULO

14

Movimiento Contracultura

¿Cuáles fueron los orígenes de los movimientos en contra de la cultura durante la década de los 1960?

La contracultura de la década de 1960, la cual incluyó a "hippies" y activistas políticos de la "Nueva Izquierda", puede hallar sus orígenes en los "hipsters" blancos y afroamericanos de las décadas de 1920 y 1930, los poetas "beat" de la década de 1950, y la música de "rock 'n' roll". La gente que participaba en esos grupos vivía y pensaba de maneras distintas a las de la sociedad general y corriente.

• Los escritores "beat" de la década de 1950, tales como Allen Ginsberg y Jack Kerouac, inspiraron la protesta en contra de la sociedad cuestionando sus valores, considerándolos como superficial y materialista.

• El "rock 'n' roll" fue la música de los jóvenes. Fue una vía por la cual la generación más jóven podía declararse como individuos independientes. La música de "rock 'n' roll" de la contracultura le agregó nuevos aspectos a la música, con técnicas de guitarra estridentes y letras a las canciones que criticaban a la sociedad abiertamente.

• Los jóvenes en la década de 1960 que habían participado en las manifestaciones pro derechos civiles en el Sur, continuaron sus protestas y ampliaron sus objetivos. Se esforzaron a efectuar más cambios revolucionarios en la política, la sociedad y en la economía.

¿Quiénes fueron los "hippies", y cuáles fueron sus objetivos?

El número realde personas que se llamaban "hippies" fue pequeño, pero su influencia en la sociedad más grande era mayor a que indica el número real.

• En su mayoría blancos y de la clase media, éstos jóvenes que se convirtieron en "hippies" rechazaron los valores y el estilo de vida norteamericanos. Trataron de crear una contracultura, o sociedad alternativa.

• Los "hippies" atacaron a la sociedad norteamericana por preocuparse demasiado con el dinero, y por ser demasiado agresiva y belicosa.

• La contracultura fomentó ideas de paz internacional, de convivencia en comunas en vez de en familias normales, y de libertad del individuo.

• Las drogas tales como la marihuana y el ácido lisérgico (LSD), se tomaron para alcanzar lo que muchos "hippies" consideraban una "estado consciente más alto", pero a menudo estas drogas les llevaron a la adicción y las oportunidades desperdiciadas.

• La nueva forma de "rock 'n' roll" fue un enlace común para los "hippies" cuando se juntaban en festivales grandes de música para celebrar la juventud, la paz y el amor. El más famoso de estos festivales fue Woodstock, al cual más de 300,000 personas asistieron.

¿Qué fue la Nueva Izquierda?, y ¿cuáles fueron sus objetivos?

Este relativamente pequeño grupo de manifestantes tuvo un efecto enorme en la cultura norteamericana, a medida que protestaban en contra de los males que identificaban a la sociedad norteamericana.

- Los jóvenes, siendo la mayoría blancos y de clase media, que se juntaron con la Nueva Izquierda, generalmente se graduaron de una universidad, en vez de salirse de ellas como lo hicieron los "hippies". Exigieron más libertad política para las minorías y la gente de pocos recursos, así como los cambios radicales en lo que consideraban una economía injusta.

- Se identificaron con los pobres de los Estados Unidos de América y de todas partes del mundo, y intentaron cambiar la sociedad norteamericana para establecer condiciones igualitarias para toda la gente.

- Manifestantes de la Nueva Izquierda tomaron prestados los métodos del movimiento pro derechos civiles, donde muchos de los manifestantes participaron. En las manifestaciones estudiantiles se emplearon protestas pacíficas "sit-in", piquetes de huelga, y huelgas. Estudiantes de la Universidad de California, en Berkeley, se declararon en huelga en 1964, y el 70 por ciento de los estudiantes se negaron a asistir a clases.

PREGUNTAS DE REPASO

Instrucciones: Escriba una H si la oración describe a los "hippies", una NL si describe la Nueva Izquierda o una B si describe los dos.

____**1.** Fueron inspirados por los escritores "beat" de la década de los 1950.

____**2.** Protestaron al emplear protestas pácificas "sit-in", piquetes de huelga, y huelgas.

____**3.** Protestaron al tomar drogas y conviviendo en comunas.

____**4.** Su objetivo principal fue el de establecer una cultura alternativa.

____**5.** Fueron mayormente jóvenes, blancos y la clase media.

____**6.** Usaron la música para celebrar la juventud y la libertad.

____**7.** Su objetivo principal fue el de ayudar a la gente de condición económica muy baja.

____**8.** Por lo general se graduaron de las universidades.

____**9.** Participaron en manifestaciones pro derechos civiles.

Nombre _____ Clase _____ Fecha _____

Decisiones de la Suprema Corte

¿Quíen fue Earl Warren, y cuáles eventos influyeron en su carrera?

Earl Warren fue hijo de un inmigrante noruego que se asentó en California. Se hizo abogado, fiscal de un distrito judicial, procurador general y gobernador. En 1953, el presidente Eisenhower le nombró juez principal de la Suprema Corte. El asesinato de su padre le hizo muy en contra del crimen. Su remordimiento sobre su decisión mientras era procurador general de California de encerrar a los japonés americanos durante la II Guerra Mundial, le hizo comprensivo de los asuntos relacionados con derechos civiles.

¿Por qué se llamaba la Suprema Corte de la década de los 1960, la Corte Warren?

Aunque Warren redactó solamente algunas de las opiniones mayoritarias de la Suprema Corte, influyó en los otros ocho jueces y definió la dirección de la Corte.

- Earl Warren era muy independiente y tenía fuertes sentimientos del mal y del bien, especialmente acerca de los temas que trataban del crimen y de derechos civiles. Su objetivo principal fue el de protegerle al individuo sus derechos en la corte.

- Bajo el juez principal Warren, la Suprema Corte se desvió de su función tradicional de juzgar la constitucionalidad de un caso. En cambio, comenzó a plantear preguntas éticas, tales como "¿Es bueno?" o "¿Es justo?" cuando tomaban decisiones en los casos.

- La Corte Warren, con frecuencia no haciéndole caso a la opinión pública, apoyó leyes aprobadas bajo los presidentes Kennedy y Johnson, a pesar de que algunas de ellas evitaban detalles técnicos. La Suprema Court se interesó activamente por los temas sociales de los casos, y no solamente por las leyes.

¿Cuáles casos importantes determinó la Corte Warren?

Muchas de las decisiones de la Corte Warren tuvieron consecuencias a largo plazo. La Corte fue particularmente activa en los campos de las libertades civiles y los derechos civiles de las minorías.

- En el caso *Brown v. el Consejo de Educación,* la Suprema Corte determinó que la separación de estudiantes según la raza les denegaba el derecho igualitario a la educación. Decidió que el concepto de separación siempre significaba desigual en cuanto a la educación; por eso la segregación en las escuelas violaba la Decimocuarta Enmienda. También se determinó que la educación segregada les hacía daño psicológico a los estudiantes. La decisión les obligó a les escuelas a que se adelantaran hacia la desegregación. Esta decisión anuló *Plessy v. Ferguson,* otra decisión de la Suprema Corte del siglo XIX, por la cual se había determinado que las escuelas separadas, o segregadas, eran legales con tal que les proporcionaban instalaciones y una educación iguales a los estudiantes.

- La decisión *Miranda v. Arizona* estableció la norma de que una persona acusada de un crimen tuviera el derecho de consultar con un abogado, antes de que la interrogara la policía.

- La Suprema Corte también contribuyó en poner fin al boicot a los autobuses de Montgomery, determinando que la segregación en las estaciones de autobuses era ilegal. Esta decisión obligó a la ciudad de Montgomery que revisara su ley requiriendo que los afroamericanos se sentaran al fondo del autobús.

- Earl Warren también encabezó la Comisión Warren, la cual no tuvo ninguna relación con la Suprema Corte, e investigó al asesinato de Kennedy. La comisión concluyó que Lee Harvey Oswald había actuado por su cuenta, y que no hubo complot alguno relacionado con el asesinato del presidente.

PREGUNTAS DE REPASO

Instrucciones: Conteste cada pregunta en el espacio en blanco.

1. ¿Por qué al juez prinipal Earl Warren le interesaban tanto los derechos civiles?

_____

_____

_____

2. ¿Cómo cambió el juez prinipal Warren la función tradicional de la Suprema Corte?

_____

_____

_____

3. ¿Por qué fue *Brown v. el Consejo de Educación* una decisión importante de la Corte?

_____

_____

_____

4. ¿Por qué fue *Miranda v. Arizona* una decisión importante de la Corte?

_____

_____

_____

5. ¿Qué función desempeñó Earl Warren fuera de la Suprema Corte en la administración de Johnson?

_____

_____

_____

15

La Epoca Colonial Francesa

La Indochina Francesa abarcaba los países vecinos de Laos, Cambodia y Vietnam. Esa área del sudeste de Asia había sido parte del imperio colonial francés desde prinicipios de los años de 1900.

¿Por qué a los norteamericanos les temían que se propagara el comunismo en el sudeste de Asia?

- En 1949, los comunistas, encabezados por Mao Zedong, se apoderaron de China.

- La Corea del Norte comunista invadió Corea del Sur en 1950. Los Estados Unidos de América y otras naciones intervinieron y lograron impedir una toma del poder comunista.

- Revueltas comunistas habían estallado en otras partes del sudeste de Asia.

¿Qué fue la "teoría del dominó"? ¿Cómo influyó este concepto en las acciones norteamericanas en el sudeste de Asia?

El presidente norteamericano Eisenhower empleó la teoría del dominó para explicar cómo el comunismo podría propagarse por todo el sudeste de Asia. La teoría afirmó que, igual que un dominó podría causar la rápida caída de una fila de dominos, la conversión de un país al comunismo podría hacer que muchos otros países se convirtieran también. Si los comunistas se apoderaran de Vietnam, por ejemplo, Laos y Cambodia tal vez abrazarían el comunismo también. Desde los principios de la Guerra Fría, Francia había luchado contra los nacionalistas vietnamitas para apoderarse de Vietnam. Con la esperanza de impedir que el país se convirtiera al comunismo, los Estados Unidos de América contribuyó a los esfuerzos de los franceses proporcionando dinero y armas. Para 1954, los Estados Unidos de América estaba pagando la mayoría de los gastos de la guerra de Francia.

¿Por qué los franceses no lograron mantener el control en el sudeste de Asia?

Los franceses tenían mejor entrenamiento y experiencia que los tenían sus opositores los vietminh, la Liga por la Independencia de Vietnam. Sin embargo, los vietminh les ganaron en muchas ocasiones utilizando tácticas de guerrillero—atacando rápidamente y luego desapareciéndose en el campo. Los franceses, acostumbrados a métodos de guerra más convencionales, querían luchar cabeza a cabeza. Con la batalla en Dien Bien Phu se les concedió su deseo, pero allí los soldados vietnamitas los derrotaron.

¿Cuáles fueron las condiciones del tratado de conciliación entre los franceses y vietnamitas?

Varios países querían influir en el tratado que estableció la nueva nación de Vietnam. La República Popular de China, los Estados Unidos de América, Gran Bretaña, la Unión Soviética, Laos y Cambodia enviaron a representantes a las negociones. El tratado de conciliación que firmaron se conoció como los Acuerdos de Ginebra. Los Estados Unidos de América, expresando sus preocupaciones de que los vietminh tenían influencia comunista, fue el único país que no concordó con las condiciones que siguen:

- Se dividiría Vietnam por el decimoséptimo paralelo, temporalmente formando dos naciones.

- Los vietminh controlaría el área al norte del decimoséptimo paralelo.

- Los vietnamitas que habían participado en el gobierno colonial controlaría el sur.

- En julio de 1956, Vietnam del Norte y Vietnam del Sur tendrían elecciones generales para convertirse en una sola nación.

¿Qué sucedió después de firmados los Acuerdos de Ginebra?

Los Estados Unidos de América apoyaba al líder de los sudvietnamitas, Ngo Dinh Diem, un nacionalista y anticomunista. Muchos líderes norteamericanos querían impedir las elecciones, temiendo que el Vietnam del Norte, con más habitantes, elegiría a Ho Chi Minh, líder comunista de los vietminh. En julio de 1956, Diem, con el apoyo de los norteamericanos, anuló las elecciones. En cambio, Diem y su hermano, Ngo Dinh Nhu, mantuvieron control en el sur y dirigieron un gobierno corrupto e impopular. Sin embargo, muchos en el gobierno norteamericano apoyaban a Diem, inclusive John F. Kennedy. Después de la elección de Kennedy, su administración envió más y más asesores militares norteamericanos a Vietnam. Las prácticas corruptas y dictatorias de Diem resultaron en mucha oposición a él en Vietnam del Sur. Dos grupos actuando en contra de Diem fueron los budistas y el Frente Nacional de Liberación (NLF), el cual se formó para oponerse a Diem. Aunque no fue una organización comunista, el NLF incluyó guerrilleros sudvietnamitas y pro comunistas conocidos como los vietcong.

PREGUNTAS DE REPASO

Instrucciones: Indique las afirmaciones verdaderas con una T, y las falsas con una F. En el espacio en blanco, haga verdadera cada afirmación falsa corrigiendo las palabras subrayadas.

_____1. El comunista <u>Ho Chi Minh</u> encabezó un grupo nacionalista vietnamita conocido como los vietminh.

_____

_____2. La Indochina Francesa abarcaba los tres países de <u>Laos, Corea y Vietnam.</u>

_____

_____3. <u>Solamente los comunistas</u> se opusieron a Ngo Dinh Diem en Vietnam del Sur.

_____

_____4. Los guerrilleros sudvietnamitas y pro comunistas se llamaban los <u>vietcong.</u>

_____

CAPÍTULO

15

Johnson Intensifica la Guerra

¿Cuál evento llevó a una participación más amplia por parte de los norteamericanos en Vietnam?

El 2 de agosto de 1964 el buque destructor norteamericano *Maddox* y tres pequeños barcos norvietnamitas se dispararon en el Golfo de Tonkin. A los dos días el *Maddox* y el *Turner Joy*, otro buque destructor, dispararon durante toda la noche a enemigos no vistos. Sin ninguna prueba de que había ocurrido una batalla, el presidente Lyndon Johnson anunció que buques destructores norteamericanos habían sido atacados por los norvietnamitas. Luego se aprovechó del incidente para persuadir al Congreso que aprobara la Resolución Golfo de Tonkin. En ella, el Congreso le otorgó a Johnson la autoridad de "tomar cualquier acción necesaria para contraatacar" a los ataques armados a las fuerzas norteamericanas en Vietnam. En otras palabras, la Resolución Golfo de Tonkin permitió a Johnson que mandara más tropas norteamericanas a Vietnam.

¿Qué medidas emprendió Johnson para aumentar la participación norteamericana en Vietnam?

- Antes de ganar la elección presidencial de 1964, Johnson declaró que los soldados vietnamitas debían luchar por su propia cuenta. Sin embargo, después de la elección ordenó a más tropas a Vietnam.

- Para febrero de 1968, los vietcong se habían apoderado de muchos pueblos sudvietnamitas. Johnson respondió ordenando una campaña de bombardeos—Operación Truenos Ondulantes. Un objetivo de estos ataques fue el de destruir el camino Ho Chi Minh, una ruta por la selva usada por los norvietnamitas para llevarles abastecimientos a los vietcong. Para ayudar a parar la actividad a lo largo del camino, tropas norteamericanas destruyeron la plantas selváticas haciendo caer sobre ellas una química llamada "Agent Orange". También usaron napalm y bombas múltiples contra las tropas enemigas. Además, Johnson ordenó a los infantes de marina a Vietnam para proteger bases aéreas norteamericanas de los ataques.

- Los bombardeos no consiguieron poner fin al éxito de los vietcong, así que Johnson mandó más tropas terrestres. La misión de ellas fue la de destruir las unidades del vietcong empleando misiones de búsqueda y destrucción. Johnson continuaba intensificando la guerra, y para 1967 casi un medio millón de norteamericanos estaban luchando en Vietnam.

¿Cuál fue la actitud del presidente Johnson hacia la guerra?

Al principio de la guerra, Johnson y la mayoría de los norteamericanos estaban seguros de un éxito rápido. Después de todo, las fuerzas norteamericanas mantenían una fuerte superioridad militar y técnica sobre los norvietnamitas. Johnson deseaba una victoria expeditiva con pocas bajas, para que pudiera cumplir con su promesa hecha durante la campaña presidencial de que los norteamericanos no debían luchar las batallas de los asiáticos. Tampoco quería arriesgar la entrada de países comunistas tales como China y la Unión Soviética a la guerra. Sin embargo, la guerra se prolongaba y la participación de los Estados Unidos de América aumentaba. En reacción, los norteamericanos se pusieron a protestar la guerra. En abril de 1965, por ejemplo, Estudiantes por una Sociedad Democrática organizaron una manifestación en Washington, D.C., en la cual 20,000 personas se juntaron. Johnson respondió a sus críticos diciendo que los soldados estaban luchando para asegurar un mundo en que la gente pudiera elegir su propio gobierno. A menos que se asegurara la libertad en Vietnam, razonó él, no sería asegurada la libertad en los Estados Unidos de América. Además, declaró que, por haberle prometido ayuda a Vietnam del Sur, los norteamericanos ya estaban obligados a ayudar a los vietnamitas en la lucha a la libertad.

¿Cómo lograron los soldados de un país pequeño como Vietnam resistir al militar norteamericano?

- A causa del denso terreno selvático de Vietnam, los vietnamitas podían luchar una guerra de guerrillero. Francotiradores escondidos en los árboles podían disparar a las tropas norteamericanas sin ser visto. Minas y trampas explosivas colocadas a lo largo de los caminos hacían sumamente peligroso el viajar por el campo.

- Los vietcong luchaban principalmente de noche. Por no vestirse de uniformes, se mezclaban bien con los otros habitantes durante el día.

- El terreno denso y escabroso les dificultaba a los norteamericanos el uso de mucho de su equipo militar.

PREGUNTAS DE REPASO

Instrucciones: Indique el órden de los eventos de la participación creciente en Vietnam de los Estados Unidos de América, escribiendo una A al lado del primer evento, una B al lado del segundo evento, etcétera, hasta la letra E. Luego conteste las preguntas que siguen.

____**1.** El Congreso aprobó la Resolución Golfo de Tonkin, la cual permitió al presidente Johnson que "tomara cualquier acción necesaria para contraatacar" a los ataques armados a las fuerzas norteamericanas en Vietnam.

____**2.** Más de 20,000 personas se juntaron en Washington, D.C., para protestar la guerra.

____**3.** Johnson ordenó la Operación Truenos Ondulantes, una campaña masiva de bombardeos.

____**4.** Buques destructores norteamericanos y barcos norvietnamitas se dispararon en el Golfo de Tonkin.

____**5.** Casi un medio millón de tropas norteamericanas estaban luchando en Vietnam.

6. ¿Cuál fue la actitud de Johnson hacia la guerra?

_____

_____

_____

7. ¿Por qué bombardeó los Estados Unidos de América el camino Ho Chi Minh?

_____

_____

_____

15

Los Soldados Norteamericanos en Vietnam

¿Qué tenían en común soldados norteamericanos en Vietnam?

Aunque gente de varios antecedentes diferentes luchaba en Vietnam, la mayoía de los soldados tenían muchas características en común

- Muchos soldados estuvieron reclutados. De los que se alistaron voluntariamente, hubo más afroamericanos que cualquier otro grupo. Además, se alistaron más jóvenes de clase obrera que de clase media.

- La edad media de los soldados fue más baja que la de todas las otras guerras luchadas desde 1900.

- El porcentaje de minorías fue bastante mayor que su representación en la población general.

¿Qué función desempeñaron las mujeres en Vietnam?

Aunque no pudieron participar en el combate, miles de mujeres viajaron a Vietnam para ayudar al esfuerzo bélico de los norteamericanos. Muchas de ellas sirvieron como enfermeras militares, y otras trabajaron en organizaciones de voluntarios.

¿Por qué las operaciones militares en Vietnam eran difíciles tanto físicamente como mentalmente?

El carácter de la pelea en Vietnam les infligía una pérdida enorme a los soldados. Las selvas y montañas imposibilitaban el movimiento rápido de ejércitos grandes. En cambio, pequeñas unidades de soldados tenían que abrirse un paso por los bosques y caminar pesadamente por pantanos densos. La vegetación era tan impenetrable que generalmente ellos podían divisar cosas situadas sólo a unos pies en cada dirección. Además de esa labor difícil, las tropas sufrían de mucha presión psicológica. En la selva densa, el enemigo podía esconderse en casi cualquier parte. A veces francotiradores disparaban a uno o dos hombres y luego se desaparecían. Los vietcong controlaban el campo y colocaban muchas minas y trampas explosivas, así haciendo horripilante la patrulla de un área. Además, por el hecho de que los vietcong no se vestían de uniformes, los soldados norteamericanos no podían distinguirlos de los ciudadanos sudvietnamitas. Soldados norteamericanos interrogaban y a veces arrestaban a ciudadanos, creyendo que pudieran ser vietcong.

¿Cómo era la pelea?

La pelea era salvaje. Los ataques de los vietcong tomaron lugar principalmente de noche en la selva. Los soldados no podían ver a quiénes los disparaban o a quiénes disparaban ellos. A veces, en la confusión tiraban sin querer a sus propios compañeros. Por medio de una política conocida como la pacificación, soldados norteamericanos quemaron pueblos, con la intención de hacer salir a posibles partidarios de los vietcong. Por ser tan difícil la pelea en la selva, los Estados Unidos de América se contaba mucho con los bombardeos. Miles de ciudadanos vietnamitas murieron en ataques norteamericanos. Varias armas nuevas se introdujeron: bombas incendiarias contenían napalm, y bombas múltiples dispersaban miles de pedazos de metal. Además, químicas tales como "Agent Orange" se rociaban para destruir la vegetación selvática, en que se escondían los vietcong, estando emboscados.

PREGUNTAS DE REPASO

Instrucciones: Indique las afirmaciones verdaderas con una T, y las falsas con una F.

____**1.** Tropas norteamericanas emplearon armas nuevas, tales como napalm y bombas múltiples.

____**2.** Tropas norteamericanas podían distinguir fácilmente entre los ciudadanos vietnamitas y los vietcong.

____**3.** Tropas norteamericanas nunca quemaron ni destruyeron pueblos.

____**4.** El paisaje vietnamita facilitaba el movimiento de tropas norteamericanas en grandes grupos cuando era necesario.

____**5.** Los vietcong emplearon tácticas de emboscadas y lucharon principalmente de noche.

____**6.** Muchas mujeres norteamericanas lucharon en el combate durante la guerra en Vietnam.

____**7.** Los soldados norteamericanos que se alistaron voluntariamente generalmente eran jóvenes y de familias de clase obrera.

____**8.** El porcentaje de minorías en el militar norteamericano fue bastante mayor que su representación en la población general.

____**9.** Soldados norteamericanos colocaron minas y trampas explosivas para dificultar el avance de los vietcong por el campo.

15

El Movimiento Antiguerra

¿Por qué algunos norteamericanos se pusieron en contra de la participación norteamericana en la Guerra de Vietnam?

Norteamericanos comenzaron a oponerse a la Guerra de Vietnam por varias razones:

- La prensa tenía menos restricciones que en todos los conflictos anteriores. Reporteros entrevistaron a soldados y a ciudadanos vietnamitas, y aún siguieron a las tropas a donde luchaban. La gente vio escenas horríficas de la guerra en las noticias. Muchas personas, escandalizadas y enojadas por lo que veían, querían que se detuviera la matanza.
- Con más tiempo, y a medida que más soldados norteamericanos estaban muriendo en Vietnam, la prensa y muchos norteamericanos cada vez más se hacían pesimistas acerca de las posibilidades de que su país triunfara la guerra.
- Algunos norteamericanos creían que la guerra estaba destruyendo a demasiada gente y costaba demasiado dinero, particularmente en vista de que esa guerra estaba manteniendo en poder un gobierno débil y impopular.
- Algunos norteamericanos se pusieron en contra de la guerra porque creían que los Estados Unidos de América no tenía derecho a meterse en un país tan lejos.

¿Cómo dividió a los norteamericanos la creciente opinión pública antiguerra?

Los norteamericanos comenzaron a dividirse en dos grupos. Los que querían poner fin a la guerra se llamaban palomas. Los que querían seguir con la guerra hasta su final se llamaban halcones. Para 1965, el Congreso reflejaba esta división. Johnson expresaba las opiniones de muchos de los halcones, mientras J. William Fulbright de Arkansas, líder del Comité del Senado de Relaciones Extranjeras, representaba a las palomas.

¿Qué fueron los Estudiantes por una Sociedad Democrática?

Los Estudiantes por una Sociedad Democrática (SDS) fueron uno de los mejor conocidos entre los grupos que protestaban la guerra. El SDS, establecido por estudiantes universitarios, tuvieron reuniones de protesta que frecuentemente atrajeron a mucha gente. El grupo empleó varias tácticas para poner fin a la guerra, inclusive el hablar rotundamente en contra del reclutamiento obligatorio, de la CIA, del reclutamiento militar en los planteles universitarios, y de las compañías fabricantes de materiales usados en la guerra.

¿Qué tácticas emplearon los grupos antiguerra para protestar la guerra?

Las organizaciones antiguerra emplearon una variedad de tácticas de protesta:

- Estudiantes quemaron sus tarjetas de reclutamiento para expresar su negativa de participar en el esfuerzo bélico. Algunos que protestaban aún fueron encarcelados, en vez de responder a la noticia de su reclutamiento.
- Estudiantes ocuparon y se negaron a salirse de edificios de algunos planteles universitarios.
- Grupos de protesta organizaron manifestaciones masivas en contra de la guerra. Una de las primeras fue una protesta del SDS, en la cual 20,000 personas manifestaron en Washington, D.C., en 1965.

- Algunos grupos recurrieron a la violencia, tal como el bombardeo y la quema de las oficinas del Centro de Entrenamiento de Oficiales de la Reserva (ROTC), y de otros edificios.

Muchos norteamericanos, hasta algunos que se oponían a la guerra, reaccionaron a esas acciones con enojo porque las consideraban antipatrióticas.

¿Qué ocurrió durante la administración de Richard Nixon para que resurgieran las protestas antiguerra?

Después de un tiempo, las protestas antiguerra habían aminorado. Sin embargo, la decisión de Nixon de bombardear Cambodia provocó un resurgimiento de opinión pública antiguerra. Cuando ordenó a tropas norteamericanas a Cambodia, la gente volvió a manifestarse, y algunas de esas protestas se hicieron violentas. Eso fue el caso particularmente en los planteles universitarios, donde en ciertas ocasiones estudiantes se amotinaron y se apoderaron de edificios en el plantel. En la Universidad Estatal de Kent, en Ohio, y en la Universidad Estatal de Jackson, en Mississippi, algunos estudiantes que se manifestaban fueron fusilados y asesinados por la Guardia Nacional y por la policía estatal.

PREGUNTAS DE REPASO

Instrucciones: Conteste cada pregunta y de la respuesta correcta.

_____1. ¿Cuál grupo fue establecido por estudiantes universitarios para protestar la Guerra de Vietnam?
  a. las Panteras Negras
  b. los Estudiantes por una Sociedad Democrática
  c. las Palomas

_____2. ¿Cuál fue el apodo dado a los norteamericanos que se opusieron a la guerra en Vietnam?
  a. los halcones
  b. los vietminh
  c. las palomas

_____3. Después de una época de relativa calma, el movimiento antiguerra resurgió cuando Richard Nixon ordenó a
  a. Henry Kissinger a iniciar negociaciones de conciliación, en secreto, con los norvietnamitas.
  b. tropas norteamericanas a Cambodia.
  c. tropas de la Guardia Nacional al plantel de la Universidad Estatal de Kent.

_____4. El Congreso respondió a la decisión de Nixon de extender la guerra hasta Cambodia en 1970
  a. anulando la Resolución Golfo de Tonkin.
  b. anulando el Decreto de Derechos Civiles de 1965.
  c. denunciándolo.

_____5. ¿Cuál de las siguientes universidades no fue un sitio de violencia contra estudiantes en 1970?
  a. la Universidad Estatal de Kent
  b. la Universidad Estatal de Jackson
  c. la Universidad Estatal de Alcorn

La Elección de 1968

¿Por qué decidió Lyndon B. Johnson no intentar ser reelegido en 1968?

Durante los meses antes de la elección de 1968, Johnson continuaba diciéndoles a los norteamericanos que su país saldría victorioso en la Guerra de Vietnam. Esperaba que ellos respondrían reeligiéndolo como presidente. Cuando Eugene McCarthy, una paloma importante, tomó la decisión de también ser candidato para la nominación del Partido Demócrata, se creía que él tenía muy poca posibilidad de conseguirla. Luego, las fuerzas comunistas emprendieron un poderoso ataque durante la Ofensiva Tet. Los norteamericanos se asustaron de que las fuerzas de los norvietnamitas y vietcong fueran suficientemente poderosas para poder lanzar ataques masivos, y McCarthy por poco ganó la elección preliminar de New Hampshire. Poco después, Robert F. Kennedy, hermano de John F. Kennedy, anunció que también sería candidato. Enfrentando mucha oposición y poco apoyo a su política sobre Vietnam, Johnson anunció que no intentaría ser reelegido.

¿Quién consiguió la nominación del Partido Demócrata?

Johnson apoyaba a su vice presidente, Hubert Humphrey, para la nominación, pero parecía que Robert Kennedy la conseguiría. Sin embargo, en junio, Sirhan Sirhan, un jóven de Jordania enojado a causa del apoyo norteamericano a Israel, asesinó a Kennedy. Como consecuencia, Humphrey consiguió la nominación sin dificultad.

¿Por qué estalló la violencia en la asamblea del Partido Demócrata?

En la asamblea del Partido Demócrata en Chicago, Humphrey recibiría la nominación para presidente. Sin embargo, debido a su apoyo a la política de Johnson sobre Vietnam, más de 10,000 manifestantes antiguerra llegaron a Chicago para protestar su nominación. Richard Daley, alcalde de Chicago y partidario de Humphrey, ordenó a la policía que asediara el edificio de la asamblea y que detuviera a los manifestantes. Cuando algunos de los manifestantes se pusieron a insultar y gritar a los policías, éstos reaccionaron rápida y violentamente. Se abrieron paso bruscamente por el grupo de manifestantes, amenazándolos con garrotes. Cámaras televisoras sacaron imágenes de jóvenes en el acto de ser golpeados por los policías y después llevados en vagones policíacos.

¿Cuál fue la consecuencia de la nominación de Humphey?

El Partido Demócrata se dividió después de su asamblea de 1968. Aunque Humphrey consiguió la nominación de su partido sin dificultad, muchos demócratas diferían con el apoyo de él a la guerra. Muchos también lo culpaban por el motín que tomó lugar en Chicago. Esa división de opinión debilitaban a los demócratas mientras se aproximaba la elección de 1968.

¿Quién consiguió la nominación del Partido Republicano para presidente en 1968? ¿Quién ganó la elección?

Richard Nixon, ex-vice presidente de Eisenhower, fue candidato de los republicanos en 1968. Aunque le había perdido la presidencia a John F. Kennedy en 1960, y había presentado su candidatura, sin éxito, para gobernador de California, muchos republicanos creían que él merecía otra oportunidad de hacerse presidente. El gobernador de Alabama, George C. Wallace, se presentó como candidato conservador e independiente. Protestó la transportación de estudiantes a escuelas fuera de su vecindario para lograr la integración de blancos y minorías. Parecía probable que Wallace le quitara votos a Nixon. En reacción, Nixon eligió a Spiro T. Agnew, opositor franco a los activistas pro derechos civiles y a los manifestantes, para ser su vice presidente. En parte debido a las divisiones dentro del Partido Demócrata, Nixon ganó la elección. Aunque Nixon recibió sólo el 43 por ciento del voto popular, ganó 301 votos electorales, mientras Humphrey ganó 191 y Wallace ganó 46.

PREGUNTAS DE REPASO

Instrucciones: Haga correspondencia entre cada nombre y la descripción correcta.

a. Robert Kennedy   **b.** Hubert Humphrey   **c.** Sirhan Sirhan
d. Richard Nixon   **e.** George C. Wallace   **f.** Spiro T. Agnew
g. Eugene McCarthy

____**1.** el candidato presidencial de los republicanos en 1968

____**2.** el demócrata que por poco venció a Johnson en la elección preliminar de New Hampshire en 1968

____**3.** un candidato presidencial conservador e independiente en 1968

____**4.** el vice presidente de Nixon en 1968

____**5.** el candidato principal para la nominación de los demócratas en 1968, el cual fue asesinado durante su campaña presidencial

____**6.** un hombre de Jordania que asesinó a un candidato presidencial norteamericano, para protestar el apoyo de los Estados Unidos de América a Israel

____**7.** el vice presidente de Johnson y también el candidato presidencial de los demócratas en 1968

Vietnam y la Prensa

¿Cómo fue diferente la función de la prensa durante la Guerra de Vietnam de su función en guerras anteriores?

Durante la Guerra de Vietnam, la prensa tenía menos restricciones que durante todas las guerras anteriores. Reporteros no sólo podían entrevistar a soldados y a ciudadanos, sino también podían seguir a soldados a donde luchaban. Al mismo tiempo, el medio de televisión se estaba volviendo más sofisticada, y la capacidad de los reporteros de hacer reportajes se estaba mejorando. Los norteamericanos que miraban los reportajes sobre la guerra, a menudo veían escenas sangrientas y perturbadoras. Como consecuencia, muchos de ellos se pusieron en contra de la guerra.

¿Cómo influyó la prensa en las actitudes de norteamericanos hacia su gobierno nacional?

Durante toda la guerra, la opinión pública y las opiniones expresadas en la prensa eran notablemente semejantes. Sin embargo, no está muy claro si la prensa influyó en la opinión pública más que la pública influyó en la prensa. Temprano en la guerra, la prensa aceptó los informes de funcionarios del gobierno declarando que los Estados Unidos de América estaba ganando la guerra; el apoyo del público norteamericano al esfuerzo bélico era extenso. Pero más tarde miembros de la prensa comenzaron a notar diferencias entre los informes del gobierno y lo que ellos mismos veían. Después de la Ofensiva Tet, en particular, muchos reporteros comenzaron a dudar de esos informes. Algunos miembros de la prensa viajaron a Vietnam para descubrir lo que estaba pasando allí. Hicieron reportajes al público norteamericano de que los Estados Unidos de América no estaba ganando la guerra, sino que la guerra había llegado a un estancamiento. A medida que los reportajes se volvían más pesimistas en cuanto a la posibilidad de una victoria norteamericana en Vietnam, muchos norteamericanos llegaron a creer que la guerra era un enorme error. Un ejemplo de la influencia de la prensa en la opinión pública acerca del gobierno, fue el de la cobertura de la asamblea del Partido Demócrata en 1968. En esa asamblea, manifestantes antiguerra fueron golpeados y llevados a la cárcel por la policía. Después de haber visto los reportajes del evento en la televisión, mucha gente culpó a Humphrey por la violencia. Como resultado directo de la cobertura de la prensa, bajó la posibilidad de que Humphrey fuera elegido.

¿Qué función desempeñó la prensa en formar las actitudes de los políticos?

El público no era el único grupo afectado por la cobertura de la prensa sobre la Guerra de Vietnam. También los políticos eran afectados, cosa demostrada después de la Ofensiva Tet. Durante la celebración del Nuevo Año vietnamita, llamada Tet, los norvietnamitas lanzaron un ataque exitoso a unas ciudades sudvietnamitas. En un contraataque feroz, fuerzas norteamericanas y sudvietnamitas derrotaron a las fuerzas comunistas invasores y volvieron a tomar las ciudades. A pesar del éxito del militar norteamericano, la cobertura de la prensa perjudicó la causa de los halcones, porque reveló al público lo fuerte que era el ejército norvietnamita todavía. El noticiero de CBS Walter Cronkite viajó a Vietnam para ver por su propia cuenta lo que estaba pasando allí. Representó a muchos norteamericanos al decir en el noticiario, "¿Qué... está pasando? ¡Yo creía que nosotros estábamos ganando la guerra!" La necesidad del presidente Johnson de tener cobertura positiva de la prensa se reveló al decir él, "Si ya no puedo contar con Cronkite pues tampoco puedo contar con la América media." Por esa y otras razones, Johnson decidió no intentar ser reelegido en 1968.

¿Por qué fueron tan importantes los *Documentos del Pentágono?*

Presidentes y otros funcionarios no siempre le habían dicho la verdad al público acerca de su política sobre Vietnam, cosa que se reveló con el asunto de los *Documentos del Pentágono:*

- El Pentágono hizo un estudio secreto sobre la participación de los Estados Unidos de América en Vietnam. El estudio dio a conocer de que funcionarios del gobierno mentían con frecuencia al público acerca de la situación en Vietnam.

- Un ex-funcionario del Pentágono, Daniel Ellsberg, le dio una copia del estudio, conocido como los *Documentos del Pentágono,* al periódico *New York Times* para que lo publicara.

- El presidente Nixon intentó impedir la publicación de los *Documentos del Pentágono* declarando que eso amenazaría la seguridad nacional.

- El caso se dirigió a la Suprema Corte, la cual determinó que casi todos los documentos sí podrían publicarse. En su decisión, la Corte afirmó que el derecho de la gente de mantenerse enterados, valía más que una supuesta amenaza a la seguridad nacional impuesta por los *Documentos del Pentágono.*

PREGUNTAS DE REPASO

Instrucciones: Conteste cada pregunta en el espacio en blanco.

1. ¿Cómo fue diferente la función de la prensa durante la Guerra de Vietnam de su función en guerras anteriores?

   _____

   _____

2. Explique cómo la cobertura de la prensa de los siguientes eventos infuyeron en la opinión pública en cuanto a la Guerra de Vietnam.
   a. la Ofensiva Tet

   _____

   b. la asamblea del Partido Demócrata de 1968

   _____

   c. los *Documentos del Pentágono*

   _____

Nombre _____ Clase _____ Fecha _____

WAR IN SOUTHEAST ASIA / **STUDY GUIDE**

Nixon y Vietnam

¿Qué fue el plan del presidente Nixon para poner fin a la Guerra de Vietnam?

Nixon se enfrentaba con una decisión muy difícil. Había prometido poner fin a la participación de los Estados Unidos de América en Vietnam. Pero si lo hiciera los sudvietnamitas tal vez perdería la guerra, así dejando que Vietnam del Sur se convirtiera en un país comunista. Para retirar a las tropas norteamericanas y perder la guerra, Nixon hizo el plan de que los sudvietnamitas asumiría control de la pelea. En su política de vietnamización, el número de tropas norteamericanas en Vietnam se reduciría poco a poco, a medida que el ejército sudvietnamita se fortaleciera. Creía que la vietnamización permitiría que los Estados Unidos de América lograría la paz con honor.

¿Por qué no era muy probable de que la vietnamización lograra la terminación de la guerra?

Era improbable que la vietnamización tuviera éxito, por las razones que siguen:

- Más de 500,000 personal militar norteamericano estaban en Vietnam. La remoción de una fuerza tan enorme probablemente dejaría a los sudvietnamitas con una escasez de tropas.

- Las fuerzas norteamericanas ya habían bombardeado Vietnam con 3.2 millones de toneladas de bombas, una cantidad mayor que la de toda la II Guerra Mundial. A pesar del uso de tantas bombas y de armas de alta tecnología, los Estados Unidos de América y Vietnam del Sur no habían ganado la guerra. Parecía particularmente improbable de que Vietnam del Sur lo pudiera por su propia cuenta.

¿Qué acción de Nixon hizo resurgir el movimiento antiguerra? ¿Cómo fue diferente el movimiento antiguerra del movimiento de antes?

La decisión de Nixon de bombardear a Cambodia armó una protesta feroz, sobre todo porque los bombardeos se habían hecho en secreto. Después que el público se enteró de los bombardeos, Nixon se defendió explicando que había bombardeado Cambodia para impedir que los norvietnamitas se aprovecharan de este país para lanzar ataques contra fuerzas norteamericanas. Mucha gente dudaba de la eficaz de la política de Nixon de vietnamización, y también de la necesidad de invadir Cambodia. Más y más personas comenzaron a expresar su descontento con la guerra, y el número de protestas en contra de la guerra aumentó. Aún algunos veteranos de Vietnam se pusieron a aprobar las protestas. Muchos congresistas percibieron la invasión a Cambodia como una expansión de la guerra, mientras se suponía que las fuerzas norteamericanas iban a retirarse poco a poco. Los congresistas, indicando su descontento y impidiéndole a Nixon el derecho de seguir dirigiendo la guerra, anularon la Resolución Golfo de Tonkin y comenzaron a debatir la terminación de fondos para la guerra.

Exploring America's Past

¿Cómo intentó el presidente Nixon poner fin a la guerra?

En 1972, Nixon mandó a Henry Kissinger, su asesor principal de política extranjera, a dirigir negociaciones secretas, de las cuales resultó un acuerdo que incluyó estas condiciones:

- A todos los prisioneros norteamericanos se los pondría en libertad.

- Una suspensión de fuego sucedería por toda Indochina.

- Los Estados Unidos de América retiraría sus fuerzas de Indochina antes de una fecha establecida.

- Se tendría una elección para decidir el futuro de Vietnam.

Al concordar los dos lados con las condiciones de la suspensión de fuego, Henry Kissinger anunció que "La conciliación está inminente." Sin embargo, después de la reelección del presidente Nixon en 1972, la suspensión de fuego fracasó. Los norvietnamitas alegaron:

- Los Estados Unidos de América le estaba abasteciendo al gobierno de títere sudvietnamita con más armas, las cuales podrían emplearse para drásticamente reprimir a los que protestaran en contra del gobierno.

- Los Estados Unidos de América estaba intentando fortalecer al militar sudvietnamita enviando a miles de asesores militares para comandar el ejército de los sudvietnamitas.

- Los Estados Unidos de América estaba empleando aviones de bombardeo estratégicos, llamados B-52, para destruir áreas de densa población en Vietnam del Sur.

Para más información, véase Negotiating with North Vietnam Source Reading en el CD-ROM.

PREGUNTAS DE REPASO

Instrucciones: Indique las afirmaciones verdaderas con una T, y las falsas con una F. En el espacio en blanco, haga verdadera cada afirmación falsa corrigiendo las palabras subrayadas.

____1. El plan de Nixon para poner fin a la guerra en Vietnam se llamaba <u>la vietnamización</u>.

_____

____2. En secreto, Nixon ordenó <u>el bombardeo de Laos</u> para detener los ataques de los norvietnamitas.

_____

____3. <u>Casi cada norteamericano aprobó</u> del bombardeo de Cambodia.

_____

____4. El Congreso, escandalizado por la invasión de Cambodia, <u>anuló la Resolución Golfo de Tonkin</u> y amenazó con la terminación de fondos para la guerra.

_____

____5. Henry Kissinger inició negociaciones secretas de conciliación con <u>los norvietnamitas</u>.

_____

Nombre _____ Clase _____ Fecha _____

CAPÍTULO

Consecuencias de la Guerra de Vietnam

¿Cómo afectó la retirada de tropas de Vietnam a los norteamericanos y a sus creencias acerca de su gobierno?

Después de la Guerra de Vietnam, los norteamericanos ya no podían decir que nunca habían perdido una guerra. Además, la guerra había dejado a muchos norteamericanos desconcertados en cuanto a su gobierno. Varias veces durante la guerra, el gobierno había publicado información falsa sobre sus acciones. Otro resultado de la guerra fue el de que muchos norteamericanos se habían dado cuenta de los peligros resultantes cuando una rama del gobierno obtuviera demasiado poder. Después que el Congreso había aprobado la Resolución Golfo de Tonkin, la cual le otorgó al presidente la autoridad de dirigir una guerra no oficial en Vietnam, la rama ejecutiva había expandido la guerra, y no había sido completamente honesta con el público. Para prevenir una repetición de la Guerra de Vietnam, el Congreso aprobó el Decreto de Poderes de Guerra, en 1973. Ese decreto hizo ilegal de que un presidente dirigiera una guerra sin la aprobación del Congreso.

¿De qué otras maneras afectó la Guerra de Vietnam a los norteamericanos?

La guerra afectó a los norteamericanos de otras maneras. Alguna de ellas fue el costo—más de $150 mil millones. Fondos que se hubieran podido ser gastado por programas públicos, fueron dedicados al esfuerzo bélico. Además, el costo altísimo de la guerra hizo aumentar la deuda nacional, y llevó a la inflación. Los norteamericanos tuvieron que sufrir esas consecuencias durante muchos años.

¿Cuáles fueron las consecuencias de la Guerra de Vietnam para los vietnamitas?

Las batallas luchadas en Vietnam del Sur resultaron en el deterioro o la destrucción de mucho del país, mientras muchas partes de Vietnam del Norte habían sido aniquilado por los bombardeos. Para los vietnamitas, las consecuencias fueron ambiguas. Durante la guerra, muchos vietnamitas habían sufrido por las acciones de los dos lados. Terminada la guerra, los vietcong y norvietnamitas celebraron la reunificación de su país. Pero los grupos que se habían aliado con los Estados Unidos de América comenzaron a huirse de Vietnam. Aproximadamente 730,000 of esos refugiados llegaron a los Estados Unidos de América; muchos otros escaparon a varios países asiáticos. Para los que se quedaron en el sudeste de Asia, la vida era difícil. A los hijos de los padres mixtos, norteamericano y vietnamita, a menudo se los trataba como ciudadanos inferiores. En Cambodia, el Khmer Rouge llegó al poder y asesinaron a más de 2 millones de personas entre 1975 y 1978. Otros vietnamitas que se habían aliado con los Estados Unidos de América, pero que no pudieron huirse, se enfrentaron con acciones vindicativas por parte del nuevo gobierno.

¿Cómo se trataron los veteranos de Vietnam al regresar a los Estados Unidos de América? ¿Cómo los afectó la guerra?

La guerra infligió una pérdida grave a los veteranos de la Guerra de Vietnam. No sólo habían luchado por su país y habían visto el fallecimiento de sus compañeros, sino también muchos de ellos mismos se habían herido. De los casi 2 millones de norteamericanos que prestaron servicio en Vietnam, 58,000 de ellos murieron y 300,000 se hirieron. Todavía no se han localizado casi

2,300 soldados, los cuales son probablemente fallecidos. Después de otras guerras emprendidas por los Estados Unidos de América, se trataron los veteranos con respeto, y muchas veces como héroes. Muchos norteamericanos se comportaban como si los veteranos de Vietnam simbolizaran todo lo malo de la guerra, y muchos veteranos fueron recibidos con desaire o desprecio al regresar. Los veteranos se sintieron apenados y enojados por ese trato, y el acostumbrarse a la vida civil fue dificultado por esas actitudes. Algunos veteranos, inclusive muchos prisioneros de guerra, fueron traumatizados por la guerra. Algunos no se acostumbraron bien a la vida civil, y se juntaron con los desempleados y desamparados. Otros veteranos se habían incapacitado permanentemente por heridas, o por químicas rociadas en ellos durante la guerra.

¿Se emprendió cualquier acción para reconocer los esfuerzos de los veteranos de la Guerra de Vietnam?

En noviembre de 1982, se dedicó el Monumento a los Veteranos de Vietnam, en Washington, D.C., para darles homenaje a los que prestaron servicio en la guerra. Los veteranos mismos habían juntado el dinero para construir el monumento en memoria de sus compañeros fallecidos. El monumento en sí es un muro de granito negro en que hay una lista de nombres de veteranos que fallecieron durante la guerra. A los once años después de la dedicación del monumento, una estatua de dos enfermeras, en el acto de ayudar a un soldado herido, fue instalada en homenaje a las enfermeras norteamericanas que habían prestado servicio en Vietnam. Para más información sobre las consecuencias para los veteranos de Vietnam, véase *America After the Vietnam War More of the Story Reading* en el CD-ROM *Exploring America's Past.*

PREGUNTAS DE REPASO

Instrucciones: Conteste cada pregunta en el espacio en blanco.

1. ¿Cómo se trataban los hijos de padres mixtos, norteamericano y vietnamita, después que terminó la guerra y se fueron los norteamericanos?

   _____

   _____

2. ¿Qué evento terrible sucedió en Cambodia después de la guerra?

   _____

   _____

3. ¿Por qué el Congreso aprobó el Decreto de Poderes de Guerra, en 1973? ¿Qué se logró al aprobarse el decreto, para equilibrar el poder entre las ramas del gobierno?

   _____

   _____

4. ¿Cómo fue diferente la experiencia de postguerra de los veteranos de Vietnam de la de otros veteranos norteamericanos?

   _____

   _____

CAPÍTULO

16

El Gobierno de Nixon

¿Cómo ganó Nixon el apoyo de los votantes democráticos blancos del Sur?

Nixon desarrolló una "estrategia sureña" para ganarse el apoyo de los votantes blancos del Sur, tradicionalmente democráticos. Para satisfacer a los que se sentían incómodos con la eliminación de la segregación, se opuso al "busing" (transporte) como una forma de integración de las escuelas sureñas. Para cumplir su promesa, de no apoyar la legislación sobre derechos civiles que hizo a los sureños, Nixon nombró a jueces conservadores para ocupar puestos en las cortes federales.

¿Cuáles fueron las críticas de Nixon al sistema de beneficiencia, y cómo planeaba cambiarlo?

A Nixon no le gustaba el sistema de beneficiencia social porque sentía que éste incrementaba el tamaño del estado. Nixon quería simplicar el sistema de beneficiencia por medio de la eliminación de todos los beneficios que no fueran dinero en efectivo y que luego reemplazó con su Plan de Asistencia Familiar. Por medio de este plan se intentaba otorgar a todas las familias un ingreso mínimo de $1,600 dólares al año. La Cámara de Representantes aprobó el plan, pero éste no fue aprovado por el Senado. Algunos senadores consideraron que $1,600 dólares al año no eran suficientes para satisfacer las necesidades básicas de la mayoría de las familias.

¿Qué era *stagflation* (estancamiento + inflación), y que hizo Nixon para disminuírlo temporalmente?

El término "stagflation" (estancamiento + inflación), se refiere al incremento del desempleo acompañado por el aumento de la inflación. En 1971 Nixon decretó un congelamiento de salarios y precios, para mejorar la situación. Estas medidas fueron exitosas hasta 1973, año en que las restricciones se relajaron y la inflación comenzó a subir nuevamente.

¿Qué era la OPEC, y cómo afectó al precio del petróleo norteamericano?

La OPEC, o la Organización de Países Exportadores de Petróleo, fue creada en 1960 para controlar el precio que los miembros de la organización cobraban por el petróleo. La mayoría de los miembros árabes eran enemigos de Israel, tradicional aliado de los Estados Unidos. Debido a que los Estados Unidos apoyaban a Israel, algunas naciones árabes rehusaban vender petróleo a los Estados Unidos, la escasez resultante causó que los precios del petróleo norteamericano subieran.

¿Qué hizo Nixon con relación a los asuntos ambientales?

La crisis de energía enfocó la atención en los asuntos ambientales, y Nixon respondió creando varias medidas de protección ambiental. Su administración propuso la creación de una agencia federal que se encargara de los asuntos ambientales, lo que inspiró al Congreso a crear la Agencia para la Protección Ambiental, en 1970. Además, Nixon apoyó leyes de descontaminación del aire y de control del uso de pesticidas.

¿Cómo fue la política exterior de Nixon, y cómo se diferenciaba de las políticas anteriores?

La estrategia de política exterior de Nixon fue llamada "realpolitik", una frase que significaba política práctica. Los presidentes anteriores habían dirigido su política exterior casi exclusivamente a combatir el comunismo, en cambio Nixon y su consejero de seguridad nacional, Henry Kissinger, dieron mayor prioridad a la economía y seguridad de los Estados Unidos. En vez de contener al comunismo, ellos se esforzaron por mantener un balance de poder entre las naciones más poderosas del mundo—los Estados Unidos, la Unión Soviética, Japón, China, y otras de la Europa Occidental.

¿Qué sucesos ayudaron a suavizar las tensiones entre Estados Unidos y China? y entre los Estados Unidos y la Unión Soviética?

En 1972 Nixon visitó a los líderes Chinos, y trabajaron juntos para desarrollar una política comercial más abierta entre los dos países. Además, llegaron a un acuerdo diplomático para trabajar conjuntamente por la paz en el Pacífico. Tres meses después de esta visita, Nixon viajó a la Unión Soviética. Su reunión con Leonid Brezhnev abrió las relaciones diplomáticas y el comercio. También marcó el inicio del Tratado para el Control de Armas Estratégicas (SALT), que limitaba la producción de ciertos tipos de armas nucleares. La visita produjo un período de calma, o un relajamiento de tensiones, entre los Estados Unidos y la Unión Soviética.

PREGUNTAS DE REPASO

Instrucciones: Marca una "T" si la oración es verdadera, y una "F" si es falsa. Si una oración es falsa, házla verdadera, corrigiendo el enunciado o frase subrayada, en la línea que se proporciona.

____**1.** Nixon quería modificar el sistema de beneficiencia proporcionando a las familias <u>mayores beneficios que no fueran en dinero efectivo</u>.

_____

____**2.** "Stagflation" significa una economía con <u>creciente desempleo e inflación</u>.

_____

____**3.** Algunas naciones árabes se rehusaban a vender petróleo a Estados Unidos debido a que este último <u>apoyaba a Israel</u>.

_____

____**4.** La "realpolitik", era una estrategia de política exterior dirigida a <u>detener el avance del comunismo</u>.

_____

____**5.** Un resultado de la visita de Nixon a los líderes Chinos, fue la <u>apertura del comercio entre China y los Estados Unidos</u>.

_____

____**6.** A causa de la escasez de energía en la década de 1970, la administración de Nixon <u>no se preocupó de los asuntos ambientales</u>.

_____

16

Nixon en China

¿Por qué Nixon visitó China?

El presidente Nixon indicó en su diario, que los Estados Unidos y China tenían un interés común de oponerse al poderío soviético en Asia. Nixon sentía que ambas naciones debían estar juntas por asuntos de seguridad nacional, que consideraba más importantes que sus diferencias políticas. Al mismo tiempo Nixon sabía que el comunismo en China no era igual al comunismo en la Unión Soviética. Esto se hizo evidente en 1969 cuando una disputa por zonas fronterizas entre la Unión Soviética y la República Popular China casi termina en un enorme enfrentamiento militar. En Julio de 1971, el consejero de seguridad nacional de Nixon, Henry Kissinger, fue enviado a China para preparar la visita de Nixon. Cuando finalmente Nixon se reunió con los líderes chinos, éstos accedieron a trabajar juntos para conseguir sus objetivos comunes. Para mayor información, consulta el Nixon's Visit to China Source Reading en el CD-ROM *Exploring America's Past.*

¿Por qué fue importante la visita de Nixon a China?

La visita de Nixon a los líderes chinos suavizó las tensiones entre China y los Estados Unidos. La apertura de relaciones diplomáticas permitió a estas naciones solucionar sus problemas futuros pacíficamente, en vez de llegar a una guerra, que probablemente hubiera utilizado armas nucleares. El mejoramiento de las relaciones también abrió las puertas al intercambio cultural y económico y puso presiones en la Unión Soviética para que también mejorara sus relaciones con los Estados Unidos.

¿Por qué la visita a China representaba la estrategia de "realpolitik" de Nixon?

La estrategia de "realpolitik" significaba dar prioridad a los intereses nacionales prácticos, tales como asuntos económicos o militares, al definir la política exterior norteamericana. Al hacer una visita a los líderes de la China comunista, Nixon puso los objetivos comunes de China y Estados Unidos —detener el poderío Soviético en Asia y establecer arreglos comerciales mutuamente beneficiosos— por encima de las diferencias políticas y de los sistemas de los dos países.

¿Cómo fue tratado Nixon en China?

Nixon no tenía seguridad de lo que iba a encontrar a su arribo a China. El presidente Ayub Kan de Pakistán, quien había visitado China anteriormente, le había dicho que la gente de China se había reunido en grandes grupos y le había dado la bienvenida aplaudiendo y agitando banderas. La primera impresión de Nixon al llegar a China, fue sin embargo muy diferente. Aquellos que lo recibieron en el aeropuerto fueron muy serios y fríos. Cuando Nixon se iba alejando del aeropuerto en una limusina China, se dio cuenta que las calles estaban desiertas y que no había gente aclamándolo.

PREGUNTAS DE REPASO

Instrucciones: Responde a cada pregunta en el espacio proporcionado.

_____**1.** El Presidente Nixon envió a Henry Kissinger a China en julio de 1971 para

    a. instar a China a convertirse en una democracia y terminar los abusos contra los derechos humanos de intelectuales y otros críticos del gobierno Chino.

    b. hacer los arreglos para una visita del Presidente Nixon.

    c. discutir las amenazas del poderío Soviético en Asia.

    d. observar las tácticas militares de China y regresar con un informe completo.

_____**2.** ¿Qué fue lo primero que le impresionó a Nixon acerca de China, cuando iba del aeropuerto a la casa de huéspedes del gobierno?

    a. las multitudes de gente saludándolo y dándole la bienvenida.

    b. la belleza de los campos arroceros que se extendían en el horizonte.

    c. la falta de gente en las calles.

    d. el tráfico.

_____**3.** ¿La apertura diplomática de Nixon hacia China, para contrarrestar el poderío Soviético en Asia, era un ejemplo de cuál de las estrategias de Nixon?

    a. la estrategia sureña

    b. la "realpolitik"

    c. la contención

    d. la diplomacia.

_____**4.** ¿Qué hechos llevaron a los líderes norteamericanos a reconocer que el comunismo soviético era diferente al comunismo Chino?

    a. Los líderes comunistas chinos tenían elecciones democráticas, mientras que los soviéticos no.

    b. Los comunistas chinos apoyaban a algunas naciones capitalistas en Sudamérica, mientras que los comunistas soviéticos no.

    c. La Unión Soviética y China habían sostenido una amarga disputa fronteriza.

    d. La Unión Soviética seguía el comunismo de Lenin, mientras que China, el de Mao-Tse-Tung.

16 Watergate

¿Qué llevó al Senado Norteamericano a investigar el asunto Watergate?

En Junio de 1972, cinco ladrones fueron arrestados por penetrar en las oficinas centrales del Comité Democrático Nacional en Washington, D.C. Se sospechaba que tenían relaciones con el Partido Republicano o con el presidente Nixon, aunque Nixon y otros republicanos lo negaban. El asunto perdió el interés del público, pero los reporteros Bob Woodward y Carl Bernstein del *Washington Post,* continuaron investigando el caso. Todo se descubrió cuando los reporteros recibieron un aviso confidencial de que algunos republicanos habían contratado cerca de 50 personas para sabotear la campaña presidencial democrática de 1972. Rápidamente ellos excavaron más a fondo en busca mayor información, y el Senado empezó a investigar el caso a comienzos de 1973.

¿Cómo intentó Nixon esconder evidencia que lo relacionaba con el caso Watergate?

Durante las investigaciones del Watergate, un testigo reveló que Nixon había estado grabando conversaciones que se llevaban a cabo en su oficina. Los investigadores del Senado solicitaron que se les entregara las cintas. Sin embargo, el Presidente Nixon se rehusó, reclamando privilegios ejecutivos, el derecho a guardar información secreta cuando se trata de asuntos presidenciales. Nixon nombró a un fiscal especial para este caso, Archibald Cox, el que también ordenó que Nixon entregara las cintas grabadas. Como Nixon se negó nuevamente, un juez federal le ordenó que entregara las cintas a Cox. Como respuesta Nixon despidió a Cox. Un nuevo fiscal, Leon Jaworksi, pidió a la Corte Suprema que ordenara a Nixon la entrega de las cintas. La Corte lo hizo así, declarando que Nixon no podía usar sus privilegios ejecutivos para retener las cintas.

¿Fue acusado Nixon?

El Comité Judiciario de la Cámara (House Judiciary Committee), fue el encargado de investigar si Nixon debía ser acusado. Inmediatamente después de que la Corte Suprema le ordenó entregar las cintas que lo involucraban en el caso Watergate, el Comité Judiciario de la Cámara aprobó tres cargos de acusación. Los cargos acusaban a Nixon de obstruír la justicia, abusar del poderío presidencial, y retener información relacionada con la investigación. Estos cargos tenían que ser presentados a la Cámara de Representantes Diputados para su voto. Si la Cámara votaba a favor de la acusación, entonces el Senado llevaría a cabo un juicio. Si dos tercios de los Senadores votaban en favor de confirmar uno de los cargos de acusación, Nixon sería declarado culpable y retirado de su puesto. El 9 de Agosto de 1974, antes de que los cargos fueran presentados a la Cámara de Representantes, Nixon renunció para evitar la acusación.

PREGUNTAS DE REPASO

Instrucciones: Responde a cada pregunta en el espacio proporcionado.

1. ¿Por qué Nixon entregó las cintas grabadas finalmente?

_____

_____

_____

2. ¿Cuáles eran los tres cargos de acusación en contra del presidente, que aprobó el Comité Judiciario de la Cámara?

_____

_____

_____

3. ¿Qué mayoría se requiere en el Senado para retirar a un presidente de su puesto?

_____

_____

_____

4. ¿Fue acusado Richard Nixon? Explica.

_____

_____

_____

5. ¿Quiénes eran los dos reporteros del *Washington Post* que investigaron el caso Watergate, y qué fue lo que encontraron?

_____

_____

_____

La administración de Ford

¿Cómo diferían las posiciones del Presidente Ford y la del Congreso con relación a la forma de dar fin a la recesión?

Para ayudar a finalizar la recesión de mediados de la década de 1970, el Presidente Gerald Ford propuso recortar los gastos del gobierno, especialmente aquellas relacionados a los programas de beneficiencia social. Para conseguir apoyo a sus políticas, mandó a hacer pines con la inscripción "WIN" que significaba "Azote a la inflación ahora" ("Whip inflation Now"). Sin embargo, el Congreso controlado por los demócratas, creía que la economía podía ser reforzada incrementando el gasto gubernamental, especialmente en beneficiencia social. Propuso leyes para mejorar la educación y vivienda pública, ayudar a los pobres, crear trabajos y promover el cuidado de la salud. Ford vetó cada una de estas propuestas. En 1975, enfrentado a una creciente presión para que actúe, firmó contra su voluntad, una ley del Congreso que intentaba reducir la recesión disminuyendo los impuestos.

¿Por qué Ford perdió apoyo público rápidamente después de juramentar?

Un mes después de juramentar su puesto, Ford concedió perdón total al ex-presidente Richard Nixon. El perdón evitaba que Nixon fuera enjuiciado por las actividades criminales en las que hubiera estado involucrado durante el tiempo en que fue presidente. Mucha gente respondió con furia y consideraba injusto que los asesores de Nixon tuvieran que estar en prisión mientras que él estaba libre. La popularidad de Ford decayó aún más cuando concedió clemencia, la oportunidad de recibir un castigo leve, a quienes evadian el reclutamiento durante de la Guerra de Vietnam. Su ley permitió que los desertores evitararan ir a la cárcel a cambio de jurar lealtad a los Estados Unidos, y de hacer dos años de servicio público.

¿Cuál fue la respuesta de Ford al incidente de *Mayaguez*, y por qué fue considerada innecesaria?

El *Mayaguez* era un barco carguero norteamericano que fue capturado por los Camboyanos cuando navegaba por aguas asiáticas. Los Camboyanos mantuvieron prisioneros a los miembros de la tripulación en contra de su voluntad, y los interrogaron acerca de las actividades de espionaje norteamericanas. Ford exigió la liberación de los prisioneros, pero no recibió respuesta. Posteriormente, ordenó una gran operación militar de rescate que terminó en la muerte de 41 norteamericanos y un gran número de Camboyanos. Sin embargo resultó que los rehenes habian sido realmente liberados una hora antes de que el asalto norteamericano empezara.

¿Cómo reaccionó la gente a la forma como Ford manejó el incidente del *Mayaguez*?

Los índices de aprobación de la gestión de Ford aumentaron en 11 por ciento inmediatamente después de la operación de rescate del *Mayaguez*. Al público le agradó la respuesta rápida y decisiva de Ford ante la captura de norteamericanos. Sin embargo la crítica manifestó que muchas vidas podrían haber sido salvadas si Ford hubiera tenido un poco más de paciencia antes de responder a la situación.

PREGUNTAS DE REPASO

Instrucciones: Responde a cada pregunta en el espacio proporcionado.

____**1.** Dar clemencia por un crimen significa ofrecer
    a. perdón total
    b. un castigo más severo
    c. un castigo menos severo

____**2.** Ford perdió el apoyo público por
    a. visitar China y ofrecer clemencia a los desertores.
    b. perdonar a Nixon y ofrecer clemencia a los desertores.
    c. su supuesta participación con el caso Watergate y su estrategia WIN.

____**3.** Los que criticaron la actuación de Ford en el incidente del *Mayaguez,* decían que él debía de haber
    a. actuado más rápido para salvar a los rehenes norteamericanos en Camboya.
    b. consultado a las Naciones Unidas antes de actuar.
    c. esperardo más tiempo antes de actuar.

____**4.** Después del incidente del *Mayaguez,* el índice de aprobación de Ford
    a. aumentó.
    b. permaneció igual.
    c. disminuyó dramáticamente.

____**5.** Para atenuar la recesión, la mayoría democrática en el Congreso quería
    a. disminuír el gasto gubernamental, especialmente en programas de beneficiencia social.
    b. aumentar el gasto gubernamental, especialmente en programas de beneficencia social.
    c. hacer recortes en el presupuesto de defensa.

____**6.** Parte de la estrategia WIN de Ford fue
    a. disminuir el gasto gubernamental, especialmente en programas de beneficencia social.
    b. rebajar la tasa de interés para promover el gasto público
    c. buscar una fuente alternativa de energía para los Estados Unidos.

Nombre _____ Clase _____ Fecha _____

16 La Administración de Carter

¿En qué forma Jimmy Carter atrajo a los norteamericanos que estaban desilusionados con la política?

Carter atrajo a los votantes porque estaba fuera del circulo de Washington —no estaba asociado con la corrupción y escándalo de la política nacional. Su experiencia política se limitaba a su estado natal de Georgia, y era conocido por ser un hombre honesto y religioso. Después de ganar las elecciones presidenciales de 1976, trató de interactuar con el público tanto como pudo. Realizó reuniones locales y shows por radio y televisión.

¿Cómo se diferenciaba la posición de Carter con relación a la crisis energética, de aquella de Nixon y Ford?

Nixon y Ford trataron de reducir la dependencia de Estados Unidos del petróleo extranjero, buscando una fuente alternativa de energía. Carter, por su lado, trató de conservar los recursos energéticos existentes y desarrollar otros alternativos. Para cumplir con este objetivo, propuso un esfuerzo nacional de conservación y creó el Departamento de Energía.

¿Qué principio guiaba las decisiones de Carter en política exterior?

Carter creía que las decisiones sobre política exterior debían basarse en derechos humanos y no tan sólo en el interés por la seguridad nacional. Siguiendo este principio, nombró a Andrew Young —un antiguo asesor de Martin Luther King, Jr. — como embajador de los Estados Unidos ante las Naciones Unidas. Young era un defensor de los derechos humanos, y un abierto crítico del sistema de "apartheid" (separatismo) de Sudafrica.

¿Qué fueron los Acuerdos de Camp David, y por qué fueron importantes?

Los Acuerdos de Camp David fueron los mayores logros de la política exterior de Carter. En 1978 Carter invitó al presidente Egipcio Anwar Sadat, y al primer ministro Israelí Menachem Begin para negociar un acuerdo de paz en Camp David, en Maryland. Los acuerdos a los que llegaron se denominaron los Acuerdos de Camp David. Estos acuerdos fueron importantes porque ayudaron a brindar alguna estabilidad al Medio Oriente.

¿Cuáles fueron las decisiones más controversiales de Carter en política exterior, y por qué?

Las dos decisiones más controversiales de Carter en política exterior fueron las relacionadas con el Canal de Panamá y la invasión Soviética a Afganistán. Primero, trabajó con el Congreso, para desarrollar una serie de tratados que pudieran dar control del Canal de Panamá a Panamá en el año 2,000. Los críticos de los tratados reclamaban que el canal era una legítima propiedad de los Estados Unidos. Posteriormente, en 1979, la Unión Soviética invadió Afganistán y rehusó retirar sus tropas. Carter respondió anunciando un boycott norteamericano a los Juegos Olímpicos de Moscú en1980, cortando el suministro de granos a la Unión Soviética, y retirando el Tratado para el Control de Armas Estratégicas (SALT II) de su revisión en el Senado. Estas decisiones no fueron populares porque no sólo castigaban a los soviéticos sino también a los atletas y agricultores. Tanto la decisión del Canal de Panamá como la del boycott a las Olimpíadas, aumentaron el descontento de los norteamericanos hacia la política de Carter.

PREGUNTAS DE REPASO

Instrucciones: Marca una "T" si la oración es verdadera, y una "F" si es falsa. Si una oración es falsa, házla verdadera, corrigiendo las palabras o frases subrayadas, en la línea que se proporciona.

____**1.** El Departamento de Energía fue creado para <u>encontrar formas de conservación y manejo de los recursos energéticos norteamericanos</u>.

_____

____**2.** Carter se benefició de su condición de "foráneo" debido a que <u>la gente no lo asociaba con la corrupción en la política nacional</u>.

_____

____**3.** Carter basó la mayor parte de sus decisiones de política exterior en <u>los asuntos de seguridad nacional</u>

_____

____**4.** Los Acuerdos de Camp David fueron los logros más importantes de la política exterior de Carter porque <u>eran acuerdos de paz entre Israel y Egipto</u>.

_____

____**5.** La decisión de Carter de ceder el Canal de Panamá a Panamá <u>le significó el respeto de la mayoría de los norteamericanos</u>.

_____

____**6.** El boycott de Carter a las Olimpíadas de Verano en Moscú en 1980, <u>fue apoyado por la mayoría de los norteamericanos</u>.

_____

La OPEC y la crisis energética

¿Qué impacto tuvo la Guerra de Yom Kippur en la economía norteamericana durante la década de 1970?

En Octubre de 1973 las naciones árabes de Egipto y Siria invadieron Israel el día de Yom Kippur, un feriado judío. Durante la Guerra de Yom Kippur que duró tres meses, los Estados Unidos apoyaron a Israel. Para vengarse por este apoyo a Israel, los miembros árabes de la OPEC, rehusaron vender petróleo a los Estados Unidos. Debido a que la mayor parte del petróleo de la nación venía del Medio Oriente, los precios del petróleo doméstico y de la gasolina, subieron drásticamente. Los precios permanecieron altos a través de la década de 1970.

¿Cómo respondieron los Presidentes Nixon, Ford, y Carter a la crisis energética?

Nixon y Ford querían terminar la dependencia norteamericana del petróleo extranjero. Sus políticas llevaron a la construcción del oleoducto de Alaska, que transportaba petróleo de Alaska a los 48 estados en norteamérica. El presidente Ford aprobó también normas para el eficiente uso del combustible en los automóviles. Carter, por otro lado, no sólo hizo un llamado por un esfuerzo nacional de conservación, sino que también promovió el desarrollo de recursos alternativos de energía, como carbón y energía solar. Para administrar y desarrollar los recursos alternativos, creó el Departamento de Energía en 1977.

¿Cómo afectó a los norteamericanos la crisis energética?

Durante la criss energética, hubo escasez de gasolina. Como resultado, el precio de la gasolina no sólo estuvo muy alto, sino que los norteamericanos tuvieron que hacer largas colas para conseguirla. Estos altos costos e inconveniencias molestaron a la mayor parte de los norteamericanos. Por primera vez en muchos años su nivel de consumo disminuyó y se les pidió conservar la energía. La crisis energética debilitó la economía durante la década de 1970 y contribuyó al surgimiento de los males financieros de inflación y desempleo. La frustación debido a la crisis energética, y sus efectos en la economía, perjudicaron las campañas de reelección de los presidentes Ford y Carter.

PREGUNTAS DE REPASO

Instrucciones: Responde a cada pregunta en el espacio proporcionado.

____1. Los precios del petróleo aumentaron drásticamente en la década de 1970 debido a que
  a. las naciones árabes se resintieron por el apoyo de Estados Unidos a Israel durante la Guerra de Yom Kippur.
  b. los norteamericana apoyaron a los árabes durante la Guerra de Yom Kippur.
  c. Israel se había apoderado del suministro del petróleo árabe.
  d. las naciones árabes se resintieron por las relaciones hostiles de los Estados Unidos contra Israel, durante la Guerra de Yom Kippur.

____**2.** Las normas para uso eficiente de combustible en los automóviles fueron dadas por el Presidente

    a. Nixon.

    b. Ford.

    c. Carter.

    d. Johnson.

____**3.** La construcción del oleoducto de Alaska fue un esfuerzo para

    a. encontrar una fuente alternativa de energía

    b. conservar la energía

    c. expandir la producción doméstica de petróleo

    d. transportar agua a Califonia del Sur.

____**4.** Los tres presidentes de la década de 1970 estaban de acuerdo en la necesidad de

    a. disminuír la dependencia del petróleo extranjero.

    b. terminar completamente con el petróleo como fuente de combustible.

    c. imponer sanciones económicas a las naciones de la OPEC.

    d. desarrollar nuevas fuentes de petróleo en Asia y África.

____**5.** El Departamento de Energía fue creado para

    a. buscar nuevas fuentes de petróleo extranjero.

    b. controlar el uso del petróleo norteamericano.

    c. establecer los precios del petróleo y determinar cómo debía ser distribuído.

    d. conservar los recursos energéticos existentes y desarrollar otros alternativos.

16

Los movimientos por un cambio social

¿Qué significa el "busing" (transporte) y la acción afirmativa, y por qué han sido controversiales?

El "transporte" y la acción afirmativa fueron medidas tomadas para terminar con la segregación racial y la discriminación. Para ayudar a la integración en las escuelas públicas, los distritos escolares comenzaron a "transportar" niños de los barrios de minorías pobres a escuelas mejor aprovisionadas en barrios adinerados y mayoritariamente blancos. Muchos blancos, incluyendo aquellos que vivían en las áreas urbanas del norte, sostenían que sus escuelas ya estaban integradas. La acción afirmativa empezó como un esfuerzo para subsanar la discriminación pasada, haciendo que las escuelas y negocios dieran a los no-blancos y mujeres, un tratamiento especial tanto cuando postularan para admisión a una escuela o para un empleo. Los críticos de la acción afirmativa han reclamado que se trata de una forma de discriminación reversa.

¿Qué acciones usó el Movimiento Indio Norteamericano en la década de 1970 para escenificar los abusos a que estuvieron sujetos los indios en el pasado?

El Movimiento Indio Norteamericano (AIM) escenificó protestas para dirigir la atención hacia los abusos sufridos por los Indios norteamericanos. Por ejemplo, miembros de la AIM ofrecieron abalorios y tela al gobierno a cambio de la isla de Alcatraz. Este acto dramatizaba la compra de la isla de Manhattan, que los holandeses habían adquirido ofreciendo los mismos articulos. Miembros del AIM organizaron una marcha a Washington a la que llamaron "El Sendero de los Tratados No-Cumplidos," este fue otro evento que escenificó los abusos del pasado y las condiciones actuales de los indios norteamericanos. También los miembros de la AIM incautaron el puesto de comercio de los Sioux en Wounded Knee, Dakota del Sur, para forzar una audición sobre el no cumplimiento de los tratados por parte del gobierno nacional.

¿En qué se asemejaba la táctica de los Discapacitados en Acción a la del AIM?

En los años 1970s tanto los Discapacitados en Acción como los del AIM organizaron protestas para hacer llegar su mensaje al público norteamericano. Pensaban que haciendo eso podrían ganar el apoyo popular que requerían para lograr sus objetivos. Las protestas de cada uno de los grupos provocó demostraciones en la capital de la nación —el AIM con su "Sendero de los Tratados No-Cumplidos," y la DIA con su protesta por el bloqueo de un proyecto de ley. Después que el presidente Nixon vetara una ley que habría dado mas fondos a programas para gente discapacitada, los miembros de la DIA, se reunieron en el Lincoln Memorial para protestar. Para mayor información consulta el Disability Rights Movement More of the Story Reading en el CD-ROM *Exploring America's Past*.

¿Qué tácticas emplearon César Chávez y los Trabajadores Agrícolas Unidos (United Farm Workers), y cómo difieren éstas de las de *La Raza Unida*?

Los Trabajadores Agrícolas Unidos usaron protestas mientras que *La Raza Unida* usó la política, para lograr sus respectivos objetivos. Los Trabajadores Agrícolas Unidos liderados por César Chávez, organizaron protestas pacificas, como las usadas por los movimientos afroamericanos de derechos civiles. Estas protestas buscaban consequir la mejora de los salarios de los trabajadores migrantes.

Como parte de las protestas se incluyeron un boycot a la comercialización de a las uvas de California, y huelgas contra los viticultores. Por otro lado *La Raza Unida,* un partido político Mexicoamericano, pensaba que podría mejorar las condiciones de vida de los Hispanos si se los animaba a intervenir activamente en la política. Trabajaron para conseguir que políticos Mexicoamericanos fueran electos, y que puedieran así luchar por más derechos para los Hispanos.

¿Por qué algunas personas querían la aprobación de la Enmienda a la Igualdad de Derechos?

La Enmienda a la Igualdad de Derechos (ERA), fue una propuesta de enmienda constitucional que establecía que no se podía negar la igualdad de derechos en base a diferencia de sexo. Los defensores de la enmienda pensaban que está era necesaria para asegurar que los salarios de las mujeres fuera igual al de los hombres que realizaban el mismo trabajo. Con salarios más altos las mujeres estarían en mejores condiciones de sostenerse y sostener a sus familias. Los defensores de la enmienda creían que ayudaría a prevenir la discriminación contra las mujeres en los empleos y las escuelas.

PREGUNTAS DE REPASO

Instrucciones: Responde a cada pregunta en el espacio proporcionado.

1. ¿Qué pretendía lograr AIM al escenificar eventos como el intento de comprar Alcatraz?

    _____

    _____

    _____

2. ¿Por qué algunas personas se oponían al "transporte" y a la acción afirmativa?

    _____

    _____

    _____

3. ¿Qué producto querían los Trabajadores Agrícolas Unidos, que la gente norteamericana boycoteara?

    _____

    _____

    _____

4. ¿Por qué algunas personas apoyaban la aprobación de la Enmienda a la Igualdad de Derechos?

    _____

    _____

    _____

CAPÍTULO

16

La Disputa en contra de la ERA

¿Por qué algunas personas trabajaron para conseguir la aprobación de la Enmienda a la Igualdad de Derechos (Equal Rights Amendment) (ERA)?

Los defensores de la Enmienda a la Igualdad de Derechos reclamaban que las mujeres que realizaran el mismo trabajo que los hombres, deberían recibir el mismo salario. Consideraban que la aprobación de ERA era extremadamente importante ya que más y más hogares eran sustentados por mujeres. Los líderes del movimiento femenino pensaban que las mujeres sólo podrían adelantar financieramente, si la Constitución les garantizaba igualdad de derechos. Una líder, Betty Friedan, indicaba que mientras no existiera una garantía constitucional de igualdad, la discriminación en contra de la mujer continuaría en escuelas y empleos.

¿Por qué algunas personas se opusieron a ERA?

La Enmienda a la Igualdad de Derechos establecía que "La Igualdad de derechos no podía ser negada o abreviada [disminuída] por los Estados Unidos ni por ninguno de los estados por concepto de sexo." Los opositores a la ERA sostenían que el fraseo de la propuesta enmienda era vago y podría llevar a la abolición de todas las distinciones de género. Temían que se exigiera a las mujeres que sirvieran en el ejército y que los baños públicos se abrieran a ambos sexos. Phyllis Schlafly, una opositora a ERA, y otras, temían que ERA iba a destruir los roles tradicionales de la mujer. En respuesta, organizaron una efectiva campaña en contra de la aprobación de la enmienda.

¿Cuál fue la decisión en el caso *Roe vs. Wade*, y cómo ésta afectó a la aprobación de ERA?

Roe vs. Wade fue un caso presentado ante la Corte Suprema en 1973, en él la Corte decidió que era ilegal que los estados negaran a las mujeres la posibilidad de realizar un aborto en los primeros tres meses del embarazo. La decisión causó una gran controversia. Sus críticos sostenían que era una decisión anti-familiar y que violaba el derecho a la vida de los niños no nacidos. La decisión en el caso *Roe vs. Wade* originó más oposición a ERA, e hizo que los oponentes al movimiento femenino trabajaran más activamente.

¿Por qué ERA no llegó a convertirse en una enmienda?

El Congreso aprobó ERA en 1972. Sin embargo, para que pudiera convertirse en ley, 38 estados tenían que ratificarla en un período de siete años. Cuando el límite de siete años terminó en 1979, la ERA no había sido ratificada por el suficiente número de estados. Entonces, el Congreso concedió una extensión de tres años. Sin embargo, al final de la extensión sólo 35 estados la habían ratificado, por lo que nunca llegó a ser una enmienda.

PREGUNTAS DE REPASO

Instrucciones: Responde a cada pregunta en el espacio proporcionado.

____**1.** Betty Friedan pensaba que
   a. los roles tradicionales de las mujeres serían destruídos por ERA.
   b. la constitución ya protegía los derechos de las mujeres.
   c. las mujeres perderían sus privilegios especiales si se aprobaba ERA.
   d. las mujeres necesitaban una garantía constitucional de igualdad para detener la discriminación en escuelas y empleos.

____**2.** La Enmienda a la Igualdad de Derechos, habría
   a. dado a las mujeres el derecho a enjuiciar por discriminación y acoso sexual.
   b. evitado que a una persona se le negara igualdad de derechos basándose en el sexo.
   c. dado igualdad de derechos a todos los empleados.
   d. dado a las mujeres el derecho de hacer todo lo que los hombres hacen.

____**3.** ¿Quiénes de las siguientes personas consideraban que las mujeres iban a perder sus roles tradicionales si ERA era aprobada?
   a. Betty Friedan
   b. Susan B. Anthony
   c. Gloria Steinem
   d. Phyllis Schlafly

____**4.** El caso *Roe vs. Wade* estableció que el acceso al aborto
   a. debería ser dejado a cargo de los estados.
   b. no podía ser negado por los estados en los primeros tres meses de embarazo.
   c. era ilegal.
   d. debería ser regulado por una agencia federal.

____**5.** La ERA no fue aprobada porque
   a. no fue ratificada por el suficiente número de estados en un determinado tiempo.
   b. la mayoría del congreso votó en contra de ERA.
   c. el presidente la vetó.
   d. las mujeres no pudieron ponerse de acuerdo en su fraseo.

La Revolución de Reagan

¿Por qué Reagan ganó la elección presidencial de 1980?

- La popularidad del Presidente Jimmy Carter era baja. Bajo su presidencia, la inflación subió mucho y en 1979 llegó a un porcentaje de 13%. El público estaba particularment molesto con el alto precio de los productos de petróleo. Además, la gente estaba desilucionada con la inhabilidad de Carter para poner fin a la crisis de rehenes los en Irán.

- Reagan le dijo a los votantes que él le ayudaría a América a levantarse nuevamente a través del incremento de los gastos militares, bajando los impuestos, reduciendo la actividad gubernamental, y restaurando los valores conservadores. El mensaje de Reagan atrajo a muchos incluyendo a la Nueva Derecha, una organización relajada de conservadores sociales y políticos. Ellos se oponían a muchas de las ideas liberales, incluyendo la Enmienda de Igualdad de Derechos, la integración de las escuelas públicas, transportándo a los escolares a escuelas fuera de su vecindario.

Para más información, mire The Election of 1980 PE Map y Ronald Reagan Profile en *Exploring America's Past* CD-ROM.

¿Cuál fue la filosofía de la política de Reagan, y cuáles fueron sus políticas?

Reagan quería disminuír el papel del gobierno federal, particularmente en la economía, mientras aumentaba el papel del sector privado, de las personas y de las coorporaciones. Reagan basó su política económica en la "teoría de economía del lado de oferta," que manifestaba que tasas de impuestos más bajas podrían llevar al crecimiento económico. La teoría estaba basada en la idea de que los estadounidenses usarían el dinero que estaban ahorrando de los impuestos para invertir en nuevos negocios, y así crearían trabajos y altas ganancias. Una vez estos negocios experimentaran ganancias, los fondos de los impuestos aumentarían. Reagan esperaba que este plan, que algunos llamaron "Reaganomics", le permitiría disminuír los impuestos a un 25% en un período de tres años mientras que se balancearía el presupuesto y aumentarían los gastos militares.

¿Cómo "Reaganomics" afectó la economía?

Al bajar los impuestos, "Reaganomics" disminuyó el ingreso del gobierno. A la vez, aumentó altamente los gastos militares. Como resultado, el déficit nacional — la cantidad de dinero prestado cada año por el gobierno — aumentó a alrededor de $200 billones para 1983. Esto aumentó la deuda nacional — la cantidad total de dinero que gobierno federal debía. Mientras tanto, los cortes en los programas sociales, y el alto desempleo le hizo daño a muchos que apenas estaban subsistiendo. Para 1982 la tasa de desempleo llegó a un porcentaje del 10%.

¿Por qué Reagan ganó la elección presidencial de 1984?

A pesar de los efectos negativos al principio de "Reaganomics," Reagan continuaba siendo extremadamente popular. Entonces, en su tercer año en la presidencia, la economía empezó a mejorar. La tasa de inflación nacional cayó de 12% a menos de 4%. La actividad del comercio creció, y nuevos trabajos fueron creados. Reagan le ganó a su opositor, Walter Mondale, por uno de los márgenes más grandes en la historia de los E.U. Para más información, mire la Election of 1984 More of the Story Reading on the *Exploring America's Past* CD-ROM.

PREGUNTAS DE REPASO

Instrucciones: Marca con *C* si la oración es cierta y con *F* si es falsa. Si la oración es falsa, corrige la palabra o frase subrayada.

____**1.** El Presidente Carter no fue popular a causa de la inflación y su inhabilidad de resolver <u>la crisis de rehenes de Irán</u>.

____**2.** Ronald Reagan quería <u>aumentar</u> el papel del gobierno federal y <u>disminuír</u> el papel del sector privado.

____**3.** La teoría "económica del lado de oferta" expone que <u>un aumento en impuestos</u> podría estimular la economía.

____**4.** Los pobres y desempleados se <u>beneficiaron en grande</u> con Reaganomics.

____**5.** Reaganomics ayudó a <u>aumentar el déficit</u> a casi $200 billones.

____**6.** Después de que Reaganomics llevó a un alza del déficit federal, Reagan <u>perdió la elección presidencial de l984</u>.

El final de la Guerra Fría

¿Qué problemas enfrentó la Unión Soviética a mediados de la década de los años de 1980?

La Unión Soviética había estado sufriendo de problemas económicos severos, como la mayoría de los países europeos del este que solía controlar. Muchos de los ciudadanos de estos países culparon al sistema comunista por sus problemas. Mientras tanto, la Unión Soviética había estado peleando una guerra cara en Afganistán y tenía que lidiar con el desorden político en casa y en los países que influenciaba. Polonia en particular pasó un desorden político que fue bien publicado. Por estos problemas, mucha gente pensó que la Unión Soviética estaba perdiendo su fuerza militar y su influencia.

¿Cómo el líder Mikhail Gorbachev respondió a estos problemas?

- **Glasnot** — Bajo política de glasnot de Gorbachev, o "política abierta", los ciudadanos soviéticos fueron estimulados a discutir asuntos públicos. Se les permitió criticar al gobierno soviético por primera vez en años.

- **Perestroika** — En 1985 Gorbachev también introdujo perestroika, una inmensa reestructuración `económica y gubernamental de la Unión Soviética. Bajo perestroika, Gorbachev alentó cosas tales como empresas privadas y el aumento de comercio extranjero mientras disminuía los gastos militares.

- **Relaciones internacionales** — Finalmente, Gorbachev mejoró las relaciones de la Unión Soviética con los Estados Unidos y otros países.

¿Cuáles fueron los efectos de los cambios de Gorbachev en la Unión Soviética?

Después de que Gorbachev implementó glasnot y otros cambios en la Unión Soviética, la Guerra Fría empezó a disminuir. A pesar de que el Presidente Reagan primero sospechaba de Gorbachev, él más tarde respondió positivamente a los cambios de Gorbachev. Un ejemplo del aumento en cooperación entre los dos líderes fue la reunión cumbre en 1987 que resultó en la firma del Tratado de Fuerzas Nucleares de Alcance Intermedio. Este tratado completamente eliminó de Europa los proyectiles nucleares de alcance mediano.

¿Cómo los cambios en la política soviética afectó las actitudes norteamericanas hacia la Unión Soviética?

Muchos estadounidenses que habían vivido a través de las décadas de la Guerra Fría habían aprendido a no confiar o hasta odiar al comunismo. Algunas personas hasta tenían estos sentimientos hacia personas que vivían en los regímenes comunistas. Como resultado de la introducción de glasnot por Gorbachev, muchos estadounidenses cambiaron sus opiniones y empezaron a ver a estos antiguos enemigos como personas.

¿Qué le pasó a los gobiernos comunistas de Europa Oriental a finales de la década de los años de 1980?

Muchos gobiernos comunistas en la Europa Oriental perdieron poder a finales de la década de los años de 1980. Algunos fueron reemplazados por gobiernos más democráticos, mientras que otros fueron modificados de forma de que incluyeran más elementos democráticos. En Polonia la organización laboral Solidaridad ganó un número importante de elecciones. En Hungría, el gobierno rompió completamente con el comunismo. En Rumania el dictador comunista Nicolae Ceausescu fue removido por el poder de la revolución popular. Mientras tanto, la Muralla de Berlín fue derribada, y el Este y Oeste de Alemania se volvieron a unir. Hasta las repúblicas soviéticas como Lituania y Azerbaijan demandaron y obtuvieron su independencia.

PREGUNTAS DE REPASO

Instrucciones: Indica el orden de los eventos al final de la Guerra Fría al escribir una *A* al lado del primer evento, una *B* al lado del siguiente evento, y subsecuentemente hasta llegar a *D*. Entonces responde las siguientes preguntas:

_____**1.** Los E.U. y la Unión Soviética firmaron el Tratado de Fuerzas Nucleares de Alcance Intermedio.

_____**2.** Gobarchev introdujo la política de glasnot.

_____**3.** El Presidente Reagan y el Primer Ministro Gorbachev tuvieron una reunión cumbre.

_____**4.** Muchos países comunistas en la Europa Oriental perdieron el poder.

5. ¿Qué eran glasnot y perestroika, y cómo ayudaron a traer cambios políticos y económicos en la Unión Soviética?

_____

_____

_____

6. ¿Qué fue el Tratado de Fuerzas Nucleares de Alcance Intermedio, y cómo ayudaron a relajar las tensiones de la Guerra Fría?

_____

_____

_____

7. ¿Cómo los norteamericanos respondieron al fin de la Guerra Fría a mediados de los ochentas?

_____

_____

_____

17

La Presidencia de Bush

¿En qué areas George Bush como presidente tuvo sus logros más grandes?

El Presidente George Bush, quien fue embajador en China y director de la Agencia Central de Inteligencia, estaba muy interesado en las relaciones internacionales. El declaró que un "Nuevo Orden Mundial" había sido establecido con el desmantelamiento de los gobiernos comunistas de la Europa Oriental; él también estuvo activo en la lucha contra las drogas en Centroamérica; y guió a la nación durante la Guerra del Golfo Pérsico. Para más información, mire el George and Barbara Bush Media Bank Image y el George Bush Profile en el CD-ROM *Exploring America's Past.*

¿Qué desafíos significativos confrontó Bush como presidente?

• La desintegración de los gobiernos comunistas de Europa Oriental y la Unión Soviética.

• El uso y venta de narcóticos ilegales era extenso. Muchas de las drogas eran transportadas desde Centroamérica y Suramérica.

• En 1990, las tropas del país del Medio Oriente de Iraq invadieron a su vecino Kuwait y ocupó a este pequeño país.

¿Qué eventos llevaron a que se acabara la Guerra Fría?

Alentados por las políticas liberales de Gorbachev, muchos países de Europa Oriental — tales como Polonia, Alemania del Este, Checoslovaquia, Hungría, y Rumania — se deshicieron de sus líderes comunistas. Las Alemanias del Este y el Oeste, que habían estado separadas desde la Segunda Guerra Mundial, se volvieron a unir. En la Unión Soviética, las repúblicas tales como Lituania y Azerbaijan demandaron y ganaron la independencia. Al final de 1991 la Unión Soviética se desintegró y sus antiguas repúblicas se convirtieron en países independientes. Muchas de estas nuevas naciones se unieron a una federación no rigurosa conocida como Commonwealth of Independent States (CIS) (la Mancomunidad de Estados Independientes). Al tener éxito empezando con la reforma en la Europa Oriental, el Primer Ministro Mikhail Gorbachev se retiró. Boris Yeltsin, el presidente de Rusia, se convirtió en el líder más fuerte de CIS. Para más información, vea el Boris Yeltsin Media Bank Image y el CD-Rom del Breakup of the Soviet Sphere Atlas Map.

¿Qué fue la Guerra contra la Drogas, y cómo influenció al involucramiento norteamericano en Latinoamérica?

Después de convertirse en presidente, Bush anunció que quería empezar una campaña mayor para parar el uso y manufactura de drogas ilegales, la cual él llamó la Guerra contra las Drogas. Sin embargo, porque algunos líderes de los gobiernos centroamericanos estaban altamente influenciados por el comercio de drogas, la meta de combatir las drogas se hizo muy difícil.

Uno de los más famosos gobernantes que apoyaban a los carteles de la droga fue Manuel Noriega de Panamá. Una corte de E.U. lo acusó de cargos de narcotráfico en 1989, pero Noriega rehusó venir a los E.U. para ser juzgado. En respuesta, Bush ordenó que las tropas de E.U. invadieran a Panamá y capturaran a Noriega. A pesar de que la misión tuvo éxito, varios norteamericanos y panameños perdieron sus vidas en la invasión. Para más información mire el Manuel Noriega Media Bank Image.

¿Qué fue la Guerra del Golfo Pérsico?

Saddam Hussein, el líder de Iraq — un país poderoso del Medio Oriente — mandó sus tropas a invadir al país rico en petróleo de Kuwait. Otros países en la región, incluyendo a Arabia Saúdita, temían que las tropas iraquíes también los atacaran. Cuando Iraq ignoró la demanda de las Naciones Unidas (NU) de que se retirara de Kuwait en cierta fecha, la fuerza militar de las NU guiada por los E.U. atacó al ejército de Hussein en 1991, y le derrotó facilmente. Después, Hussein accedió a pagar las reparaciones a Kuwait y renunció a sus demandas sobre el país, pero más tarde rehusó seguir con los términos del acuerdo de paz. Para más información, vea el Persian Gulf War Study Guide y el CD-Rom de Conflicts in the Middle East Atlas Map.

PREGUNTAS DE REPASO

Instrucciones: Contesta cada pregunta en el espacio proveído.

____1. ¿Cuál de los siguientes no fue un desafío para el Presidente Bush?
   a. la desintegración de los gobiernos comunistas de Europa Oriental
   b. el amplio uso y venta de drogas ilegales
   c. la toma de poder por los comunistas en Nicaragua
   d. la Guerra del Golfo Pérsico

____2. ¿Qué declaración no es cierta sobre los eventos que llevaron a terminar la Guerra Fría?
   a. Los líderes comunistas de los países de Europa Oriental se quedaron en el poder.
   b. La Unión Soviética quedó fragmentada en pequeños países
   c. La Mancomunidad de Estados Independientes o CIS, fue formada
   d. Boris Yeltsin, el presidente de Rusia, se convirtió en el líder más fuerte del CIS.

____3. ¿Cuál fue uno de los resultados de la Guerra contra las Drogas?
   a. Los E.U. no se involucraron en los asuntos de Latino América.
   b. El gobernante de Panamá se puso en contra de los carteles de las drogas.
   c. Las tropas americanas invadieron Panamá y se llevaron a Manuel Noriega a los E.U.
   d. El uso de drogas en los E.U. fue parado completamente.

____4. La Guerra del Golfo Pérsico
   a. empezó después de que Persia conquistara a un pequeño país vecino.
   b. llevó a que removieran a Saddam Hussein del poder
   c. fue una derrota humillante por las fuerzas de las NU
   d. fue peleada para liberar al país rico en petróleo de Kuwait

Nombre _____ Clase _____ Fecha _____

Casos de salud

¿Qué es SIDA?

El SIDA o el Síndrome Inmune de Deficiencia Adquirida fue reportado por primera vez en 1981. La enfermedad es causada por el virus humano de inmunodeficiencia (Human immunodeficiency virus o HIV), que ataca a las células del sistema inmune de las víctimas. Estas células entonces no pueden pelear contra otras enfermedades o contra el cancer. Como resultado, las personas con SIDA son extremadamente vulnerables a otras enfermedades u infecciones. En el presente no hay cura para el SIDA, a pesar de que algunas medicinas han sido desarrolladas para que ayuden con estos síntomas.

¿Cómo el SIDA ha afectado a la sociedad norteamericana?

Muchos estadounidenses sufren del SIDA. Entre junio de 1981 y diciembre de 1990, más de 161,000 personas en los E.U. han contraído esta enfermedad, y alrededor de 100,000 de ellas han muerto durante ese tiempo. El SIDA puede atacar a las personas de ambos sexos y de cualquier raza. Sin embargo, algunos grupos han sido más afectados que otros. En 1990 alrededor de un 90 por ciento de las víctimas fueron hombres. Nacionalmente, el SIDA era la segunda causa de muerte más alta para los hombres entre las edades de 25 y 44 años, y en la Ciudad de Nueva York, San Francisco y Los Angeles, era la causa principal de muerte para este grupo de edades. En 1990, el SIDA fue la causa principal de muerte para las mujeres africoamericanas en la Ciudad de Nueva York y Nueva Jersey. Para más información mire AIDS Cases 1984-1993 Media Bank Graph y Ryan White Source Reading en el CD-ROM *Exploring America's Past*. Para ver colchas conmerando algunas personas que murieron de SIDA, mire a AIDS Quilt Media Bank Video, también el CD-ROM.

¿Qué tecnología médica importante se introdujo en los años de la década de 1980?

A pesar de que no se encontró cura para el SIDA, varias innovaciones se introdujeron en los años ochentas:

- **Corazones artificiales** — Varias personas con corazones defectuosos los reemplazaron con corazones artificiales. Al introducir esta nueva tecnología, los científicos esperaban disminuir la dependencia de los pacientes de los órganos donados. Dos personas que recibieron corazones articiales, Bill Schroeder y Barney Clark, llegaron a ser bien conocidos, y muchos estadounidenses han seguido el progreso de ellos. Sin embargo, estos y otros con corazones artificiales han sufrido adversidades médicas por lo tanto el Food and Drug Administration ha retirado su aprobación de éstos en 1990.

- **Tecnología de ingeniería genética** — Los genes son un segmento pequeño de los cromosomas que componen el ácido "deoxyribonucleic" (DNA), que determina todas las características físicas del cuerpo. La tecnología de ingeniería genética permite a los científicos alterar estos genes, lo cual les deja ejecutar investigaciónes médicas importantes tales como aprender cómo el cuerpo humano funciona y cómo las enfermedades pueden ser combatidas más efectivamente. También pueden usar la tecnología que produce insulina — una substancia que se necesita para la diabetes — y para cambiar las características físicas de las plantas o animales. Sin embargo, muchos estadounidenses no están de acuerdo con la ingeniería genética. Piensan que porque se podría usar para determinar el sexo de los hijos, la ingeniería genética crea un dilema ético. Para más información, vea Genetic Engineering Media Bank Image en el CD-ROM.

PREGUNTAS DE REPASO

Instrucciones: Contesta cada pregunta en el espacio proveído.

____**1.** ¿Cuál no es cierto en relación al SIDA?
- **a.** El SIDA es causado por el HIV.
- **b.** El SIDA limita la habilidad del sistema inmune de combatir la enfermedades.
- **c.** Los doctores han encontrado una cura para el SIDA.
- **d.** SIDA es la causa principal de muerte.

____**2.** En 1990 alrededor de un 90 por ciento de las víctimas de SIDA en los E.U:
- **a.** eran hombres
- **b.** eran mujeres
- **c.** vivían en tres grandes ciudades
- **d.** tenían entre los 44 y 65 años de edad.

____**3.** ¿Cuál de los siguientes no fue un descubrimiento médico en los años ochenta?
- **a.** el corazón artificial
- **b.** una cura al SIDA
- **c.** el desarrollo de la ingeniería genética

____**4.** ¿Por qué algunas personas no están de acuerdo con la ingeniería genética?
- **a.** No deja que los científicos sigan haciendo investigaciones valiosas.
- **b.** No pueden producir productos necesarios tales como la insulina.
- **c.** Hacea las personas más vulnerables a las enfermedades.
- **d.** Crea dilemas éticos.

____**5.** El FDA retiró su aprobación a los corazones artificiales porque
- **a.** muchas personas que tuvieron éstos sufrieron problemas médicos
- **b.** eran muy caros.
- **c.** mejor tecnología fue desarrollada.
- **d.** las donaciones de órganos aumentaron dramáticamente

Literatura de los años de la década de 1980

¿Cuáles fueron los temas populares en la literatura en los años de la década de 1980?

Libros que exaltaban la riqueza y la avaricia eran muy populares en los ochenta. Un grupo joven de escritores estadounidenses usó las historias de la vida de los yuppies (profesionales urbanos jóvenes) que ganaban mucho dinero y vivían con lujo. Por lo regular, estas historia no desarrollaban fuertes tramas, con la meta de sólo describir la cultura popular. Muchas de ellas no sólo mostraron fascinación con la avaricia sino el placer al instante, auto destructivo, y la vida como era vivida en las ciudades grandes y glamorosas como Nueva York.

- La novela "Menos que Cero" *(Less Than Zero)* de Bret Easton Ellis describe la vida diaria de un estudiante rico en Los Angeles que sufre de tensiones extremas a causa de su estilo de vida en la gran ciudad.

- "Luces Brillantes, Gran Ciudad" *(Bright Lights, Big City)* de Jay McInerney se trata de un hombre joven que es dejado por su esposa y que al no tener metas reales en su vida se siente perdido.

- Los cuentos de Tama Janowitz en "Esclavas de Nueva York" *(Slaves of New York)* se enfocan en los días y noches de una diseñadora de joyas de Nueva York y su novio.

¿Qué papel tenían las escritoras mujeres en los años ochentas?

Las obras de las escritoras mujeres, particularmente las de las minorías, fueron muy populares en los años ochent. A diferencia de las novelas ya antes mencionadas, éstas tenían tramas bien desarrollados y personajes fuertes:

- En 1985 Amy Tan publicó un cuento corto en una revista literaria. Por el impacto de este cuento, un agente literario le dio un avance de mucho de dinero a Tan antes de escribir la novela. Publicada en 1989, *The Joy Luck Club,* llegó a ser uno de los libros mejores vendidos.

- Otra figura popular de los ochenta fue la escritora africoamericana Alice Walker. En su libro "El Color Púrpura" *(The Color Purple),* Walker desarrolló personajes femeninos fuertes y creativos. En otro libro, "En busca de los Jardines de Nuestras Madres" *(In Search of Our Mothers' Gardens),* Walker escribió sobre las mujeres artistas de la actualidad, incluyendo a su propia madre.

¿Qué ficción ganadora de premios fue popular en los años ochenta?

- "El Color Púrpura" ganó el Premio Pulitzer y el National Book Award.

- Otro libro popular, que ganó el Premio Pulitzer y el National Book Critics Circle Award, fue *Ironweed* de William Kennedy.

PREGUNTAS DE REPASO

Instrucciones: Contesta cada pregunta en el espacio proveído.

1. Nombra tres autores populares de los años ochenta.

   _____

   _____

   _____

2. Describe los temas comunes de obras literarias tales como "Menos que Cero" y "Luces Brillantes, la Gran Ciudad."

   _____

   _____

   _____

3. ¿Cómo eran los personajes de "El Color Púrpura"?

   _____

   _____

   _____

17 Crisis de la política extranjera

¿Con qué crisis de la política extranjera tenía que enfrentarse el Presidente Reagan?

El Presidente Ronald Reagan se opuso agresivamente a la expansión del comunismo y del poder de la Unión Soviética. Para contener la influencia soviética, él aumentó el involucramiento de los E.U. en Centroamérica y el Caribe. Negoció con éxito la liberación de 53 rehenes americanos que estuvieron en cautiverio por más de un año en Irán. Pero al aumentar la presencia de los E.U. en el Medio Oriente, los ataques terroristas contra los americanos aumentaron.

¿De que manera estuvo involucrado los E.U. en Latino América durante la presidencia de Reagan?

El Presidente Reagan estaba preocupado de que los soviéticos estaban tratando de extender su influencia en Latino América, particularmente en Nicaragua y Grenada.

- **Nicaragua** — A finales de los años setenta el dictador de Nicaragua respaldado por los norteamericanos fue derrocado por un grupo de revolucionarios. Estos últimos se llamaban los Sandinistas y establecieron un gobierno a favor de los soviéticos en ese país. En 1981, afirmando que los Sandinistas estaban ayudando a los rebeldes comunistas en El Salvador, Reagan empezó a mandar ayuda a los contras, un grupo que quería derrocar a los Sandinistas. A pesar de que los contras no tuvieron mucho éxito, éstos preocupaban al gobierno Sandinista y además les salía costoso combatirles. Muchos norteamericanos se opusieron a la ayuda enviada a estos rebeldes nicaragüenses, y en 1984 el Congreso pasó la Enmienda Boland, prohibiendo la ayuda militar a éstos. Para más información, mire Contra Rebels Media Bank Image en el CD-ROM de *Exploring America's Past.*

- **Grenada** — En 1983, los rebeldes en la isla del Caribe de Grenada derrocaron y mataron a su primer ministro. Temiendo por la seguridad de los estudiantes de medicina norteamericanos y preocupado de que los rebeldes establecieran un gobierno comunista, Reagan ordenó una invasión de la fuerza militar de los E.U. que desembarcó en Grenada en octubre de l983, ganándoles a los rebeldes, y estableció un gobierno amigable a los E.U. Para más información, mire Grenada Media Bank Image en el CD-ROM.

¿Qué fuel el asunto de Irán-contra?

El asunto de Irán-contra surgió de los atentados de la administración de Reagan para liberar a los rehenes en el Líbano y su apoyo a los contras de Nicaragua. Después de que el Congreso paso la Enmienda Boland, la administración de Reagan trató de ayudar indirectamente a los contras sin la aprobación del Congreso. Oliver North coronel de la marina fue designado para persuadir a individuos y países extranjeros ricos para donar dinero a los contras. Mientras tanto, en 1986 terroristas apoyados por Irán en el Líbano tenían como prisioneros a norteamericanos. Esperando poder liberar a estos rehenes, la administración de Reagan permitió la venta de armas a Irán. El coronel North hizo el arreglo para la venta de armas y entonces usó el dinero de las ventas para ayudar a los contras.

Al final de 1986 la prensa descubrió el trato de armas y la transferencia de fondos a los contras de Nicaragua. No había prueba y Reagan ha negado que él haya aprobado o haber tenido conocimiento del trato, y continuó siendo popular entre muchos norteamericanos. Sin embargo, Oliver North y el consejero nacional de seguridad de Reagan, el Admiral John Poindexter, fueron forzados a renunciar. Para más información, mire World Terrorism More of the Story Reading, Iran-Contra Media Bank Image y Oliver North Profile en el CD-ROM.

PREGUNTAS DE REPASO

Instrucciones: Marca con *C* las oraciones ciertas y con *F* las falsas.

____ **1.** A pesar de que Reagan estaba convencido de que el comunismo no podía expandirse en Centroamérica, él usó esto como excusa para aumentar la influencia de E.U. allí.

____ **2.** Reagan trabajó para parar la expansión del poder soviético.

____ **3.** Hasta el final de los años setenta, Nicaragua fue gobernada por un dictador apoyado por los E.U.

____ **4.** Los revolucionarios nicaragüenses conocidos como los Sandinistas establecieron un gobierno democrático en Nicaragua.

____ **5.** Reagan comenzó a ayudar a los contras en 1981.

____ **6.** Los contras derrocaron a los Sandinistas.

____ **7.** El presidente Reagan invadió a Granada para rescatar a los americanos y porque él temía que los rebeldes establecieran un gobierno comunista allí.

____ **8.** La administración de Reagan hizo un trato de armas con Irán para liberar a los rehenes americanos.

____ **9.** Reagan negó ordenar al Coronel North a ayudar a los contras con las ganancias que provenían del trato de armas iraní o hasta negó saber algo del trato.

____**10.** El asunto de Irán-contra hizo que la mayoría de norteamericanos no confiaran en el Presidente Reagan.

CAPÍTULO

La Guerra del Golfo Pérsico

¿Qué eventos causaron la Guerra del Golfo Pérsico?

En agosto de 1990 la nación de Iraq invadió a su vecino pequeño, mayor productor de petróleo, Kuwait. Los E.U. respondieron mandando tropas para defender a Arabia Saúdita que era el país vecino, y el Presidente George Bush organizó una coalición de naciones en oposición a Iraq. Para forzar a las tropas iraquíes a salir de Kuwait, la Organizacion de las Naciones Unidas ONU prohibió el comercio con Iraq. Por cinco meses los diplomáticos trataron de resolver la crisis, pero nada funcionó. Mientras tanto, las tropas del líder iraquí Saddam Hussein cometieron muchos actos de violencia en Kuwait. Las Naciones Unidas advirtieron a Hussein que él tenía hasta el 15 de enero de 1991 para retirar sus tropas de Kuwait . Cuando no hizo esto, la fuerza de las Naciones Unidas empezó a bombardear a blancos militares iraquíes.

¿Qué países estuvieron involucrados en la coalición internacional contra Iraq?

Las Naciones Unidas fueron apoyadas por países árabes y occidentales. Miembros líderes de la coalición contra Iraq incluían a los E.U., Inglaterra, Francia, Egipto, Siria y Arabia Saúdita. La Unión Soviética, que no apoya a ningún lado, actuó como intermediaria.

¿Por qué los E.U. se involucraron en la Guerra del Golfo Pérsico?

Después de la invasión, los E.U. estaban determinados a prevenir a Iraq de tomar posesión de otros países del Medio Oriente y de tomar control de más reservas de petróleo. Los líderes de E.U. alentaron a las Naciones Unidas a imponer sanciones comerciales sobre Iraq, y los E.U. y otras naciones enviaron tropas y barcos de guerra al Golfo Pérsico. El Presidente Bush explicó en la televisión nacional su decisión de enviar las tropas de E.U., declarando que la paz tenía que ser mantenida y la agresión parada.

¿Cuáles fueron los eventos significativos de la Guerra del Golfo Pérsico?

Cuando Hussein falló en responder al plazo del 15 de enero, las fuerzas de las Naciones Unidas (United Nations - UN) bombardearon a Iraq. El General Norman Schwarzkopf guío a las fuerzas de la ONU de 690,000 soldados de los cuales 540,000 eran americanos a Iraq y Kuwait. En pocos días el ejército iraquí fue derrotado, y Kuwait fue liberado. El 23 de febrero en menos de dos meses, más de 100,000 soldados iraquíes y alrededor de 140 soldados de la ONU perdieron sus vidas. Además, hubo varios fuegos y derrames de petróleo que causaron daño ecológico. Para más información, mire The 1991 Persian Gulf War PE Map, Norman Schwarzkopf Profile, y Gulf War Ecological Damage Media Bank Image en el CD-ROM de *Exploring America's Past*.

¿Cuáles fueron los resultados de la Guerra del Golfo?

Después de que sus tropas fueron derrotadas, Saddam Hussein fue forzado a aceptar los términos de paz, tales como pagar reparaciones a Kuwait, y dejar todas sus reclamaciones en cuanto al territorio de Kuwait. Sin embargo, a pesar de la derrota, Hussein no perdió su poder y usó lo quedó de su ejército para eliminar a la oposición Iraquí. Más tarde rehuso cumplir con alguno de los términos de paz.

¿Cuáles fueron los resultados de la Guerra del Golfo?

- Después del derrocamiento de sus tropas, Saddam Hussein fue forzado a aceptar las condiciones de paz de la ONU, tales como pagar por los daños a Kuwait y renunciar a todas sus pretensiones en el territorio de Kuwait. A pesar de su derrocamiento, Hussein no perdió su poder y usó lo que quedaba de su ejército para eliminar a la oposición Iraqui de su gobierno. Más tarde se negó a cumplir las condiciones de la paz.

¿En qué aspectos la Guerra del Golfo fue diferente de otros conflictos militares?

- **Armas** — Algunas armas sofisticadas, tales como proyectiles controlados por computadora y aviones de "stealth"(cautela), fueron usados por primera vez en la Guerra del Golfo.
- **Tropas** — Alrededor de un 6 por ciento de los norteamericanos de la Guerra del Golfo eran mujeres, más que cualquier otro conflicto previo. A pesar de que no participaron en posiciones de combate, las soldadas fueron cruciales en otras áreas. Para más información, mire The Women in Desert Storm Media Bank Image y the Women in the Military More of the Story Reading en el CD-ROM .

¿Cómo los norteamericanos reaccionaron a la presencia de las mujeres soldados en la Guerra del Golfo?

Unos norteamericanos no estuvieron de acuerdo con el uso de mujeres soldados. Pensaban que las mujeres no debían estar involucradas directamente en la guerra y por lo tanto no debían tener posiciones de combate. Otros norteamericanos disputaban que personas que sirivieran en el ejército fueran pagadas por su trabajos regulares y por su disposición a arriesgar sus vidas. Si las mujeres iban a tener las mismas oportunidades que los hombres, éstas no debían ser excluídas del combate. Como resultado de este debate, el Congreso pasó una medida que permite a las mujeres servir en combate como pilotos.

PREGUNTAS DE REPASO

Instrucciones: Contesta cada pregunta en el espacio proveído.

____1. ¿Cuál de las siguientes <u>no</u> fue una razón por la cual empezó la Guerra del Golfo Pérsico?
  a. la invasión de Kuwait por Hussein
  b. la invasión de Arabia Saúdita por Hussein
  c. al Saddam Hussein no cumplir con el plazo de las Naciones Unidas

____2. ¿Cuál de estos países no estaba involucrado en la coalición contra Hussein?
  a. la Unión Soviética
  b. Arabia Saúdita
  c. Francia

____3. La fuerza de la ONU estaba compuesta mayormente de
  a. refugiados de Kuwait
  b. soldados norteamericanos
  c. tropas inglesas, francesas, y de Arabia Saúdita

____4. ¿De qué forma la Guerra del Golfo fue diferente de otros conflictos?
  a. Muchas mujeres soldados participaron, y se usaron armas de alta tecnología.
  b. Se usaron armas de alta tecnología, pero las tropas terrestres no tomaron parte en la lucha.
  c. Muchas mujeres participaron en el combate de mano a mano.

____5. ¿Cuál de las siguientes <u>no</u> fue un resultado de la Guerra del Golfo Pérsico?
  a. daño a la ecología
  b. el derrocamiento de Saddam Hussein
  c. muchas muertes

18

La Política en la década de 1990

¿Qué pasó en las elecciones presidenciales de 1992?

La reelección del presidente George Bush parecía segura después que los Estados Unidos y sus aliados derrotaron a Iraq en la Guerra del Golfo en 1991. Sin embargo, en 1992 los ciudadanos norteamericanos estaban cada vez más descontentos a medida que la economía entraba en una recesión económica. Bush le restó importancia a la gravedad de la recesión pero admitió que el déficit nacional debía ser reducido y el presupuesto nacional balanceado. A pesar de las promesas de Bush, los norteamericanos no apoyaron su reelección. El presidente enfrentó a dos candidatos clave en las elecciones de 1992:

- El gobernador Demócrata de Arkansas, Bill Clinton, y su compañero de fórmula, Al Gore, de Tennessee, eran miembros de la generación del "baby boom" que nació después de la Segunda Guerra Mundial. Clinton, al igual que muchos otros de su generación, se había opuesto a la Guerra de Vietnam. Clinton prometió crear trabajos a través del desarrollo de proyectos federales y de incentivos para atraer la inversión del sector privado. También prometió mejorar el sistema nacional de salud. En resumen, Clinton propuso hacer profundas reformas en el gobierno.
- El millonario Ross Perot representó a un tercer partido político llamado Estamos por la Unidad (United We Stand). Perot consideraba que tanto los Republicanos como los Demócratas estaban alejados de los problemas del pueblo norteamericano. El prometió que en caso de ser electo presidente, usaría su capacidad de hombre de negocios para gobernar el país como lo había hecho con su empresa. Para obtener mayor información sobre terceros partidos, consulta "American Political Parties More of the Story Reading en *Exploring America's Past* CD-ROM."

Clinton, quien había crecido en un ambiente de clase obrera, uso su estilo acogedor para ganar el apoyo de los votantes. En contraste, el adinerado Bush parecía desconectado de los problemas de su pueblo. Clinton fue electo presidente con un 43% del voto popular y obtuvo 370 votos electorales frente a los 170 que obtuvo Bush. Perot recibió el 19% del voto popular, más que ningún otro candidato de un tercer partido desde Teodoro Roosevelt en 1912.

¿Por qué la prensa llamó a 1992 "el año de la mujer"?

En 1992 se eligieron más mujeres a cargos políticos que en toda la historia de este país. Por ejemplo, seis mujeres fueron electas para ocupar puestos en el Senado, con lo que se alcanzó un récord de siete. La demócrata Lynn Woolsey, madre divorciada, fue la primera integrante del Senado que había recibido asistencia social (welfare) en el pasado. La demócrata Carol Moseley-Braun de Illinois se convirtió en la primera Afroamericana electa al Senado. California fue el primer estado en elegir a dos mujeres, las demócratas Barbara Boxer y Diane Feinstein, para ocupar los dos puestos senatoriales.

¿Cómo cambió la política el Contrato con América de 1994?

En 1994, muchos votantes habían perdido su confianza en parte de la agenda polítca de Clinton y en algunos congresistas demócratas que venían ejerciendo esa posición por mucho tiempo. El

Republicano Newt Gringrich de Georgia escribió un programa de 10 puntos denominado el Contrato con América que, según él, tenía las respuestas a los problemas de la nación. Los puntos del programa incluían (a) balancear el presupuesto federal cortando los gastos del gobierno, (b) cortar los impuestos a la clase media y limitar el tiempo de servicio a los oficiales del gobierno y (c) reducir el tamaño del gobierno federal transfiriendo esta responsabilidad a los gobiernos estatales y locales a las organizaciones privadas.

En las elecciones de 1994, los republicanos ganaron la mayoría en ambas Cámaras del Congreso por primera vez en 40 años. Newt Gringrich fue electo Presidente del Congreso y los Republicanos pudieron adoptar varios proyectos de ley prometidas en el Contrato con América. Clinton vetó algunos de los proyectos de ley y también se opuso a la propuesta Republicana de balancear el presupuesto en siete años, argumentando que esto afectaría a los pobres porque reduciría la ayuda del programa de Asistencia Social (welfare). Para mayor información, consulta Republicans in Congress More of the Story Reading on the CD-ROM.

¿Cómo esperaba Clinton el gobierno?

Clinton nominó a varias mujeres y representantes de minorías como asesores de su cabinete para reflejar la diversa composición de este país. El nominó a una juez, Ruth Bader Ginsberg, a la Suprema Corte. Durante su primer término presidencial, Clinton se concentró en tres aspectos:

- **Economía** — Propuso un plan para reducir el déficit presupuestario por medio del recorte de gastos y el incremento de los impuestos. Este plan fue aprobado por dos votos en el Congreso pero empató en el Senado donde el vice presidente Al Gore emitió el voto decisivo en favor del plan.
- **Crimen** — Clinton propuso una nueva legislación en contra del crimen. En 1994 aprobó un presupuesto para el entrenamiento de 100,000 nuevos oficiales de policía. Además, el Congreso aprobo el proyecto de ley Brady en el cual se requiere que se investigue los antecedentes de cualquier persona previo a la compra de un armade fuego.
- **Salud** — La esposa de Clinton, Hillary Rodham Clinton, encabezó un comité en cargado de proponer reformas al sistema de salud. Aunque varias versiones del plan del sistema de salud fueron presentadas al Congreso en 1993 y 1994, ninguna ha sido aprobada.

PREGUNTAS DE REPASO

Instrucciones: Escribe una *C* cuando la oración sea cierta o una *F* cuando sea falsa.

____**1.** La Demócrata Carol Moseley-Braun fue la primera Senadora afroamericana.

____**2.** Newt Gingrich y los republicanos escribieron el Contrato con América.

____**3.** El Contrato con América proponía mayores gastos en educación.

____**4.** Busch perdió apoyo de los norteamericanos cuando no pudo mejorar la débil economía.

____**5.** El millonario Ross Perot representó a un tercer partido político conocido como Estamos por la Unidad (United We Stand).

____**6.** California fue el primer estado en llenar sus dos puestos en el Senado con mujeres.

____**7.** En 1994 los republicanos ganaron la mayoría tanto en el Congreso como en el Senado.

____**8.** La ley Brady requiere una investigación de los antecedentes de un ciudadano antes de que pueda comprar un arma de fuego.

18

El Caso del Cuidado Médico

¿Qué es lo que hace del Cuidado Médico un asunto importante?

Esto es importante porque afecta a todos. En su mensaje a la nación en 1993, el presidente Bill Clinton prometió reformar el Sistema de Salud haciéndolo más eficiente y accesible para todos, incluso para aquellos que nunca antes habían tenido seguro médico. Clinton planeaba proveer de seguro médico a todos los norteamericanos, pero el Congreso, con el apoyo del pueblo americano, no aprobó la propuesta.

¿Por qué los costos del seguro Médico suben?

Los costos del Seguro Médico se habían incrementado incontrolablemente en los años que precedieron a la elección del presidente Clinton. Los costos anuales habían aumentado de 37 billones de dólares en 1980 a 154 billones en 1993. Esta alza se debió a diferentes factores: (1) la población de los Estados Unidos había aumentado de 228 millones en 1980 a 261 millones en 1994, (2) las personas viven más años en estos tiempos, lo que hace que se gaste mucho dinero en servicio médico para los ancianos, (3) el número de niños pobres había aumentado y tenian menos probabilidades de ser vacunados o de vivir en un ambiente saludable, (4) el porcentaje de personas sin seguro médico había aumentado y muchos de ellas esperaban demasiado para buscar asistencia médica lo que provocó el aumento en los costos del tratamiento, (5) el uso de nueva tecnología (como el CAT-scans, magnetic resonance imaging, lasers) ha aumentado el costo del servicio médico.

Para mayor información, consulta el Health Care Reform of the Story Reading on the *Exploring America's Past* CD-ROM.

¿Cómo funciona el seguro médico?

Las personas usan la cobertura de un seguro como una protección contra pérdidas financieras. En caso de daño a la propiedad, pérdida de vida o problemas de salud, las compañías de seguro pagan parte de los gastos incurridos o reembolsan dinero directamente a la persona afectada. Las personas pagan una mensualidad, un primium, a las compañías aseguradoras para recibir esta protección. El monto del primium varía dependiendo del riesgo que las compañías toman al asegurar al individuo. Por ejemplo, una persona con problemas del corazón tendría que pagar más que una persona completamente sana. Los ancianos tienen que pagar más por un seguro porque ellos tienen más probabilidades de necesitar cuidado médico. El costo del seguro médico ha aumentado porque el uso de la nueva tecnología adoptada es muy cara; y porque se ha incrementado de la población de ancianos. Para mayor información, consulta How Insurance Works More of the Story Reading en el CD-ROM.

¿Qué piensan los Norteamericanos acerca del papel del gobierno en la reforma del Cuidado Médico?

Organizaciones que ofrecen servicio médico, partidos políticos, e individuos, tienen diferentes opiniones de cómo mejorar el Cuidado Médico. Algunos creen que proveer de seguro médico a todos los estadounidenses resulta muy costoso. Otros creen que el gobierno no debería estar involucrado en lo concerniente al cuidado médico. Este debate no es nuevo. De hecho, entre

1950 y 1960 las personas debatieron si el Congreso debía o no aprobar el Medicare —un programa del gobierno que provee de servicio médico a las personas mayores de 65 años. El Medicare se hizo ley en 1965.

¿Por qué el proyecto de ley del Presidente Clinton sobre el Cuidado Médico no fue aprobado por el Congreso?

Clinton deseaba proveer de servicio médico para todos porque mientras mayor fuera el grupo de asegurados, menor resulta el costo de cada asegurado. Además, según Clinton, si los premiums son bajos, los asegurados buscarían ayuda médica en las primeras etapas de una enfermedad y así la población estaría más saludable y la nación tendría que pagar menos dinero por su seguro médico. Clinton nombró a su esposa, Hillary Rodham Clinton, directora de una comision de expertos para estudiar este caso y recomendar soluciones. Después de meses de estudio, la comisión escribió una propuesta de 1,342 páginas que aspiraba a reformar todas las áreas del Cuidado Médico de una vez. El plan recomendaba al gobierno la implementación de un programa, controlado por el gobierno, que garantizara asistencia para todos. Sin embargo, los organismos que proveen este servicio, temían no sólo el control del gobierno sino que esta nueva versión costara más que el sistema presente. Los Republicanos argumentaron que tal modificación requeriría un incremento de los impuestos. La falta de apoyo por parte del pueblo puso fin a este proyecto de ley en 1994.

PREGUNTAS DE REPASO

Instrucciones: Escribe una X frente a cada respuesta correcta. Algunas preguntas tienen más de una respuesta correcta.

1. ¿Por qué el costo del Cuidado Médico en los Estados Unidos ha subido vertiginosamente?

    ____**a.** La población creció en número.

    ____**b.** Los doctores querían ganar mejores salarios.

    ____**c.** Una nueva tecnología más cara es usada para tratar a los pacientes.

    ____**d.** Las personas viven mas años.

2. ¿Por qué el tema del Cuidado Médico ha sido el asunto de mayor importancia en la década de 1990?

    ____**a.** Muchas personas no están aseguradas.

    ____**b.** La población de ancianos está creciendo y ellos requieren de mayores servicios médicos.

    ____**c.** El costo del Cuidado Médico es demasiado alto.

3. ¿Por qué los pagos mensuales de un seguro aumentan?

    ____**a.** Las regulaciones del gobierno requieren que las compañías de seguro aumenten los precios.

    ____**b.** La población de ancianos está creciendo.

    ____**c.** A medida que el costo de la tecnología crece, así también aumentan las mensualidades.

4. ¿Por qué el proyecto de ley de Clinton sobre el Cuidado Médico no fue aprobada por el Congreso?

    ____**a.** Los proveedores de Cuidado Médico temían el control gubernamental.

    ____**b.** Muchas personas no entendieron la propuesta.

    ____**c.** Las personas pensaron que proveer de Cuidado Médico para todos era muy costoso.

Una Economía Global

¿Por qué el comercio es importante?

Por miles de años el comercio ha sido importante para conectar a las personas alrededor del mundo. Los países dependen del comercio con otros países para comprar los productos que necesitan y para vender los productos que producen. Con los sistemas de comunicación y transporte globales de hoy, el comercio juega quizás un papel aún más importante que antes.

¿Por qué los países forman alianzas comerciales?

Las economías nacionales dependen cada vez más una de otra debido al incremento en el comercio internacional y a la formación de corporaciones multinacionales que invierten en muchos negocios a través del mundo. Con el propósito de expander sus economías y volverse más competitivas en el mercado mundial, algunas naciones se han unido para establecer alianzas. En 1993, un grupo de países de Europa Occidental formaron la Unión Europea. Esta unión benefició a las naciones miembros al permitirles la libre circulación de sus productos, fuerza laboral y moneda a través de sus fronteras. De la misma forma, en 1993, el Tratado Norteamericano de Libre Comercio (North American Free Trade Agreement - NAFTA), fue firmado para facilitar el flujo de productos y fuerza laboral entre los Estados Unidos, Canadá y México. A causa de este incremento del comercio internacional se vio la necesidad de crear la Organización del Comercio Mundial (World Trade Organization) que está en cargada de solventar disputas comerciales entre las naciones.

¿Qué alianzas comerciales ha establecido Estados Unidos?

Los Estados Unidos ha firmado dos importantes acuerdos comerciales para conectar su economía con la de otros países.

- **NAFTA** — A comienzos de la década de los 90, Estados Unidos decidió firmar los acuerdos de NAFTA para formar una alianza comercial con Canadá y México. Esta alianza tenía como propósito expandir el comercio y eliminar las barreras comerciales entre los tres países. Los partidarios de NAFTA pensaban que este acuerdo crearía nuevos mercados para los productos norteamericanos y mejoraría la economía. Al mismo tiempo, los partidarios de NAFTA creían que esto ayudaría a mejorar la economia mexicana y que reduciría el número de inmigrantes ilegales que vienen a los Estados Unidos a buscar trabajo. Los opositores de NAFTA alegaban que muchos trabajos en los Estados Unidos se perderían porque las compañías se mudarían a México para contratar fuerza laboral más barata. A pesar de esta oposición, el Congreso aprobó NAFTA en 1993.
- **GATT** — El Tratado General Sobre Tarifas y Comercio (The General Agreement on Tariffs and Trade) fue originalmente formado en 1947 para aumentar el libre comercio en el mundo. En 1993, la cumbre del GATT tuvo lugar en Uruguay. Las naciones participantes acordaron reducir las tarifas de productos industriales, reducir los subsidios y cuotas de productos agrícolas y eliminar las cuotas y limitaciones impuestas a la importación de ropa y productos textiles.

¿Cómo el mundo comercial induce a mezclar la economía Norteamericana con las economías extranjeras?

Las Compañías americanas han invertido mucho capital en países extranjeros y viceversa. El resultado de esas inversiones hace difícil determinar la procedencia de los productos. Por ejemplo, algunas compañías americanas fabrican sus carros en otros países y algunas compañías extranjeras fabrican los suyos en los Estados Unidos. Además, muchos carros americanos están ensamblados con partes hechas en otros países y viceversa.

¿Cómo los Estados Unidos usan el comercio para influir en la política de otros paises?

- **Apartheid** — Los Estados Unidos y otros países impusieron sanciones económicas contra Sudáfrica en protesta por su política racista de apartheid. El gobierno de los Estados Unidos prohibió cualquier inversión en Sudáfrica. Esto ejerció cierta presión para que el mencionado país país dejara de praticar el apartheid.
- **Derechos Humanos** — En 1995, los Estados Unidos intentaron influenciar la política del gobierno Chino a través del comercio. El gobierno de los Estados Unidos amenazó con suspender la categoría comercial de "Nación Más Favorecida" a menos que el gobierno Chino dejara de violar los derechos humanos. China aceptó mejorar su política sobre derechos humanos, pero rechazó que investigadores internacionales observaran este proceso.

PREGUNTAS DE REPASO

Instrucciones: Responde correctamente a las siguientes preguntas.

1. ¿Cómo los Estados Unidos intentaron mejorar su economía a través de sus tratados comerciales?

   _____

   _____

2. ¿Por qué las personas apoyaron NAFTA? ¿Por qué otros se opusieron?

   _____

   _____

3. ¿Por qué es el comercio importante para los países?

   _____

   _____

4. ¿Cómo los Estados Unidos usan su poder comercial para influenciar a otros países?

   _____

   _____

5. ¿Cómo el incremento del comercio mundial conduce a entremezclar las economías de los países?

   _____

   _____

Nombre _____ Clase _____ Fecha _____

El Medio Ambiente

¿Cuáles son los problemas que amenazan al medio ambiente?

Muchas personas piensan que el daño al medio ambiente es muy grave y que continúa empeorando. Algunas causas de este daño son las siguientes:

- **Crecimiento de la población** — Para el año 2000 la población mundial será aproximadamente de 6.2 billones de personas. Si el índice de natalidad continúa a este ritmo habrán casi 12 billones de personas para el año 2150. Este crecimiento tendrá un impacto negativo en el medio ambiente.

- **Deforestación** — El crecimiento de la población y la actividad industrial ha deforestado grandemente el planeta. En la década de los 80, casi 45 millones de hectáreas de bosques fueron destruidas, —la mayoría en Sudamérica, Asia y Africa.

- **Lluvia ácida** — A medida que Los automóbiles y las industrias han ido contaminando la atmósfera, se ha notado un incremento en la lluvia ácida. La lluvia ácida se produce cuando el agua trae las toxinas que se encuentran en el aire contaminado y las riega en los ríos, lagos, árboles y plantas. Esta lluvia contaminada produce daños terribles a la naturaleza.

- **Capa de ozono** — La capa de ozono es como un escudo delgado alrededor del planeta que bloquea los rayos dañinos del sol. Desafortunadamente, este escudo está adelgazándose en algunas áreas. Aunque los científicos no saben exactamente lo que está causando esto, algunos países han comenzado a reducir el uso de los productos que se cree son los responsables el problema.

¿Cuáles son los eventos que han causado preocupación sobre el medio ambiente?

Las personas se están preocupando cada día más sobre problemas del medio ambiente, debido en parte a algunos sucesos alarmantes.

- **Three Mile Island** — En 1979 un accidente ocurrió en la planta nuclear de Pennsylvania ubicada en Three Mile Island. Este accidente casi causa un desastre nuclear porque estuvo a punto de enviar energía radiactiva a la atmósfera.

- **Chernobyl** — En 1986 una tremenda explosión ocurrió en la planta nuclear de Chernobyl, ubicada en un pueblo de la antigua Unión Soviética. La explosión liberó una enorme cantidad de radiación que causó la muerte de muchas plantas y animales. Treinta personas murieron en las próximas dos semanas que siguieron a la explosión. Además, la radiación continúa matando lentamente, causando cáncer, defectos genéticos y otros problemas de salud. Los científicos estiman que los efectos a largo plazo de esta explosión matará a muchos miles más.

¿Cuáles son los esfuerzos que se han hecho para resolver los problemas ambientales?

En 1970, las personas de los Estados Unidos preocupadas por los problemas del medio ambiente se reunieron por primera vez y esto marcó el comienzo del movimiento ambientalista moderno. Este día fue llamado el Día de la Tierra (Earth Day). Desde entonces las personas han buscado soluciones a los problemas del medio ambiente.

• Partidos políticos como el partido Verde ha ganado apoyo en Europa. Su influencia parece crecer en los Estados Unidos también. En 1996 Ralph Nader fue candidato presidencial por el Partido Verde.

• Diferentes conferencias internacionales han sido organizadas para crear conciencia sobre los problemas ambientales. Por ejemplo, las Naciones Unidas patrocinó una conferencia al más alto nivel en 1992 para discutir sobre el tema. Cerca de 35,000 representates de todo el mundo asistieron, y firmaron un acuerdo para promover el mejoramiento del medio ambiente en todas las naciones.

• Muchos jóvenes han organizado clubes ecológicos y centros de reciclaje. Un grupo de estudiantes habló ante el Congreso, donde pidieron la aprobación de leyes más severas para proteger al aire de la contaminación.

• Debido a la crisis energética de la década de los 70, muchas personas han tratado de desarrollar otras formas de producir energía para sustituir al petróleo. Algunas de estas alternativas son la energía solar, la energía hidroeléctrica y la energía nuclear.

PREGUNTAS DE REPASO

Instrucciones: Responde correctamente.

1. Nombre y explique tres factores que amenazan al medio ambiente.

2. ¿Por qué se debe proteger la capa de ozono?

3. ¿Cuáles son los pasos que las personas han tomado para proteger el medio ambiente?

4. Describa dos problemas que las plantas nucleares han provocado y de esta forma han contaminado el medio ambiente.

18

La Sociedad Americana en la década de los 90

¿Cómo ha sido la vida en la década de los 90?

En la década de les 90, las personas han enfrentado problemas significativos pero también han visto un dramático desarrollo en la tecnología. Las personas viven más años, lo que ha causado que la población de ancianos haya aumentado. En 1995, por ejemplo, cerca de la mitad de los jefes de familia tenían más de 45 años. Uno de los problemas de esta década ha sido como satisfacer las necesidades de los ancianos, particularmente en el área de la salud. Cuando la numerosa población de los "baby boom" se comience a jubilar, éste será un problema crítico. Los miembros de la generación X, los hijos de los "baby boomers," temen que el seguro social no exista cuando ellos se jubilen porque el dinero se habrá gastado en los "boomers." La generación X culpa a los "boomers" por haber consumido los recursos y por haberles dejado una cuantiosa deuda nacional. Algunos norteamericanos han experimentado ansiedad por el descenso de la economía a los comienzos de los 90. Muchas compañías se han reubicado y otras han reducido su tamaño, dejando a muchas personas sin trabajo. Algunas compañías han intentado reducir los costos de seguro médico contratando empleados de tiempo parcial en vez de tener empleados a tiempo completo. Muchos americanos han condenado a los inmigrantes por este descenso de la economía y han demandado restricciones a la inmigración. La década de los 90 ha visto también grandes avances tecnológicos en las áreas de transporte, comunicación, medicina, armamento y juegos electrónicos. Para febrero de 1995 cerca del 31 % de los norteamericanos tenían una computadora en su hogar.

¿Cómo difiere la experiencia de los "baby boomers" de la de la Generación X?

• **Baby boomers** — La generación de los "baby boom" nació después de la Segunda Guerra Mundial. La mayoría creció con su padre y madre y vivía en pequeños pueblos o suburbios. Miraban "Howdy Doody" y "Captain Kangaroo" por televisión. La mayoría crecieron con su mamá en casa y algunos hasta tenían doctores que hacian visitas a domicilio. Los baby boomers Tuvieron que pasar por la tensión de la guerra de Vietnam y el movimiento de los derechos civiles. Algunos fueron enrolados en el ejército mientras que otros se hicieron "hippies." Nuevas escuelas fueron construidas para satisfacer las necesidades de esta numerosa población. La mayoría de aquellos que completó su educación secundaria o universitaria encontraron trabajo a tiempo completo. Las compañías competían entre sí para contratar a los recién graduados.

• **Generacion X** — Debido a que ellos son los hijos de los "baby boomers" son conocidos como los "baby busters." Muchos de ellos crecieron con sólo uno de sus padres o con padres adoptivos, producto de los nuevos casamientos de sus padres. Miraban Sesame Street y después, videos musicales. La mayoría de sus madres trabajaban fuera de casa. Debido a que crecieron durante la Era de la Información, ellos están familiarizados con las computadoras. La mayoría de los que han obtenido un diploma profesional han tenido que competir fuertemente para conseguir empleo, y muchos de ellos han tenido que trabajar en empleos que están por debajo de su nivel académico. Muchas personas han pronosticado que los graduados universitarios de esta generación trabajarán en más de 10 empleos a largo de su carrera profesional. Muchos de ellos se han visto en la necesidad de trabajar en la industria del servicio como los restaurantes de comida rápida (fast-food restaurant) y en tiendas y almacenes.

Para mayor información, consulte the Baby Boomers and Generation X More of the Story Reading on the Exploring America's Past CD-ROM.

¿Cómo la visión política de los baby boomers y de la Generacion X difiere?

- **"Baby boomers"** — Debido a que muchos de ellos están a punto de jubilarse, los "baby boomers" generalmente apoyan programas de seguro social y Medicare. Ellos representan la mayoría de los votantes y por eso los políticos atiendena sus demandas.

- **Generacion X** — Estos tienden a prestar atención a problemas específicos mas que a política partidista. Muchos de ellos resienten a los "baby boomers" por haber desperdiciado los recursos del país, dejándoles una deuda nacional enorme. Algunos de ellos no confían en los "baby boomers" que están a cargo del gobierno por considerarlos no aptos para resolver los problemas del país.

PREGUNTAS DE REPASO

Instrucciones: Escribe *BB* frente a las oraciones que son verdaderas sólo para los "baby boomers." Escribe *GX* frente a las oraciones que se refieren a los de la Generación X. Escribe un B junto a la oración que es verdadera para ambas generaciones, y *N* junto a aquella que es falsa para ambas generaciones.

____**1.** Ellos crecieron en un hogar con sus dos padres y vivían en pequeños pueblos o en suburbios.

____**2.** Ellos resienten haber heredado una deuda nacional enorme.

____**3.** Muchos han tenido que trabajar en restaurantes de comida rápida (fast-food restaurants), tiendas y almacenes.

____**4.** Ellos creen que problemas específicos son más importantes que la política partidista.

____**5.** Ellos apoyan la inmigración de todo corazón.

____**6.** El descenso de la economía de la década de los 90 ha incrementado su ansiedad.

____**7.** Ellos han enfrentado mayores limitaciones de trabajo que la generación anterior.

____**8.** Ellos usualmente crecieron con sus madres en casa.

____**9.** Ellos conforman la mayoría de los votantes.

Diversidad en los Estados Unidos

¿Qué hace de los Estados Unidos un país de diversidad?

Este país está conformado por personas de diferentes nacionalidades, culturas y religiones. Vienen de diferentes razas y hablan diferentes lenguas. Además de los indios norteamericanos, quienes han vivido en este país por miles de años, muchas personas han inmigrado desde un sinnúmero de países alrededor del mundo o han sido transportados como esclavos. Todas esta gente y sus descendientes han contribuido a enriquecer la cultura norteamericana actual.

¿Qué problemas son creados por la diversidad?

Por ser un país de diversidad, los Estados Unidos han tenido que confrontar problemas que han surgido entre ser gente. El gobierno, de la década de 1900, aplicó una política severa de reubicación de los Indios norteamericanos. Durante la Segunda Guerra Mundial, muchos norteamericanos de origen japones fueron mantenidos en campos de concentración. Hoy, todavía existen divisiones raciales, según se pudo ver en Los Angeles durante los disturbios raciales de 1992. Inmigrantes de Irlanda, Italia y Europa del Este, entre otros, sufrieron discriminación a su llegada. Durante la década de los 90 se han impuesto nuevas restricciones a la política migratoria.

¿Cómo la inmigración a conducido a desacuerdos?

Durante la década de 1990 el tema de la inmigración se ha convertido en un asunto muy discutido porque muchas personas han acusado a los reciente inmigrantes (de Asia, Latinoamérica y el Caribe) del deterioro de la economía.

- Entre 1990 y 1994 arrivaron a los Estados Unidos casi 4.6 millones de inmigrantes. Los opositores a esta inmigración sostienen que los inmigrantes les quitan los trabajos a los trabajadores norteamericanos.
- Defensores de la inmigración han dicho que algunos inmigrantes, particularmente aquellos que vienen de Asia, están excelentemente preparados y han contribuido al desarrollo industrial de este país. Los inmigrantes Asiáticos representan un tercio de todos los ingenieros de la industria de la computación de California. El Congreso aprobó el acta de inmigración de 1990 segun la que se permitia el incremento en el número de trabajadores especializados que podían inmigrar legalmente a los Estados Unidos.

¿Qué fue la proposición 187?

Algunos de los más acalorados debates sobre inmigración ha tenido lugar en California cuya población incluye un estimado de 1.5 millones de inmigrantes ilegales, mayormente de México. Así, en 1994, los votantes de California aprobaron la Proposición 187 para desalentar la inmigración ilegal. Esta proposición buscaba negarles educación, atención médica y servicios de asistencia social (welfare) a los inmigrantes ilegales. Maestros, doctores, oficiales de policía estarían obligados a denunciar a aquellas personas que les parecieran ser inmigrantes ilegales.

Los opositores a la Proposición 187 argüían que ésta injustamente convertía a los niños latinos en el blanco del problema y que permitiría a los oficiales de inmigración entrar a las escuelas y hogares en busca de Latinos para deportar. Los defensores de la Proposición argumentaban que ésta ahorraría al estado de California billones de dólares al desalentar a la gente a que inmigre ilegalmente con el propósito de beneficiarse de los servicios de asistencia pública.

En 1995 una corte del distrito sentenció de inconstitucional algunas partes de la Proposición 187. La corte declaró que el estado no podía negarles los servicios públicos a inmigrantes ilegales porque estos servicios eran pagados por el gobierno federal. Esta sentencia originó otro debate: ¿debería el gobierno federal prohibir el uso de estos servicios públicos a los inmigrantes?

¿Qué causó los disturbios en Los Angeles?

Los disturbios de Los Angeles en 1992 se originaron como consecuenciadel veredicto de "no culpable" en el juicio en contra de cuatro policías de la raza blanca acusados de usar excesiva fuerza al arrestar a un motorista afroamericano llamado Rodney King. La mayor parte de estos disturbios ocurrieron en la parte Sur-Central de Los Angeles, una área habitada principalmente por afroamericanos e hispanoamericanos. Los disturbios duraron varios días. Durante este tiempo, más de 60 personas murieron, cientos resultaron heridos y muchos negocios fueron destruidos. Algunos piensan que esto ocurrió a causa de la situación de pobreza que habían venido sufriendo por largo tiempo, mientras que otros creen que fuer debido a la también larga situación de conflictos raciales en el área. Todavía otros sostienen que se debió a la falta de representación política de los residentes del área Sur-Central.

¿Hubieron cambios positivos en las relaciones raciales durante la década de 1990?

En 1996 muchas personas esperaban que el general retirado Colin Powell, el primer afroamericano en ocupar el cargo de Jefe del Estado Mayor Conjunto (Joint Chiefs of Staff), aceptaría la propuesta de nominarse para presidente. Las encuestas mostraban que Powell, un republicano, tenía el apoyo de un amplio sector de votantes. Aunque el no aceptó la propuesta de candidatizarse, Powell expresó su esperanza de que hubiera una mejor relación interracial. También tenía esperanza de que los Estados Unidos tuvieran un día un presidente afroamericano.

PREGUNTAS DE REPASO

Instrucciones: Escribe una *C* si la oración es cierta o una *F* si es falsa.

____**1.** Los norteamericanos han apoyado considerablemente a los inmigrantes durante la década de los 90.

____**2.** Algunos aseguran que los inmigrantes educados han contribuido a la industria tecnificada.

____**3.** Los inmigrantes son los únicos que han contribuido a la diversidad del país.

____**4.** Los disturbios de Los Angeles de 1992 ocurrieron en un sector del Sur-Central de Los Angeles habitada solamente por afroamericanos.

____**5.** La Proposición 187 establecía que los inmigrantes no debían ser admitidos en las escuelas ni recibir beneficios de asistecia social (welfare) o cuidado médico.

____**6.** Los disturbios de Los Angeles de 1992 fueron en parte una respuesta a la pobreza, falta de representación política y un conflicto racial.

Conflictos Mundiales

¿Cuál ha sido el papel de los Estados Unidos como una potencia mundial durante la década de los 90?

El desmantelamiento de la Union Soviética puso fin a la Guerra Fría y los Estados Unidos se quedaron solos como la única superpotencia militar mundial. Como resultado, Estados Unidos ha intervenido en conflictos en muchas partes del mundo durante esta década.

- **Medio Oriente** — En 1993 el Presidente Clinton participó como observador en la firma del acuerdo de paz entre el líder Palestino Yasir Arafat y el primer ministro Israelí Yitzhak Rabin. El tratado otorgaba a los Palestinos una autoridad parcial sobre algunas tierras Palestinas controladas por Israel. Este tratado de paz representó una positiva nueva dirección en el Medio Oriente, pero las relaciones sufrieron un retroceso cuando Yitzhak Rabin fue asesinado en Noviembre de 1995.

- **Somalia** — En 1992 el Presidente Bush prometió que las fuerzas norteamericanas ayudarían en la Operación Restaurando la Esperanza (Restore Hope), una misión de las Naciones Unidas en el país africano de Somalia. El país había estado sufriendo de hambre como resultado de sequías, dificultades económicas y conflictos políticos. Las tropas de las Naciones Unidas llevaron comida y otros productos al pueblo de Somalia. Después que 18 soldados norteamericanos fueron asesinados y 75 fueron heridos en ataques por las fuerzas de Somalia, muchos norteamericanos tenían miedo que la operación se convirtiera en un conflicto extenso similar a la guerra del Vietnam. En respuesta, el Presidente Clinton, quien había ganado la presidencia en 1993, envió 15,000 soldados para restaurar el orden, prometiendo una rápido retorno de los mismos. La mayor parte de las fuerzas regresaron en marzo de 1994. Aunque 30 soldados norteamericanos murieron y 175 fueron heridos, poco cambio para la mayoría de los Somalíes. Muchos norteamericanos condenaron a las Naciones Unidas por el mal manejo de la situación y culparon a esta organización por este fracaso de la misión.

- **Haití** — En 1991 los líderes militares de Haití derrocaron al presidente democráticamente electo, Jean-Bertrand Aristide. En respuesta, tanto las Naciones Unidas como los Estados Unidos impusieron sanciones económicas, congelaron las cuentas Haitianas en los bancos de los Estados Unidos y prohibieron todo vuelo a la isla. Las sanciones tuvieron poco efecto en los militares, sin embargo, causaron que el pueblo de Haití sufriera una extrema pobreza. En 1994 Clinton decidió enviar tropas norteamericanas para invadir Haití. Los líderes militares renunciaron al poder y el presidente Aristide reasumió el poder. Clinton retiró a las tropas en 1996 después de que un nuevo presidente se posesionó.

- **Bosnia** — Después del final de la Guerra Fría, los Serbios en Bosnia, que formaban parte de Yugoslavia, intentaron sacar a todos los musulmanes de las comunidades Serbias, un proceso conocido como una "limpieza étnica" (ethnic cleansing). Muchos Musulmanes fueron llevados a campos de concentración, y muchos de ellos fueron asesinados. Las Naciones Unidas organizaron una misión para llevar ayuda a Bosnia, pero Estados Unidos se negó a contribuir a causa del mal manejo de la situación en Somalia por parte de las Naciones Unidas. Este organismo organizó un embarque de armas, estableció refugios de seguridad, y realizó investigaciones sobre crímenes de guerra. Los serbios de Bosnia respondieron secuestrando a varios miembros de las Naciones Unidas que negociaban la paz e invadieron los refugios de seguridad. Bajo presión internacional, los Estados Unidos enviaron tropas a Bosnia con la condición de que estas fueran dirigidas por militares norteamericanos y no por militares de las Naciones Unidas. Un acuerdo de paz fue firmado en Bosnia en Diciembre de 1995.

¿Cómo ha afectado el terrorismo a los Estados Unidos?

La actividad terrorista en el mundo aumentó con el final de la Guerra Fría, particularmente en el Medio Oriente. El gobierno de algunos países habían incluso apoyado actividades terroristas. Por ejemplo, en 1993 el FBI descubrió que el gobierno Iraquí había patrocinado un plan para asesinar al entonces presidente George Bush. Los Estados Unidos respondieron destruyendo los cuarteles generales de la inteligencia iraquí. Varios ataques terroristas en los Estados Unidos han desruido propiedades y han costado la vida a muchas personas.

- El 26 de febrero de 1993, una bomba explotó en el "World Trade Center" de Nueva York. Seis personas fueron asesinadas y más de 1000 fueron heridas. Varios árabes conectados con el atentado fueron arrestados y acusados de planear otros atentados en el edificio de las Naciones Unidas, en el cuartel general del FBI y en dos túneles bajo del "Hudson River." Varios miembros de este grupo terrorista fueron defenidos y sentenciados a cadena perpetua.

- El 19 de abril de 1995 ocurrió el peor ataque terrorista en los Estados Unidos. Los terroristas detonaron una bomba en el edificio federal de la ciudad de Oklahoma, matando a 168 personas. Los terroristas acusados en este caso —Timothy McVeigh and Terry Nichols— eran norteamericanos. Ambos habían servido en el ejército de los Estados Unidos y se habían resentido en contra del gobierno.

PREGUNTAS DE REPASO

Instrucciones: Escribe una *C* cuando sea cierto y una *F* cuando sea falso.

_____ **1.** Después de la Guerra Fría, los Estados Unidos y Canadá se conformaron como las dos superpotencias militares.

_____ **2.** Haití tuvo que resolver el problema relacionado a la "limpieza étnica."

_____ **3.** El tratado de paz del Medio Oriente fue firmado por el líder Palestino Yaser Arafat y el primer ministro Israelí Yitzhak Rabin en 1993.

_____ **4.** El tratado de paz del Medio Oriente le dio a los Palestinos control sobre las tierras Palestinas controladas por Israel.

_____ **5.** La Operación Restaurando la Esperanza (Operation Restore Hope) en Somalia fue un éxito porque terminó con el hambre del país.

_____ **6.** El Presidente Clinton ordenó a las tropas norteamericanas invadir Haití y restaurar en el poder al Presidente Aristide.

_____ **7.** Todos los terroristas que dinamitaron el edificio federal de la ciudad de Oklahoma eran extranjeros.

_____ **8.** Las tropas norteamericanas fueron usadas para resolver problemas en Somalia, Haití, y Bosnia.

_____ **9.** Después del fracaso de la Operación Restaurando Esperanza, el Presidente Clinton se negó a que las Naciones Unidas comandaran las tropas norteamericanas en Bosnia.

_____ **10.** Los terroristas árabes fueron condenados por detonar una bomba en el "World Trade Center de Nueva York.

África en los años de la década de 1990

¿Cómo los europeos afectaron el continente africano durante el siglo XIX?

Durante el siglo XIX los europeos conocían muy poco del continente africano aparte de puntos comerciales a la orilla de sus costas. Muchos europeos creían que África era un territorio vacante, una "tierra sin hombres." Sin embargo, todo cambio al final del siglo XIX, cuando los europeos extendieron su poder, influencia, y dominación en África en la medida que adquirían nuevos territorios. Estas acciones fueron parte de " a la conquista de África" (Scramble for Africa) a través del cual los países europeos de Alemania, Italia, Portugal, Francia, Inglaterra y España se apoderaron de casi todo el continente. Ellos obtuvieron 30 nuevas colonias y protectorados, 10 millones de millas cuadradas y 110 millones de personas. Fue hasta después de la Segunda Guerra Mundial que muchas naciones africanas obtuvieron su independencia. Al apoderarse de África, los europeos no sólo obtuvieron control político sino que obtuvieron riquezas naturales como petróleo, oro y diamantes, aumentando de esta forma su capital.

¿Qué fue el Apartheid en Sudáfrica?

En 1948, el gobierno de Sudáfrica (conformado por solamente "blancos") creó un sistema político conocido como el Apartheid, el cual consistía en segregar a los negros de los blancos. De esta forma, mientras los "blancos" obtenían riqueza y poder, los negros y el resto de la población "no blanca" vivían en condiciones de extrema pobreza. Además de recibir los peores trabajos, las peores escuelas y las peores viviendas, los "blancos" insultaban a los negros llamándolos "Kaffir." En 1986 el escritor Mark Mathabane publicó su obra *Kaffir Boy,* donde narra las experiencias de su niñez bajo el Apartheid en Alexandra, un barrio marginado de Sudáfrica. Mathabane describe como la escuela de los niños blancos era un edificio de ladrillos rojos en medio de un campo muy extenso con jardines inmaculados, campos de atletismo, parque de diversiones, piscinas olímpicas, canchas de tenis y árboles de hojas brillantes y perfectamente alineados. Él afirma que ninguna de las mejores escuelas para negros en todo Sudáfrica, podían compararse con el esplendor de esta escuela. "Cómo envidiaba la escuela de los niños blancos, cómo deseaba atender a una de sus escuelas."

¿Qué causó el final del Apartheid?

Gracias a las protestas que muchas personas, tanto dentro de Sudáfrica como en el resto del mundo, hicieron por muchos años, el Apartheid terminó. En Los Estados Unidos, por ejemplo, las protestas en contra del Apartheid aumentaron en la década de los 80, particularmente entre los estudiantes universitarios. Ellos presionaron a las universidades para que éstas sacaran sus inversiones de las compañías que hacían negocios con el gobierno de Sudáfrica. Estas protestas llegaron incluso a oídos del congreso que decidió en 1986 condenar cualquier negocio con Sudáfrica. Al mismo tiempo, muchas compañías voluntariamente sacaron sus inversiones y algunos bancos extranjeros se negaron a prestar dinero a las compañías Sudafricanas. Los líderes "blancos" Sudafricanos se dieron cuenta del deterioro económico del país y el presidente F. W. de Klerk, admitió que la economía no mejoraría mientras el Aparteid estuviera en vigencia. Bajo estas presiones, el gobierno "blanco" legalizó el Congreso Nacional Africano, un grupo de activistas que venían luchando por los derechos de los negros Sudafricanos. El gobierno también liberó a Nelson Mandela, uno de los fundadores del Congreso Nacional Africano que desde 1964 cumplía prisión acusado de intentar derrocar al gobierno. En 1994 se celebraron elecciones democráticas y Nelson Mandela fue elegido presidente, convirtiéndose así en el primer negro presidente Sudafricano.

PREGUNTAS DE REPASO

Direcciones: Marque con una X a la par de cada oración que responda correctamente a la pregunta. Cada pregunta puede tener más de una respuesta correcta.

1. El sistema Sudafricano del Apartheid fue

____**a.** una política que mantuvo a los blancos y a los negros separados en escuelas y viviendas.

____**b.** una política que ayudo a los negros Sudafricanos a mejorar su nivel de vida.

____**c.** una política que comenzó en 1948.

____**d.** una política que forzó a los "no blancos" a trabajar en malos empleos.

2. ¿Por qué Europa hizo el "Scramble for Africa"?

____**a.** Los europeos querían tener mejores relaciones con los africanos.

____**b.** Los europeos querían las riquezas naturales de Africa, como el petróleo, el oro y los diamantes.

____**c.** Los europeos querían aprender más acerca de la rica cultura africana.

____**d.** Los europeos querían expander su poder.

____**e.** Los europeos invadieron África para incrementar su capital.

3. ¿Quién protestó en contra del Apartheid?

____**a.** Los estudiantes universitarios de los Estados Unidos.

____**b.** Muchas naciones extranjeras.

____**c.** El presidente Sudafricano F. W. de Klerk

____**d.** Nelson Mandela

4. ¿Qué fue lo que terminó con el Apartheid en Sudáfrica?

____**a.** Las compañías sacaron sus inversiones de Sudáfrica.

____**b.** Los bancos extranjeros se negaron a prestar dinero a las compañías Sudafricanas.

____**c.** En 1986 el congreso de los Estados Unidos condenó toda nueva inversión en Sudáfrica.

Prólogo

EUROPA EN LAS AMÉRICAS

1. F—1-2 millones   **2.** V   **3.** F—Arabia y China   **4.** F—incas, aztecas   **5.** V

EL NACIMIENTO DE UNA NUEVA NACIÓN

1. Las preguntas van a variar, pero los estudiantes pueden nombrar: La Proclama de 1763, que los colonos resintieron porque les prohibió mudarse más allá de los Apalaches para reclamar nuevas tierras en el Oeste. El Acta de los Sellos de 1765, que puso un impuesto sobre todos los productos impresos, indignó a los colonos porque muchos de ellos leían periódicos y usaban documentos impresos en sus negocios todos los días. Las Actas de Townshend, que incluían varios impuestos junto con órdenes de allanamiento especiales para ayudar a los oficiales británicos a hacer cumplir estas actas. Los colonos resintieron estas nuevas cargas y pensaron que las órdenes de allanamiento eran una invasión de sus derechos. El Acta del Té de 1773, que obligaba a los colonos a comprar té directamente de la Compañía Británica de las Indias Orientales. Las Actas Coercitivas, que castigaron a los colonos de Massachusetts quitándoles gran parte de su independencia y bloqueando sus puertos. Los colonos llamaron estas Actas las Actas Intolerables.

2. Las preguntas pueden variar, pero los estudiantes van a incluir: Los Artículos limitaban el poder del gobierno nacional para que no pusiera impuestos y no tuviera poder para defender a los estados contra ataques del extranjero o rebelión interna. También, como los estados tenían poder individual para imprimir su propia moneda y regular el comercio entre los estados, cada estado tenía diferentes clases de papel moneda y diferentes reglas para comerciar productos a través de las fronteras estatales. Estos arreglos llevaron a la inestabilidad económica y política.

3. Es una lista de enmiendas a la Constitución garantizando a todos los ciudadanos ciertos derechos como el de libre expresión y libertad de prensa.

4. Las respuestas pueden variar, pero los estudiantes deben incluir algunos de los siguientes datos: Jefferson prefería un gobierno central más débil con la mayoría del poder en los estados, una economía basada en la agricultura y relaciones más estrechas con Francia, mientras que Hamilton quería un gobierno central fuerte, una economía mixta que incluyera la industria, y relaciones más estrechas con Gran Bretaña. Como Secretario del Tesoro bajo Washington, Hamilton propuso que el gobierno federal pagara las deudas de guerra de los estados y que estableciera un banco federal que imprimiera papel moneda. Jefferson se opuso a la fundación de un banco nacional, porque sostenía que la Constitución no lo permitía.

LA CONSTRUCCIÓN DE UNA NACIÓN FUERTE

1. c   **2.** b   **3.** a   **4.** b

EN BUSCA DEL CRECIMIENTO Y DEL CAMBIO

1. F—trabajo duro y buena suerte   **2.** V
3. F—El Gran Despertar   **4.** V

Capítulo 1

EXPANSIÓN SUREÑA

1. a   **2.** b   **3.** b   **4.** d

LA LUCHA POR KANSAS

1. para tener un territorio fuera de la tierra que estaba al oeste de Missouri y Iowa para que el ferrocarril pudiera pasar por la region

2. La Ley de Kansas-Nebraska canceló el Tratado de Missouri al permitir a la gente votar si sus territorios, que estaban mayormente al norte de la línea del Tratado de Missouri, podían tener esclavos.

3. Dos gobiernos fueron establecidos porque dos facciones estaban peleando por el control de

Kansas. Cuando los colonos en favor de la esclavitud ganaron la mayoría de asientos en el gobierno territorial a través de votos ilegales, los colonos en contra de la esclavitud establecieron un gobierno opositor.

4. Las respuestas van a variar y pueden incluír lo siguiente: (1) elección ilegal del 1854 y el establecimiento de gobiernos legislativos en Kansas, que incrementó el conflicto en el territorio; (2) en 1855 un colono que favorecra tierras libres fue matado por un hombre en favor de la esclavitud en una disputa por una tierra y como venganza del asesino. Estas acciones demostraron el incremento de violencia a causa de la esclavitud; (3) en 1856 la redada en Lawrence, Kansas es importante porque demuestra como el conflicto en Kansas se convirtió en más organizado y se esparció; (4) los asesinatos de Pottawatomie Creek por John Brown fueron significativos porque demostraron que la salvajería y crueldad habían escalado.

SITUACIONES EN RELACIÓN A LA ESCLAVITUD

1. La penalidad por esconder a un esclavo que había huído era de seis meses de cárcel y una fianza de $1,000. Todos los ciudadanos, incluyendo a los abolicionistas, eran requeridos asistir a la captura de los esclavos que habían huído si el oficial legal se los pedía.

2. Los afroamericanos libres a veces eran capturados por los que prendían a los esclavos y éstos mandaban a los últimos al Sur como esclavos. Los que capturaban a los esclavos eran pagados por afroamericanos que ellos reclamaban de que eran esclavos que habían escapado.

3. Las respuestas van a variar pero deben incluír algo de lo siguiente: la decisión declaraba que Scott no tenía derecho a demandar porque como era afroamericano por eso no era ciudadamo; la decisión declaró que los esclavos eran propiedad y se refirieron a la Quinta Enmienda que garantizaba a los derechos de propiedad de los ciudadamos; el fallo declaró inconstitucional al Tratado de Missouri y cualquier restricción en cuanto a la esclavitud era ilegal en los territorios federales.

LA CABAÑA DEL TÍO TOM
1. F—Harriet Beecher Stowe 2. F—fue golpeado y muere de sus heridas 3. C
4. F—ofensivo e injusto 5. F—Ley del Esclavo Fugitivo en el Tratado de 1850

LA REDADA DE JOHN BROWN
1. Brown esperaba comenzar una rebelión en Virginia y en todo el Sur.

2. Algunos abolicionistas del norte, incluyendo los Seis del Secreto (Secret Six) dieron dinero a Brown para ejecutar su plan en el Harpers Ferry. Después del arresto de Brown, otros abolicionistas vieron a Brown como a un héroe que sólo peleaba por la libertad de los esclavos.

3. La mayoría de los sureños estaban furiosos por el apoyo que Brown recibió antes y después del ataque en el Harpers Ferry. La simpatía que muchos norteños expresaron hacia Brown enfureció a muchos sureños profundamente.

4. Los norteños y sureños se miraban unos a otras cada vez más con sospecha, miedo y hasta odio. Los sureños se convirtieron en más hostiles en cuanto mantener la unión con los norteños quienes abiertamente apoyaban la rebelión de los esclavos y el asesinato de los dueños de éstos. Las reacciones en cuanto a la redada incrementó las tensiones y creó un clima propicio para más conflicto y hasta secesión.

POLÍTICA: 1848-1858
1. a 2. d 3. d 4. c

EN CAMINO A LA DESUNIÓN
1. Los demócratas del Norte nominaron a Stephen A. Douglas; los del Sur a John C.

Exploring America's Past

Breckinridge; los republicanos a Abraham Lincoln; el Partido de la Unión Constitucional a John Bell.

2. Lincoln pudo ganar porque el obtuvo la mayoría de los votos electorales de toda la nación-180 de 303-a pesar que no tenía la mayoría del voto popular. El resto de los votos electorales fueron divididos entre los otros tres candidatos.

Capítulo 2

GEOGRAFÍA Y SECESIÓN
1. E **2.** F **3.** A **4.** C **5.** B
6. D **7.** c **8.** a **9.** b

10. Las respuestas van a variar, pero los estudiantes deben señalar que el presidente Lincoln y el Partido Republicano se opusieron a la expansión de la esclavitud y que Lincoln ganó las elecciones sin el apoyo del Sur.

COMPARACIÓN ENTRE EL NORTE Y EL SUR
1. N—El Norte tenía a más gente en el ejército y en las granjas trabajando y en las fábricas para producir los suministros de guerra.

2. N—El Norte podía producir el equipo y la comida para sus ejércitos necesarios para poder pelear efectivamente.

3. S—Debido a la tradición militar del Sur, éste tenía generales más experimentados que los del Norte.

4. N—Los ferrocarriles permitían el rápido movimiento de la gente y productos.

5. S—El Sur podía pelear una guerra defensiva en territorio que le era familiar y amistoso.

LAS BATALLAS DE LA GUERRA CIVIL
1. b **2.** c **3.** Atlanta, Georgia

LA GUERRA EN EL LEJANO OESTE
1. F—Missouri **2.** F—el Territorio de Nuevo México **3.** C **4.** F—las batallas de Valverde y Glorieta Pass **5.** C

LOS SOLDADOS DE LA GUERRA CIVIL
1. F **2.** C **3.** F **4.** C **5.** C
6. C **7.** F **8.** C

LINCOLN Y LA EMANCIPACIÓN
1. como estrategia política para proveer a la unión con una nueva causa idealista alrededor de la cual se continuara el apoyo a la guerra; como estrategia política del exterior para debilitar la simpatía y apoyo del exterior al Sur; como una estrategia militar para debilitar la habilidad de pelear del Sur

2. Se aplicaba solamente a áreas del Sur que todavía estaban en rebelión en el día que tomó efecto, no a las áreas del Norte o del Sur que ya estaban ocupadas por las tropas de la Unión.

3. Él tenía miedo de que dándole libertad a todos los esclavos debilitaría el apoyo entre los norteños a la guerra, de que a lo mejor llevaría a algunos de los estados críticos de la frontera a separarse, y que él no tenía la autoridad constitucional para hacerlo.

4. La mayoría de los afroamericanos lo apoyaron y la mayoría de los blancos sureños se opusieron. La reacción entre los civiles blancos norteños y en el ejército de la Unión fue mezclada.

5. La esclavitud se terminó con la toma de control de cada territorio o estado por el ejército de la Unión. Algunos estados fueron ordenados por el comando militar a ponerle fin a la esclavitud.

EL FRENTE DEL HOGAR
1. N **2.** S **3.** B **4.** B **5.** S
6. B **7.** X **8.** N **9.** N **10.** N

Capítulo 3

POLÍTICA, 1865-1900
1. El plan de los Estados Unidos para reconstruir al gobierno y la sociedad del Sur después de que estos últimos perdieran la Guerra Civil.

2. Los Republicanos Radicales querían castigar a los dueños blancos de las plantaciones del Sur y proteger la libertad y derechos de los afroamericanos en el Sur.

3. Porque Johnson fue casi residenciado, él desistió en su objeción hacia la Reconstrucción congresional.

EL ASESINATO DE LINCOLN
1. c   **2.** d   **3.** c
4. Walt Whitman, Abraham Lincoln

RECONSTRUCCIÓN EN EL SUR
1. leyes que pasaron los blancos sureños para mantener a las personas liberadas lo más cercano posible a la esclavitud

2. los afroamericanos, los unionistas blancos sureños, y los republicanos del Norte

3. Querían remover del poder de los cultivadores sureños, proteger los derechos de los recientemente liberados afroamericanos, y alzar los impuestos para pagar los servicios sociales como la educación pública y los mejoramientos públicos tales como los ferrocarriles.

4. Hiram Revels fue un ministro y maestro quien fue el primer afroamericano elegido al congreso. Sirvió como un senador de los Estados Unidos desde el 1870 hasta el 1871. Blanche K. Bruce se convirtió en un cultivador rico en Mississippi después de la Guerra Civil y fue el segundo afroamericano que sirvió en el congreso. Fue senador desde el 1875 al 1881.

LA OFICINA DE HOMBRES LIBERADOS
1. la Oficina de Refugiados, Hombres Liberados, y Tierras Abandonadas

2. proveer comida de emergencia, albergue, y tratamiento médico a las personas recién liberadas y otros refugiados de la Guerra Civil

3. Las respuestas pueden variar, pero los estudiantes deben mencionar los esfuerzos educacionales de la Oficina.

DERECHOS CIVILES
1. extender la ciudadanía, derechos civiles, y el voto a los afroamericanos. El congreso extendió estos derechos en la forma de enmiendas constitucionales para que así fueran difíciles de revocar.

2. Los estados pasaron unas cláusulas abuelas que exentaban a las personas que podían votar en el 1867 y sus descendientes de pagar impuestos en las casillas y de tomar un examen de leer y escribir. Esto hizo que las restricciones de votar se aplicaran sólo a los afroamericanos.

3. Hubo una disputa de quien ganó en 1876 la elección presidencial, el republicano Hayes o el demócrata Tilden. A intercambio por el apoyo del Sur a Hayes, los republicanos removieron las tropas federales que quedaban en el Sur y pusieron fin a la Reconstrucción.

LOS LÍDERES AFROAMERICANOS
1. Booker T. Washington tenía la creencia de que los afroamericanos tenían que probar de que eran ciudadanos capaces dignos de los derechos de igualdad antes de que se les concedieran éstas. Sin embargo, él también trabajó para que se les dieran más derechos a los afroamericanos.

2. Códigos Negros fueron leyes pasadas por los estados sureños inmediatamente después de la Guerra Civil pero antes de la Reconstrucción. Eran para mantener a los afroamericanos en una condición como esclavos. Las leyes de Jim Crow fueron pasadas después de la Reconstrucción para legalmente segregar a los afroamericanos.

3. Los impuestos de las casilla eran impuestos que la gente tenían que pagar antes de poder votar. Los impuestos excluían a los afroamericanos más pobres de votar. Exámenes de leer y escribir también eran requeridos para votar en muchos estados del sur y por lo tanto no permitían votar a los afroamericanos analfabetos. Las cláusulas abuelas permitieron a los blancos pobres que no sabían escribir y leer votar en 1867 sin tener que pagar los impuestos de las primarias y ni tener que coger los exámenes de escribir y leer. Antes del 1867, los afroamericanos no tenían el derecho al voto.

4. A través de su discurso del Tratado de Atlanta, Booker T. Washington impulsó la paz racial. El pidió a los afroamericanos que aceptaran el estado de desigualdad; trabajaran fuertemente para seguir adelante y probar de que eran dignos de la igualdad de derechos. También pidió justicia de los blancos y que ellos aseguraran de que aquello que estuviera separado fuera de verdad igual.

EDUCACIÓN NEGRA

1. Las respuestas van a variar, pero los estudiantes pueden mencionar escuelas públicas, escuelas vocacionales, colegios, y universidades.

2. Después de que los sureños tomaran el poder de los gobiernos estatales del Sur a finales de los años de la década de 1870, ellos cortaron los fondos para las escuelas afroamericanas. Las escuelas negras a veces recibían sólo un tercio del dinero que recibían las blancas. Como resultado, los negros tenían menos escuelas y éstas eran inferiores.

EL NUEVO SUR

1. Las respuestas van a variar, pero los estudiantes deben mencionar que los prestamistas forzaron a los granjeros a producir una sola cosecha, algodón. Como la producción incrementó, los precios de algodón bajaron y la tierra se agotó.

2. El sistema del derecho de retención de la cosecha dio a las personas liberadas una fuente de ingreso que se necesitaba malamente.

3. Los Redentores querían mejorar la economía del Sur incrementando la producción industrial y mejorando las técnicas agrícolas.

4. Las respuestas van a variar, pero los estudiantes pueden mencionar la abolición de la esclavitud, el desarrollo de la industria textil, y la introducción del sistema del derecho de retención de la cosecha.

Capítulo 4

LOS INDÍGENAS DE LAS GRANDES LLANURAS
1. C   2. F—se convirtieron en cazadores nómadas   3. C   4. F—el caballo
5. F—por comida, ropa, albergue, y muchas otras cosas   6. C

LOS TRATADOS Y LAS GUERRAS INDÍGENAS
1. Wovoka
2. John M. Chivington
3. Red Cloud
4. Crazy Horse

LA MINERÍA Y LA GANADERÍA
1. d   2. b   3. a

LA VIDA DEL VAQUERO
1. F—usualmente encontraban un trabajo diferente después de algunos años   2. C
3. F—veteranos pobres o esclavos liberados
4. C   5. C   6. C   7. F—usualmente contratados   8. C

LOS FERROCARRILES TRANSCONTINENTALES
1. C   2. E   3. F   4. D   5. A
6. B

LA COLONIZACIÓN DE LAS GRANDES LLANURAS
1. W   2. E   3. B   4. W   5. W
6. E   7. E   8. W

LA AGRICULTURA EN LAS GRANDES LLANURAS
1. Los granjeros de las llanuras se encontraban con unas condiciones climatológicas más severas - tales como el calor, frío severo, y tornados - que los granjeros del este. Además, plagas de insectos y fuegos en las llanuras. Su

problema más grande, sin embargo, era una lluvia no adecuada y ocasionalmente años de sequías.

2. un arado de hierro y cuerda de atar más fuerte, que se usaban para cosechar el trigo.

3. el método agrícola desarrollado en las praderas escasas de agua. La agricultura seca envolvía arar la tierra a menudo y lo más profudamete posible para aumentar la absorbción de agua. Tuvo particularmente éxito con las variedades de trigo que requerían poca agua.

4. Grandes corporaciones que eran dueñas de fincas prósperas tenían muy buenas ganancias en los años que los niveles de lluvia eran buenos. Sin embargo, en los años de mal tiempo, las fincas perdían tanto dinero que por eso también perdían inversionistas. Entonces las tierras eran vendidas a pequeños granjeros.

Capítulo 5

LA SEGUNDA REVOLUCIÓN INDUSTRIAL

1. Las respuestas van a variar, pero los estudiantes pueden sugerir producción en masa del acero usando el proceso Bessemer, el desarrollo de los productos de petróleo, la expansión de los ferrocarriles, o hasta invenciones tales como la luz incandescente, el teléfono, o un carro de carga refrigerado.

2. Thomas Alva Edison

3. Las respuestas van a variar, pero los estudiantes pueden mencionar que el acero fue usado para hacer clavos, alambres, ferrocarriles, edificios altos, puentes, máquinas industriales, cañerías para el agua y el alcantarillado, y líneas para el gas y la electricidad. El desarrollo del riel de acero permitió la expansión de la industria del riel.

4. El crecimiento de los ferrocarriles ayudó a la economía nacional a crecer proveyendo así

transportación rápida, fácil y barata en distancias grandes para los productos y supliendo miles de trabajos ferroviarios y otras industrias relacionadas, tales como la manufactura de carros ferroviarios.

EL CRECIMIENTO DE LAS GRANDES EMPRESAS
1. c 2. c 3. a 4. c

PUBLICIDAD Y MERCADEO MASIVO
1. F—aumentó 2. C 3. F—suplir todos tipos de productos diferentes 4. F—Montgomery Ward y Richard Sears 5. C 6. C

MANO DE OBRA, SINDICATOS Y HUELGAS
1. Las respuestas pueden variar, pero deben incluír dos de las siguientes: condiciones de trabajo estrictas, trabajos repetitivos y que no requerían destrezas, condiciones peligrosas de trabajo

2. Powderly se convirtió en el líder de los Caballeros de Labor (Knights of Labor) en 1879 y los expandió hasta que se convirtió en una de las primeras uniones grandes. Favoreció permitir a los afroamericanos, las mujeres, algunos inmigrantes europeos, y trabajadores sin destrezas ingresar a los Caballeros. También desarrolló una estrategia que demandaba un día laboral de ocho horas y regulaciones en cuanto los carteles.

2. Negociaciones colectivas requerían que las compañías negociaran con las uniones que representaban a los trabajadores para determinar los salarios y las condiciones de trabajo. Samuel Gompers impulsó las negociaciones colectivas.

4. El gobernador de Pennsylvania envió a 8,000 Guardias Nacionales a Homestead para mantener la paz. Los huelguistas eventualmente aceptaron los términos establecidos por la compañía de acero, demonstrando que difícil era ganar contra las compañías grandes que eran apoyadas por el gobierno.

NUEVOS INMIGRANTES

1. Las respuestas pueden variar, pero deben incluír dos de las siguientes: los nuevos inmigrantes vinieron del sur y el este de Europa y los países asiáticos; hablaban varias lenguas diferentes; pertenecían a varios grupos de religiones diferentes; y por lo regular no eran educados y con pocas destrezas especializadas.

2. En los centros de procesamiento los inmigrantes fueron entrevistados e inspeccionados en cuanto a enfermedades. También, a veces sus nombres fueron cambiados porque los entrevistadores no podían entender los nombres y las lenguas europeas y asiáticas.

3. Las respuestas pueden variar. Los estudiantes pueden sugerir que los inmigrantes no tenían una buena educación, tenían pocas destrezas especializadas, y poco conocimiento del inglés. Esto le hizo difícil para ellos encontrar un buen trabajo.

EL SURGIMIENTO DE LA CIUDAD MODERNA

1. c   2. c   3. a   4. c   5. c

ESPARCIMIENTO A FINALES DEL SIGLO XIX

1. C   2. F—más escuelas públicas producieron más lectores   3. C   4. F—gente que estaban viviendo en las ciudades y los suburbios   5. F—hombres y mujeres   6. C

AGRICULTURA Y EL POPULISMO

1. Los granjeros sufrieron por las depresiones del 1873 y del 1893, inviernos duros y sequías, y tierras agotadas, que llevaron a disminuir la productividad de las fincas y incrementar las deudas de los granjeros. Éstos culparon por sus problemas a los ferrocarriles y a los monopolios de elevadores de granos y la dependencia en el patrón oro.

2. El Partido Populista fue formado por los miembros de la Alianza de Agricultores Populistas y la unión laboral. Los populistas llamaron a la posesión por el gobierno de los ferrocarriles y la cadena de telégrafo y

teléfono, apoyaron un impuesto federal y préstamos del gobierno a los granjeros, y reclamaron por la restricción de inmigrantes, ocho horas de días laborales, y la gratis e sin límites producción de monedas de plata y oro.

3. Los granjeros esperaban que con el cambio del patrón oro aumentaría el suministro de dinero y crearía una inflación y precios más altos para sus productos agrícolas.

4. La administración del Presidente Grant experimentó una corrupción extensiva, y esperaba que la reforma del servicio civil no permitiría que los funcionarios gubernamentales dieran trabajos a sus partidarios políticos.

Capítulo 6

MOVIMIENTO PROGRESISTA

1. a,b,c   2. a,c,e   3. a,c

REGULACIONES A LAS EMPRESAS GRANDES

1. a,c   2. b,d   3. b,c   4. a,b,c

REFORMA POLÍTICA

1. F—estuvieron muy preocupados
2. C   3. C   4. C   5. F—divididos
6. F—Decimonovena Enmienda

PRESIDENTES PROGRESISTAS

1. T   2. R   3. R   4. W   5. R,T
6. R   7. R   8. W   9. R   10. W

REFORMA SOCIAL

1. La casas fueron establecidas por reformadores para vivir en un área pobre y para convertirse en parte del vecindario al cual estaban tratando de ayudar. Los trabajadores sociales trabajaron con estos vecindarios pobres para mejorar sus vidas. Estas casas eran también parte de un esfuerzo para hacer que el público se diera cuenta de las condiciones en las áreas pobres. La casa más famosa fue la Casa Hull en Chicago, fundada por Jane Addams.

2. Muchos de los progresistas creían que los inmigrantes apoyaban el sistema corrupto político de las ciudades y que la gran cantidad de inmigrantes amenazaba con cambiar el estilo norteamericano de vida.

3. Booker T. Washington y W.E.B. Du Bois fueron dos afroamericanos importantes progresistas. Washington creía que los afroamericanos debían trabajar para mejorar sus condiciones económicas. Después de aprender las destrezas y los comercios, podrían obtener buenos trabajos, que les permitirían obtener la igualdad con los blancos. Du Bois creía que los afroamericanos tenían que defender sus derechos así convirtiendo la discriminación en un punto de disputa en la política nacional.

LAS VOCES DE REFORMA
1. C **2.** F **3.** F **4.** C **5.** F
6. F **7.** C

Capítulo 7

EXPANSIÓN E IMPERIALISMO
1. a **2.** c **3.** b **4.** c **5.** a
6. a

LA GUERRA ENTRE ESTADOS UNIDOS Y ESPAÑA
1. F **2.** C **3.** F **4.** F **5.** C
6. F **7.** F

PERIODISMO AMARILLISTA
1. d **2.** c **3.** a **4.** b

LA LITERATURA DE REBELIÓN
1. F **2.** C **3.** C **4.** F **5.** C
6. C **7.** C **8.** F **9.** C **10.** F
11. C

EXPANSIÓN EN EL PACÍFICO
1. J **2.** C **3.** H,P **4.** H,J, P,C
5. C **6.** H,P **7.** J **8.** H,P

LA POLÍTICA LATINOAMERICANA
1. Taft; algunas naciones de Latino América le daban la bienvenida al empuje de sus

economías mientras que otras podrían resentir la dominación de sus economías.

2. Wilson; México resentiría la acción porque era una interferencia no querida en los asuntos internos.

3. Roosevelt; los panameños darían la bienvenida a su libertad pero los colombianos resentirían la pérdida de su territorio.

4. Roosevelt; las naciones de Latino América resentirían la interferencia de los Estados Unidos en sus asuntos.

EL CANAL DE PANAMÁ
1. F—con el establecimiento de California y Oregon en los años de las décadas de 1840 y de 1850 **2.** C **3.** F—una compañía francesa **4.** F—un gobierno de Colombia **5.** C

Capítulo 8

LA GUERRA COMIENZA
1. F—nacionalismo **2.** C **3.** F—Alemania, Austria-Hungría, y Italia **4.** F—Serbia **5.** C

LAS NUEVAS TECNOLOGÍAS DE LA GUERRA
1. 1 **2.** 3 **3.** 2 **4.** 1 **5.** 2
6. 1 **7.** 3 **8.** c **9.** a **10.** d

AMÉRICA EN CAMINO A LA GUERRA
1. c **2.** c **3.** b **4.** a **5.** b

AMÉRICA ENTRA EN LA GUERRA
1. F **2.** F **3.** C **4.** F **5.** C
6. C **7.** F **8.** C

GUERRA AÉREA
1. Las respuestas pueden variar, pero deben de enfatizar que fueron usados primordialmente para identificar las posiciones de los enemigos en la tierra para que la artillería de tierra pudiera apuntarles. Los estudiantes también pueden decir que fueron utilizados para derribar aviones enemigos. Algunos aviones fueron usados como bombarderos.

2. derribar cinco o más de los aviones enemigos

3. Los pilotos de los aviones recibieron más publicidad que tropas de tierra porque volar todavía era algo nuevo y excitante. El combate aéreo era un concepto totalmente nuevo para la mayoría de las personas. Los pilotos no sólo arriesgaron sus vidas en combate, sino también sólo con el simple acto de volar. En su época eran celebridades.

4. El barón alemán Manfred von Richthofen o "Barón Rojo" derribó 80 aviones de los aliados; el capitán estadounidense Eddie Rickenbacker se ganó la Medalla de Honor después de derribar 26 aviones nazis.

LA EXPERIENCIA DE LA TRINCHERA
1. B   2. A   3. C   4. F   5. F
6. F   7. T

LA GUERRA TRANSFORMA A LA ECONOMÍA
1. b,c   2. a,c   3. a,c   4. a,c   5. b,c

EL TRATADO DE VERSALLES
1. C   2. F   3. F   4. C   5. F
6. C

Capítulo 9

PROBLEMAS DE LA POSGUERRA
1. F—no encontró trabajo fácilmente   2. C
3. C   4. F—procurador general   5. C

POLÍTICA EN LOS AÑOS DE LA DÉCADA DE 1920
1. F—no ingresó   2. F—Harding   3. C
4. C

CRECIMIENTO DEL COMERCIO EN LOS AÑOS DE LA DÉCADA DE 1920
1. Ellos impusieron altas tarifas sobre los productos extranjeros para entonces estimular la compra de los productos estadounidenses. Bajaron los impuestos para las personas para que así tuvieran más dinero para gastar. También redujeron la deuda nacional, que por lo tanto empujó hacia abajo la tasa de intereses, para promover la expansión del comercio.

2. Las cadenas de tiendas tales como Woolworth y Penny crecieron rápidamente y ofrecieron al público productos con precios más bajos. Compras a plazos permitió pagar en un plan a plazos a las personas que no tenían dinero para comprar. Esto mantuvo una alta demanda según los estadounidenses continuaron comprando más productos.

3. El automóvil fue un producto muy popular que aumentó las ventas en otras industrias necesarias para su manufactura, tales como las industrias del caucho, el acero, la pintura, y el vidrio. También creó industrias de servicio tales como las estaciones de gasolinería, moteles, y restauranes en las autopistas. El automóvil creó miles de trabajos, lo cual significó que más gente tenían empleos y más dinero para comprar productos estadounidenses.

PUBLICIDAD
1. El aumento en la compra de productos para el consumidor en los años de la década de 1920 se puede atribuir directamente a la publicidad. Por ejemplo, en 1929 las corporaciones de los Estados Unidos invirtieron alrededor de $1.8 billones para promover sus productos, y los negocios de publicidad emplearon aproximadamente a 600,000. Algunos negocios, tales como la radio y los periódicos, dependían completamente en la publicidad para sus ingresos. Los anunciantes invirtieron mucho dinero tratando de llegar a estos millones de consumidores.

2. Las nuevas herramientas de publicidad tales como los planes estratégicos y audiencias específicas fueron usados en los años de la década de 1920. Los planes de publicidad incluían identificar qué grupos proveerían el mejor potencial en cuanto clientes para el producto y formar estrategias de publicidad que atrayeran a esta audiencia selecta. La

nueva dirección en publicidad en los años de la década de 1920 era aumentar el uso de la sicología para planear estrategias que atrayeran las emociones que causaban a la gente comprar.

3. El "punto de venta de auto-mejora" (self-improvement pitch) sugería al público selecto que tenía debilidades que el producto anunciado podía remediar. La "atracción esnob" era para atraer a este público selecto a comprar cierto tipo de producto porque estaba de moda.

LOS RUIDOSOS VEINTES

1. El jazz vino a simbolizar el espíritu de los años veintes, que usualmente se conoce como la Época de Jazz, por muchas razones. Jazz era una música que muchos estadounidenses escuchaban y bailaban. Era común que los músicos de jazz improvisaran mientras tocaban. Esto le daba al público una sensación de libertad y atraía a la gente joven que quería romper con las tradiciones y reglas. Los músicos blancos también tocaban el jazz, así que fue una forma de romper con las barreras raciales, entre los músicos y el público.

2. El sonido en las películas comenzó en 1927. El Cantante de Jazz (The Jazz Singer) fue la primera película con sonido, y revolucionó a la industria. El próximo año Walt Disney introdujo al mundo los dibujos animados de Mickey Mouse con sonido en Steamboat Willie.

3. Algunas mujeres empezaron a vestirse y actuar en formas que expresaban su nueva libertad y su deseo de liberación. Las mujeres jóvenes particularmente parecían estar determinadas a liberarse de las ideas y reglas antiguas y restrictivas. Se deshicieron de los corsés y enaguas y los intercambiaron por faldas cortas y ropa holgada. Estas "flappers" se cortaron el pelo corto y usaron maquillaje.

LITERATURA EN LOS AÑOS DE LA DÉCADA DE 1920

1. C 2. F—pesimista 3. F—muchas personas de varias razas y de distintas experiencias 4. F—afroamericanos 5. C

PUNTOS EN DISPUTA EN LOS AÑOS DE LA DÉCADA DE 1920

1. Las personas en favor de la política en contra de la inmigración creían en el lema de "América para los americanos". En los años veintes, el congreso aprobó una ley que estableció una cuota para los inmigrantes. El Ku Klux Klan atacó a los afroamericanos, los judíos, los católicos, y los nuevos inmigrantes porque ellos creían que éstos eran la fuente de los problemas en los Estados Unidos. Los Fundamentalistas Religiosos rechazaron las teorías y los valores científicos modernos de los años veintes por una interpretación literal de la biblia. Tuvieron éxito cuando obtuvieron que algunos estados emitieran leyes que prohibían la enseñanza de la evolución.

2. Con el derecho al voto, muchas mujeres aumentaron su actividad política. Otras comenzaron a actuar de forma no tradicional. Pero todavía se esperaba que muchas mujeres se casaran y trabajaran en la casa. Aquellas que trabajaron afuera de la casa encontraron pocas oportunidades y baja paga.

3. Los Nuevos Negros (New Negroes) estaban determinados a mejorar sus vidas y demandar igualdad de derechos. Estaban orgullosos de sus alcances en el Renacimiento de Harlem (Harlem Renaissance) y sabían que NAACP estaba trabajando por sus derechos. Miles de afroamericanos se mudaron del Sur a las ciudades del norte, donde encontraron algunas nuevas oportunidades y algunos prejuicios viejos. Muchos afroamericanos creían que el progreso en cuanto a la igualdad racial se estaba moviendo muy lentamente.

Exploring America's Past

Capítulo 10

CAUSAS DE LA DEPRESIÓN

1. C   **2.** C   **3.** F   **4.** F   **5.** C
6. C

LOS PROGRAMAS
DEL NUEVO TRATADO (NEW DEAL)

1. Las respuestas van a variar pero deben de incluir dos de las siguientes similaridades y tres de las diferencias. Ambos presidentes trataron de inspirar confianza en la economía através de declaraciones optimistas públicas sobre el futuro; trataron de parar el colapso de los bancos; trataron de resolver la crisis agrícola alentando a los granjeros a tener cosechas más pequeñas y a cooperar en cuanto los precios; aprobaron los proyectos de obras públicas como una forma de proveer trabajos a los desempleados y estimular la economía; no les gustaba la idea de gastar dinero federal; y creían que un presupuesto balanceado era necesario para que la economía se recobrara. Roosevelt le dio ayuda federal directa a los necesitados, mientras que Hoover pensaba que la ayuda federal directa era mala para la gente y que iba a hacerle daño al "carácter nacional". Roosevelt aprobó muchos más proyectos grandes de obras públicas que Hoover. Roosevelt usó el poder del gobierno federal para apoyar al comercio y la bolsa de valores, mientras que Hoover creía que el gobierno federal no se debería involucrarse en estas áreas. Roosevelt devolvió la confianza del público en cuanto al sistema bancario. Muchos de los esfuerzos de Roosevelt fueron dirigidos a los pobres y los desempleados, mientras que los esfuerzos de Hoover sólo trataban de estimular la actividad económica. Aliviar el sufrimiento y la recuperación fueron enfatizados por Roosevelt, pero Hoover estaba más preocupado con el "carácter nacional" y dejar que el ciclo del comercio siguiera su curso.

2. Las respuestas van a variar, pero deben de incluir cualquiera de los siguientes seis programas: la Administración de Alivio Federal de Emergencia (Federal Emergency Relief Administration) (FERA) ofreció alivio directo a los desempleados; la Administración de Obras Civiles (Civil Works Administration) (CWA) creó trabajos para más de cuatro millones de personas; el Cuerpo Civil de Conservación (Civilian Conservation Corps) (CCC) puso a hombres jóvenes a trabajar en proyectos para la conservación de la naturaleza; la Ley Nacional de Recuperación Industrial (National Industrial Recovery Act) (NIRA) suspendió las leyes de anticarteles y permitió a los manufactoradores a cooperar para establecer los precios; la Ley de Ajuste Agrícola (Agricultural Adjustment Act) (AAA) autorizó al gobierno a pagar a los granjeros por cultivar pequeñas cosechas; la Autoridad del Valle de Tennessee (Tennessee Valley Authority) (TVA) fue creada para suministrar la fuente de energía eléctrica, prevenir inundaciones, y enseñar agricultura científica; la Corporación de Seguro del Depósito Federal (Federal Deposit Insurance Corporation) (FDIC) aseguró los depósitos de hasta $5,000 en los bancos; la Ley de Valores Federales (Federal Securities Act) reguló a la bolsa de valores para que no causara futura depresiones; la Ley del Seguro Social (Social Security Act) estableció un sistema de pensiones para las personas de edad avanzada, pago por incapacidad, y seguro de desempleo; la Administración de Obras en Progreso (Works Progress Administration) (WPA) fue creada para proveer trabajos a los desempleados; y la Ley Nacional de Relaciones Laborales (National Labor Relations Act) (la Ley Wagner) garantizó los derechos laborales de organizar uniones y negociaciones colectivas.

EL ESTILO DE ROOSEVELT

1. Roosevelt había sufrido una derrota en su búsqueda de la vice presidencia en el 1920. Un año después contrajo polio, lo que dejó a sus piernas paralizadas.

2. Eleanor Roosevelt desempeño un papel más activo en la política estadounidense en comparación con las primeras damas del pasado. Ella fue un portavoz para los derechos de las minorías, las mujeres, y los trabajadores, y atrajo atención a los problemas de éstos.

3. Roosevelt ordenó "feriado bancario" y por eso todos los bancos de la nación cerraron. Sólo los bancos certificados como seguros sin riesgos por inspectores federales pudieron abrir de nuevo. Dio su primera "conversación hogareña" (fireside chat) en la radio para explicar el día festivo de los bancos. En 1933 el Congreso también aprobó la Corporación de Seguro del Depósito Federal, que aseguró los depósitos de los bancos hasta la suma de $5,000.

4. Las "conversaciones hogareñas" fueron radiodifundidas por el presidente Roosevelt para explicar los problemas de la nación y cómo él se proponía a lidiar con ellos.

LOS CONSEJEROS DE ROOSEVELT

1. la secretaria del trabajo, el primer miembro del gabinete que era mujer, reformador social

2. el secretario del interior, desarrolló la política de conservación

3. fundador de Colegio Universitario Bethune-Cookman y el Consejo Nacional de Mujeres Negras, director de Asuntos Negros en la Administración Nacional Juvenil, aconsejado por Eleanor Roosevelt en cuanto a los asuntos afroamericanos

4. trabajador social de Nueva York encabezó FERA y WRA, creía que había que poner de nuevo a las personas a trabajar

5. economista en el Departamento del Interior, investigador del discrimen racial, consejero en cuanto a las relaciones raciales para Autoridad de Vivienda de los Estados Unidos

6. sistema de las instituciones del gobierno que proveen para las necesidades básicas de los

ciudadanos tales como el bienestar de salud, seguro de desempleo, y pensiones de retiro

EL TRABAJO DURANTE LA DEPRESIÓN

1. c **2.** a **3.** c **4.** b **5.** b
6. c

LA DEPRESIÓN Y LA SOCIEDAD

1. F—revivido **2.** F—las Gran Llanuras
3. F—trabajan como migrantes trabajadores agrícolas **4.** F—lo hizo **5.** C

LA CULTURA POPULAR EN LOS AÑOS DE LA DÉCADA DE 1930

1. e **2.** c,f **3.** a,i **4.** h,j **5.** g,k
6. l **7.** b,d

Capítulo 11

LOS ALBORES DE LA GUERRA

1. c **2.** a **3.** d **4.** e **5.** b
6. 1939 **7.** 1939 **8.** 1933 **9.** 1935
10. 1938 **11.** 1937

ESTADOS UNIDOS ENTRA A LA GUERRA

1. C **2.** F—las leyes de neutralidad no aplicaron **3.** F—intercambiaron cincuenta destructores por bases militares **4.** C **5.** C

LAS BATALLAS EN EUROPA Y EL PACÍFICO

1. c **2.** b **3.** b **4.** c **5.** c

EL PERSONAL MILITAR

1. b,c,d **2.** a,b,c **3.** a,d **4.** b,c,d

LOS ESFUERZOS DE GUERRA EN LOS ESTADOS UNIDOS

1. C **2.** F—seis millones **3.** F—planeó
4. C **5.** F—Nueva York, Detroit, y Los Angeles

LOS JAPONESES-AMERICANOS Y LA GUERRA

1. Algunos estadounidenses creían que los japoneses-americanos podían ser leales a Japón y que pudieran ser espías o que pudieran cometer actos de sabotaje.

2. Aproximadamente 112,000 japoneses-americanos fueron mandados a campamentos.

3. Las respuestas pueden variar. Los estudiantes van a señalar que muchos japoneses-americanos eran ciudadanos de Estados Unidos y que les molestó que se les pusiera en duda su lealtad. Muchos perdieron sus casas y negocios cuando fueron forzados a mudarse. Además, no les gustaba la actitud de odio que les demonstraban los otros estadounidenses.

4. Los campamentos fueron localizados en areas remotas y por lo regular eran áreas baldías. Los hospedajes estaban en malas condiciones.

5. El congreso emitió una legislación para ayudar a los internados a recobrar algunas de sus pérdidas, y las decisiones de las cortes en los años 80 ofrecieron compensación adicional a los sobrevivientes.

EL HOLOCAUSTO

1. la "Solución Final"
2. seis millones
3. indeseables
4. Adolfo Hitler
5. ghettos
6. campos de concentración
7. Auschwitz o Treblinka
8. Treblinka o Auschwitz
9. veneno de gas
10. Dinamarca
11. Oskar Schindler

EL FIN DE LA GUERRA

1. c   **2.** c   **3.** d   **4.** b   **5.** d

Capítulo 12

CONCLUYE LA GUERRA

1. Y   **2.** P   **3.** B   **4.** P   **5.** Y
6. Y   **7.** Y   **8.** Y   **9.** B   **10.** Y

LA FUNDACIÓN DE ISRAEL

1. Bajo un mandato de la nueva Liga de las Naciones, Inglaterra permitió limitada inmigración judía a Palestina. Los judíos se opusieron al mandato porque tenía muchas restricciones. Los árabes se opusieron porque permitía esta inmigración.

2. Los grupos militares judíos tales como Irgun y la Pandilla de Stern resistieron violentamente la ocupación inglesa de Palestina y continuaron convocando por un estado judío en la región.

3. Durante y después de la Segunda Guerra Mundial, muchos judíos fueron a Israel. Después de la guerra, los ingleses pensaban irse de Palestina. Refirieron este asunto del estado judío a la nueva Naciones Unidas.

4. Los árabes se opusieron a un estado judío en Palestina. Rechazaron el plan de las Naciones Unidas de dividir a Palestina en un estado árabe y judío. Una vez Israel se estableció, la Liga Árabe atacó a la nueva nacion.

LA VIDA EN LOS ESTADOS UNIDOS, DESPUÉS DE LA GUERRA

1. a   **2.** d   **3.** a   **4.** b

LA SEGUNDA AMENAZA ROJA

1. Los Rosenbergs eran una pareja que fue encontrada culpable de espiar para los soviéticos. Fueron ejecutados por espionaje en 1953. Su condena ayudó a alarmar a los estadounidenses en cuanto las actividades comunistas durante la segunda Amenaza Roja.

2. Hiss fue un oficial del Departamento del Estado acusado de espiar para los rusos. A pesar de que nunca fue condenado por espionaje, fue condenado por perjurio. Junto con el caso de Rosenberg, el caso de Hiss fomentó la Amenaza Roja.

3. HUAC fue un comité congresional establecido para investigar las actividades subversivas en los Estados Unidos. El comité investigó a miembros del Departamento de Estado y la industria del entretenimiento. Los Diez de Hollywood era un grupo de escritores que fueron a la cárcel por rehusar a cooperar con

el comité para nombrar a personas que eran sopechosas de ser comunistas.

4. La primera Amenaza Roja ocurrió inmediatamente después de la Primera Guerra Mundial. Ésta fue empezada por la reciente revolución comunista en Rusia y el desorden laboral en los Estados Unidos. Mayormente los investigados eran inmigrantes nueves y miembros de los sindicatos laborales.

LAS RELACIONES ENTRE LOS ESTADOS UNIDOS Y LA UNIÓN SOVIÉTICA

1. F—Grecia   2. C   3. F—el Tratado de la Oraganización del Atlántico del Norte (NATO)
4. C   5. F—el Pacto de Varsovia

EL INVOLUCRAMIENTO DE LOS ESTADOS UNIDOS EN ASIA

1. Muchos chinos apoyaron la revolución porque las reformas nacionalistas tales como la mejora de la industria y la transportación hicieron muy poco por mejorar las condiciones de vida de la mayoría de los chinos. Además, el gobierno nacionalista estaba plagado de corrupción. Los comunistas, mientras tanto, hicieron reformas en cuanto a la tierra en las áreas que controlaban.

2. Después de la guerra, Corea fue ocupada conjuntamente por los Estados Unidos y la Unión Soviética. Los soviéticos controlaron el norte y los Estados Unidos el sur. En 1948 el país se dividió en dos naciones -la República Democrática de Corea en el norte y la República de Corea en el sur. En 1950 Corea del Norte invadió a Corea del Sur. Las Naciones Unidas y los Estados Unidos apoyaron a Corea del Sur.

3. El 2 de setiembre de 1945, Japón se rindió. Se le permitió al Emperador Hirohito quedarse como cabeza de estado, pero el resto del alto comado y el ejército fueron disueltos. Una constitución de estilo estadounidense fue creada y reformas de tierra fueron instituídas. La ocupación estadounidense administró la

transición a un gobierno demócratico y ayudó al país a reconstruír su economía devastada.

LA GUERRA DE COREA
1. B   2. D   3. A   4. C   5. E
6. d   7. c

Capítulo 13

LA POLÍTICA NORTEAMERICANA, 1952–1960

1. McCarthyism es el nombre que se le da a la caza de comunistas en los Estados Unidos durante los años cincuentas. Muchas personas fueron acusadas falsamente de comunismo y perdieron sus trabajos y reputaciones.

2. McCarthyism se terminó cuando el senador Joseph R. McCarthy atacó al ejército durante las vistas televisadas de Army-McCarthy. El público se dio cuenta que McCarthy no tenía pruebas de sus reclamaciones, y su reputación fue arruinada.

3. Eisenhower continuó con algunos de los programas del Nuevo Tratado al aumentar el número de personas que recibían los beneficios del seguro social, al apoyar el aumento del salario mínimo y los beneficios de vivienda pública, y al apoyar los proyectos de obras públicas.

4. Las respuestas van a variar, pero los estudiantes pueden mencionar que Eisenhower era un héroe popular de guerra, él prometió el fin de la Guerra de Corea, él era nuevo en la política, y su oposición era un candidato demócrata que no era popular.

LAS RELACIONES INTERNACIONALES

1. porque los Estados Unidos sabían que un conflicto militar con la Unión Soviética podría llevar a una guerra nuclear

2. Los Estados Unidos usó a la CIA para obtener objetivos de los Estados Unidos en Irán y Guatemala.

3. Expuso que los Estados Unidos le darían apoyo a cualquier país del Medio Oriente que se opusiera al comunismo.

4. al hacer mejoramientos en las escuelas y el programa espacial

5. Un avión espía de los Estados Unidos fue derribado en el espacio aéreo soviético. Eisenhower negó que el avión estaba en una misión para espiar, pero luego admitió lo contrario.

6. Los soviéticos rompieron las negocianes de la reunión cumbre con los Estados Unidos, y las relaciones entre las dos naciones se enfriaron.

LA CULTURA NUCLEAR

1. Por primera vez, la gente se enfrentaban a la posibilidad de una destrucción mundial.

2. Las respuestas van a variar, pero los estudiantes deben mencionar los refugios de bombas y los contadores Geiger.

3. un instrumento para medir la dosis y exposición a la radiación

4. comida no perecedera, una fuente de luz, suministros de higiene personal

5. através de las misiones de los espías

PROSPERIDAD Y SOCIEDAD

1. Las respuestas van a variar, pero pueden incluír lo siguiente: mejores calles mejoraron la transportacón entre las casas de los suburbios y los trabajos en la ciudad; la gente quería tomar ventaja de los precios más bajos de vivienda y evitar la sobre población de las ciudades.

2. La gente estaban ganando más dinero, necesitaban amueblar sus nuevas casas, y competían unos con los otros por los productos de alta calidad.

3. El "baby boom" ocurrió como resultado del gran incremento en la tasa de nacimiento

después de la Segunda Guerra Mundial.

4. Aumentó el porcentaje de gente pobre viviendo en las ciudades, que por lo tanto disminuyó la fuente de ingresos derivados de los impuestos de la ciudad. Las ciudades entonces tenían menos dinero para invertir en las escuelas y otros servicios públicos.

ROCK 'N' ROLL

1. El fue un disc jockey blanco en Cleveland que es acreditado con la popularización del término de "rock 'n' roll".

2. Fue influenciado por el ritmo y la música de "blues" afroamericano.

3. Los padres no estuvieron de acuerdo con la influencia que ejerció sobre los adolescentes; a las letras, que consideraban como inmoral; y a los adolescentes blancos y negros que se relacionaban cuando escuchaban la música.

4. Los adolescentes usaron el rock 'n' roll como una fuerza que les unió para combatir la autoridad.

LOS DERECHOS CIVILES

1. El caso de Brown v. la Junta de Educación fue una importante decisión de la corte suprema porque en ésta se afirmó que las escuelas segregadas no eran constitucionales porque a su ser eran "inherentemente (por naturaleza) desiguales".

2. Después de que un gobernador de Arkansas usó la Guardia Nacional para prevenir a un grupo de estudiantes negros entrar a la Escuela Secundaria Central de Little Rock, el presidente Eisenhower mandó 1,000 soldados a Little Rock para escoltarles a las clases.

3. Las respuestas van a variar, pero pueden mencionar carteleras contra la integración, el bombardeo de la casa de Martin Luther King, Jr., o la dificultades que los estudiantes blancos de la Secundaria Central les dieron a los Nueve de Little Rock.

EL BOICOTEO DE LOS AUTOBUSES EN MONTGOMERY

1. En diciembre de 1955 Rosa Parks, una mujer afroamericana, no le dio su asiento a un hombre blanco en un autobús y fue arrestada por violar la ley local. En respuesta, los líderes afroamericanos organizaron un boicoteo a los autobuses locales. Por 381 días, los autobuses corrieron casi completamente vacíos. Los afroamericanos rehusaron montarlos y caminaron o montaron juntos en carros para ir al trabajo. El boicoteo se acabó en 1956 cuando la corte suprema dictó que la ley de Montgomery no era constitucional.

2. la organización que guio el Boicoteo de Autobuses en Montgomery

3. El boicoteo atrajo atención nacional al liderazgo de King y lo elevó al frente del movimiento nacional de derechos civiles.

Capítulo 14

LA ADMINISTRACIÓN DE KENNEDY

1. Mucha gente tenían miedo de Kennedy, debido a que siendo católico, él podría ser influenciado por el Papa; también estaban preocupada porque él se convertiría en el presidente más joven que jamás se había electo.

2. Kennedy estableció los Cuerpos de Paz y VISTA. También ayudó a aprobar la Ley de Igualdad en Paga.

3. No pudo pasar la legislación de educación, la legislación contra la discriminación racial, el cuidado médico del gobierno, o aumentos en el salario mínimo.

4. También se confrontó con la amenaza comunista de Cuba y el comunismo internacional de la Unión Soviética.

LA CRISIS CUBANA DE LOS PROYECTILES

1. I **2.** B **3.** F **4.** H **5.** J
6. A **7.** C **8.** G **9.** D **10.** E

LA ADMINISTRACIÓN DE LBJ

1. b **2.** e **3.** d **4.** g **5.** a
6. c **7.** h **8.** f

MARCHA A LA LIBERTAD

1. C **2.** C **3.** F—facilidades de viaje interestatal, mayormente estaciones de autobuses **4.** F—tuvo éxito **5.** C **6.** F—estaban frustrados por el enfoque no violento y algunos querían separarse de la comunidad blanca **7.** C

MOVIMIENTO DE LOS DERECHOS DE LA MUJER

1. b **2.** b **3.** c

MOVIMIENTO CONTRA LA CULTURA

1. B **2.** NL **3.** H **4.** H **5.** B
6. H **7.** NL **8.** NL **9.** B

DECISIONES DE LA CORTE SUPREMA

1. El procurador general de California durante la Segunda Guerra Mundial, Warren decidió internar a los japoneses americanos en un campamento. A él le pesa esta violación de los derechos civiles de estas personas lo cual le hizo más tarde ser sensitivo a casos similares.

2. Bajo Warren, la corte suprema examinó en un caso los puntos en disputa social en vez de decidir sólo las legalidades. Sus ideas fuertes y sentido de moralidad influenciaron las decisiones de otros jueces.

3. Brown v. la Junta de Educación desegregó a las escuelas públicas y por lo tanto permitió que los negros tuvieran igualdad de acceso a la educación.

4. Esta decisión dio a los sospechosos acusados de un crimen de hablar con un abogado antes de ser interrogados por la policía.

5. Encabezó la comisión Warren que investigó la muerte del presidente Kennedy. Esta dictaminó que él fue matado por sólo un franco tirador.

Capítulo 15

EL PERÍODO COLONIAL FRANCÉS

1. C   **2.** F—Laos, Cambodia, y Vietnam
3. F—por muchos, incluyendo a los comunistas, budistas y el Frente de Liberación Nacional
4. C

JOHNSON ESCALA LA GUERRA

1. B   **2.** D   **3.** C   **4.** A   **5.** E

6. Johnson estaba comprometido con el esfuerzo de guerra. Creía que los Estados Unidos deberían mantener su promesa de apoyar a Vietnam del Sur y que la libertad de ésta ayudaría a asegurar la libertad de los Estados Unidos.

7. Los aviones de los Estados Unidos bombardearon a la Senda de Ho Chi Mi porque estaba siendo usada como ruta de suministro por las tropas vietnamitas.

LOS SOLDADOS AMERICANOS EN VIETNAM

1. C   **2.** F   **3.** F   **4.** F   **5.** C
6. F   **7.** C   **8.** C   **9.** F

EL MOVIMIENTO CONTRA LA GUERRA

1. b   **2.** c   **3.** b   **4.** a   **5.** c

LAS ELECCIONES DE 1968

1. d   **2.** g   **3.** e   **4.** f   **5.** a
6. c   **7.** b

VIETNAM Y LA PRENSA

1. La prensa no tuvo muchas restricciones como en otras guerras. Pudieron seguir a las tropas en batalla y filmar los efectos de la guerra.

2a. Walter Cronkite expresó horror al ver la ofensiva en el aire de la Ofensiva Tet. Su desaprobación reflejaba la actitud de muchos estadounidenses. Entonces, Johnson se dio cuenta que la reacción negativa de Cronkite le haría daño en sus oportunidades de ser reelecto.

2b. Cuando el público vio el trato brutal que se le dio a los protestantes de guerra por la policía en una convención, muchos empezaron a echarle la culpa a Hubert Humphrey por la violencia.

2c. La decisión de la corte suprema de permitir los Papeles del Pentágono (Pentagon Papers) a ser publicados dejó a muchos estadounidenses ver que el gobierno les había mentido sobre Vietnam. Esto aumentó la desconfianza entre el público estadounidense y el gobierno.

NIXON Y VIETNAM

1. C   **2.** F—el bombardeo de Cambodia
3. F—causó que las protestas contra la guerra comenzaran de nuevo   **4.** C   **5.** C

LEGACÍAS DE LA GUERRA DE VIETNAM

1. Niños de ambos padres estadounidenses y vietnameses fueron tratados malamente.

2. El régimen del Khmer Rouge mató a casi 2 millones de personas.

3. El congreso pasó la Ley del Poder de Guerra para que ningún presidente pudiera comenzar una guerra sin consultar al congreso. Devolvió el poder de declarar guerra al congreso.

4. Los veteranos de Vietnam no fueron tratados como héroes, como otros veteranos habían sido en el pasado. Al revés, fueron considerados como lo que estaba mal con la guerra. Los químicos de la guerra les hicieron daño a algunas veteranos, y otros se convirtieron en desempleados o vagabundos.

Capítulo 16

EL GOBIERNO DE NIXON

1. F—un ingreso mínimo anual   **2.** C   **3.** C
4. F—poniendo los intereses económicos y de seguridad primero   **6.** C   **7.** F—favoreció a leyes para proteger el medio ambiente

NIXON EN CHINA

1. b   **2.** c   **3.** b   **4.** c

WATERGATE

1. La corte suprema lo ordenó.

2. mal uso del poder presidencial, obstrucción de la justicia, y no dar la evidencia

3. dos tercios

4. No. Renunció a su puesto ante el Comité Judicial de la Casa que presentó los artículos de residencia.

5. Bob Woodward y Carl Bernstein; encontraron que algunos republicanos habían planeado sabotear la campaña presidencial demócrata.

LA ADMINISTRACIÓN DE FORD

1. c **2.** b **3.** c **4.** a **5.** b

LA ADMINISTRACIÓN DE CARTER

1. C **2.** C **3.** F—derechos humanos
4. C **5.** F—enfureció a muchas personas
6. F—criticó

OPEC Y LA CRISIS ENERGÉTICA

1. a **2.** b **3.** c **4.** a **5.** d

LOS MOVIMIENTOS POR UN CAMBIO SOCIAL

1. Quería demonstrar los abusos sufridos por los indios norteamericanos en el pasado.

2. Algunas personas se opusieron porque creían que las escuelas ya estaban integradas, y algunos que se oponían a la acción afirmativa creían que era una forma de discriminación invertida.

3. uvas

4. Creían que si la discriminación en cuanto sexo era prohibida, las mujeres podrían mejorar sus oportunidades de proveerse asi mismas y a sus familias.

LA DISPUTA EN CONTRA DE LA ERA

1. d **2.** b **3.** d **4.** b **5.** a

Capítulo 17

REVOLUCIÓN DE REAGAN

1. C **2.** F—disminuye, aumenta **3.** F—una baja en los impuestos **4.** F—fueron hechos daño por **5.** C **6.** F—ganó la elección presidencial de 1984

FIN DE LA GUERRA FRÍA

1. c **2.** a **3.** b **4.** d

5. Glasnot significa "política abierta," y perestroika es la restructuración del gobierno y la economía soviética. Bajo glasnot, las personas podían discutir los puntos públicos en disputa y criticar al gobierno. Bajo perestroika, las empresas privadas fueron estimuladas.

6. El Tratado de Fuerzas Nucleares de Alcance Intermedio fue un tratado entre los Estados Unidos y la Unión Soviética firmado en 1987. Ayudó a calmar las tensiones de la Guerra Fría al eliminar completamente los proyectiles nucleares de alcance mediano en Europa.

7. Muchos estadounidenses a quienes no les gustaban los soviéticos cambiaron de opinión y empezaron a ver a sus enemigos antiguos como personas.

LA PRESIDENCIA DE BUSH

1. c **2.** a **3.** c **4.** d

CUESTIONES DE SALUD

1. c **2.** a **3.** b **4.** d **5.** a

LITERATURA EN LOS AÑOS DE LA DÉCADA DE 1980

1. Las respuestas van a variar, pero se puede incluir a Jay McInerney, Bret Easton Ellis, Tama Janowitz, Amy Tan, Alice Walker, o William Kennedy.

2. Estos trabajos enfocaron en la riqueza, la avaricia, y el uso de drogas. Describieron a la cultura popular pero por lo regular eran cortos en trama.

3. Los personajes eran mujeres fuertes y creativas.

CRISIS EN LA POLÍTICA EXTRANJERA
1. F **2.** C **3.** C **4.** F **5.** C
6. F **7.** C **8.** C **9.** C **10.** F

LA GUERRA DEL GOLFO PÉRSICO
1. b **2.** a **3.** b,e

Capítulo 18

POLÍTICA EN LOS AÑOS DE LA DÉCADA DE 1990
1. C **2.** C **3.** F **4.** C **5.** C
6. C **7.** F **8.** C

ASUNTOS DEL CUIDADO DE SALUD
1. a,c,d **2.** a,b,c **3.** b,c **4.** a,b,c

LA ECONOMÍA GLOBAL
1. Firmó NAFTA para aumentar el comercio de América del Norte y trabajó a través de GATT para ayudar a reducir las barreras comerciales

2. Los partidarios creían que NAFTA mejoraría los mercados para los productos estadounidenses y ayudaría a la economía mexicana y por lo tanto menos inmigrantes ilegales entrarían al país. Los opositores temían que los trabajos se transfirieran a México, donde la mano de obra era más barata.

3. El comercio es importante para los países porque los permite vender sus propios productos y comprar de otros esos que necesitan.

4. Los Estados Unidos ayudaron a ponerle fin al "apartheid" al imponerle sanciones comerciales a Suráfica. Los Estados Unidos amenazó con removerle a China el estado de comercio de "Nación Más Favorecida" a no ser que ésta mejore su record de derechos humanos. China prometió que haría esto.

5. El comercio mundial ha hecho que tener conocimiento de donde proviene un producto sea difícil porque las compañías producen sus productos en países extranjeros.

EL MEDIO AMBIENTE
1. Las respuestas pueden incluír tres de las siguientes: Sobre población pone tensión en el mundo de la naturaleza. Los bosques están siendo destruidos a una tasa alarmante. La contaminación está causado la lluvia acídica. La capa de ozono está convirtiéndose en muy fina en algunas partes del planeta lo cual es muy peligroso. Accidentes en las plantas nucleares pueden producir escapes de radiación dañina al medio ambiente.

2. La capa de ozono protege a la tierra al bloquear los rayos dañinos del sol.

3. Algunas personas se han unido a partidos Verdes y otras organizaciones ambientales. Otros han buscado formas de generar energía sin usar fósiles como combustible. En las conferencias, la gente han llegado a acuerdos en como causar menos daño al ambiente.

4. En Three Mile Island, hubo casi una fundición nuclear. En Chernobyl, hubo una explosión en la planta de energía nuclear que dejó escapar radiación al medio ambiente.

LA SOCIEDAD AMERICANA EN LOS AÑOS DE LA DÉCADA DE 1990
1. BB **2.** GX **3.** GX **4.** GX **5.** N
6. B **7.** GX **8.** BB **9.** BB

UNA AMÉRICA DIVERSA
1. F **2.** C **3.** F **4.** F **5.** C
6. C

CONFLICTO MUNDIALES
1. F **2.** F **3.** C **4.** F **5.** F
6. C **7.** F **8.** C **9.** C **10.** C

AFRICA EN LOS AÑOS DE LA DÉCADA DE 1990
1. a,c,d **2.** b,d,e **3.** a,b,d **4.** a,b,c
5. b,c